"*Conhecendo as doutrinas da Bíblia* foi escrito em linguagem simples e esclarecedora, possibilitando a todos os cristãos conhecer e compreender os alicerces básicos da nossa fé. Apresentar a perspectiva cristã a um mundo perdido sem dúvida nos ajudará a demonstrar a sensatez do evangelho."
Itamir N. de Souza, mestre em Ciências da Religião, professor de Teologia Sistemática e Teologia Bíblica da Faculdade Teológica Batista de São Paulo.

"Neste livro, Pearlman reúne os dez temas fundamentais da Teologia Sistemática e faz de sua obra um verdadeiro vade-mécum para leigos e seminaristas, pastores e professores. Suas ilustrações facilitam a compreensão de temas complexos."
José S. da Silva, diretor e professor de Teologia Sistemática da Faculdade Teolatina de São Paulo.

"Penso que o fato de Pearlman tratar dos temas teológicos com clareza, fidelidade às Escrituras, profundidade e praticidade para a igreja é a grande virtude desta obra. O livro nos permite 'teologizar' com a igreja sem que sejamos teóricos e enfadonhos."
Fernando Fernandes, professor de Teologia Sistemática no Seminário Teológico Batista de São Paulo.

"Esta obra de Myer Pearlman localiza-se na área teológica denominada sistemática. Como os temas são apresentados com linguagem bastante clara e acessível, é de grande valia para os membros das comunidades cristãs, bem como para iniciantes nos estudos da Teologia."
Edemir Antunes Filho, pastor, professor no Instituto Betel de Ensino Superior e doutorando em Ciências da Religião pela Universidade Metodista de São Paulo.

"Este livro foi escrito para o povo. Sua linguagem objetiva e clara facilita a compreensão de assuntos tão profundos. O autor fala de teologia de maneira simples sem deixar de ser preciso."

Marco D. de Oliveira, pastor da Igreja Batista de Vila Mariana em São Paulo. Bacharel em Teologia pelo Seminário Teológico Batista do Sul do Brasil no Rio de Janeiro.

"Este é um excelente livro de pesquisa para iniciantes no estudo da Teologia. O leitor encontrará nesta fonte informações abrangentes e de substancial importância para oferecer com espírito de humildade a todos aqueles que o interrogarem a respeito das doutrinas bíblicas."

Márcio Matta, membro da direção da Escola de Educação Teológica das Assembleias de Deus em Campinas (SP).

"O nome de Myer Pearlman é bastante conhecido no meio evangélico, graças a tudo que ele produziu para a edificação da Igreja de Cristo. A sua maneira de apresentar as verdades bíblicas está ao alcance de todos, pois é clara e concisa."

Elisiário A. dos Santos, professor de Prática Pastoral no Centro de Formação Teológica e Superintendente Geral da Igreja Metodista Wesleyana.

"Myer Pearlman reúne neste livro vários temas ligados à teologia cristã, fazendo-nos perceber a importância do estudo da Palavra de Deus. Recomendo este livro, pois enriquecerá sua biblioteca e, acima de tudo, o ajudará no melhor entendimento das coisas de Deus."

Ronald da S. Lima, coordenador teológico do Instituto Betel de Ensino Superior em São Paulo.

MYER PEARLMAN

Conhecendo as doutrinas da Bíblia

Tradução
Lawrence Olson

3. edição

Editora Vida
Rua Conde de Sarzedas, 246 – Liberdade
CEP 01512-070 – São Paulo, SP
Tel.: 0 xx 11 2618 7000
atendimento@editoravida.com.br
www.editoravida.com.br

Título do original
Knowing the Doctrines of the Bible
edição publicada por
Gospel Publishing House
(Springfield, MO 65802, EUA)

■

Todas as citações bíblicas e de terceiros foram adaptadas segundo o Acordo Ortográfico da Língua Portuguesa, assinado em 1990, em vigor desde janeiro de 2009.

Editor responsável!: Sônia Freire Lula Almeida
Editor-assistente: Gisele Romão da Cruz
Preparação: Lena Aranha
Revisão de provas: Tatiane Souza
e Josemar de Souza Pinto
Diagramação: Set-up Time
Capa: Douglas Lucas

1. edição: 2003
2. edição: 2006
3. edição: 2009

1ª reimp.: nov. 2009
2ª reimp.: ago. 2010
3ª reimp.: mar. 2011
4ª reimp.: ago. 2011
5ª reimp.: jul. 2012
6ª reimp.: maio 2013
7ª reimp.: ago. 2013
8ª reimp.: maio 2014
9ª reimp.: jan. 2016
10ª reimp.: maio 2016
11ª reimp.: dez. 2017
12ª reimp.: jun. 2018
13ª reimp.: abr. 2019
14ª reimp.: mar. 2020
15ª reimp.: nov. 2020
16ª reimp.: ago. 2021
17ª reimp.: jul. 2022

Dados Internacionais de Catalogação na Publicação (CIP)
(Câmara Brasileira do Livro, SP, Brasil)

Pearlman, Myer
Conhecendo as doutrinas da Bíblia / Myer Pearlman : tradução Lawrence Olson. — 3. ed. — São Paulo: Editora Vida, 2009.

Título original: *Knowing the doctrines of the Bible*
Bibliografia
ISBN 978-85-7367-144-5

1. Bíblia — Crítica e interpretação 2. Bíblia — Doutrinas 3. Bíblia — Estudo e ensino 4. Bíblia — Leitura I. Título.

09-00371 CDD 220.07

Índices para catálogo sistemático

1. Doutrinas bíblicas : Estudo 220.07

Como justa homenagem à distinta família do saudoso irmão Myer Pearlman, viúva Irene Pearlman e filhos: David, Eunice e Donald.

Prefácio à 1ª edição brasileira

A teologia, tema deste livro, no sentido etimológico é "o assunto acerca de Deus", o assunto mais elevado de que é capaz de se ocupar a mente humana. Vários métodos de teologia já propostos, como por exemplo os métodos especulativo, racionalista, dogmático e místico, têm conduzido os homens a conclusões contrárias às Escrituras, as quais violam também nossa natureza moral.

O método teológico que ao mesmo tempo honra as Escrituras e satisfaz a alma do homem é o indutivo, utilizado pelo autor deste livro, Myer Pearlman. A Bíblia é para o teólogo o que a natureza é para o cientista: a fonte de fatos concretos. O teólogo reverente adota, para averiguar o que a Bíblia ensina, o mesmo método que o filósofo adota para averiguar o que a natureza ensina.

Nesse processo, que requer grande diligência, precaução e exaustivo trabalho, derivam-se os princípios dos fatos, e não os fatos dos princípios. Os grandes fatos da Bíblia devem ser aceitos conforme se apresentam e a partir deles ser edificado o sistema teológico, a fim de abraçá-los em toda a sua integridade.

É motivo de grande satisfação observar que as Escrituras contêm todos os fatos da teologia e admitem verdades intuitivas, tanto intelectuais quanto morais, por causa de nossa constituição como seres racionais e morais. As Escrituras admitem também o poder controlador sobre as crenças exercido pelo ensino íntimo do Espírito Santo, ou seja, a experiência religiosa. A palavra do apóstolo Paulo ilustra bem essa verdade: "Minha mensagem e minha pregação não consistiram em palavras persuasivas de sabedoria, mas consistiram em demonstração do poder do Espírito" (1Co 2.4). Esse ensino ou "demonstração" íntima do Espírito Santo limita-se às verdades objetivamente reveladas nas Escrituras, não como revelação de novas verdades, mas como iluminação da mente, o que a torna apta para perceber a verdade, a excelência e a glória das coisas anteriormente reveladas. O apóstolo Paulo, na sequência da passagem, afirma: "Mas Deus o revelou a nós por meio do Espírito. O Espírito sonda todas as coisas, até mesmo as coisas mais profundas de Deus. Pois, quem conhece os pensamentos do homem, a não ser o espírito do homem que nele está? Da mesma forma, ninguém conhece os pensamentos de Deus, a não ser o Espírito de Deus. Nós, porém, não recebemos o espírito do mundo, mas o Espírito procedente de Deus, para que entendamos as coisas que Deus nos tem *dado gratuitamente*. Delas também falamos, não com palavras ensinadas pela sabedoria humana, mas com palavras ensinadas pelo Espírito, *interpretando verdades espirituais para os que são espirituais*. Quem não tem o Espírito não aceita as coisas que vêm do Espírito de Deus, pois estas lhe são loucura; e não é capaz de entendê-las, porque elas são discernidas espiritualmente. Mas quem é espiritual discerne todas as coisas, e ele mesmo por ninguém é discernido; pois "quem conheceu a mente do Senhor para que possa instruí-lo?" Nós, porém, temos a mente de Cristo" (1Co 2.10-16).

Essa posição doutrinária e bíblica, simples e espiritual, que é a posição do apóstolo Paulo, é também a adotada pelo autor, o irmão Myer Pearlman. De acordo com ela, a Bíblia contém todos os fatos e todas as verdades reveladas pelo Espírito de Deus ao homem.

Lawrence Olson

Prefácio à 2ª edição brasileira

Prefaciar uma obra desta magnitude enche nosso coração de alegria, mas também traz profundo temor à nossa alma. Afinal, o que tem a oferecer um livro já em sua 32ª impressão, com mais de 145.000 exemplares vendidos? Talvez possamos compreender alguns dos motivos de tal êxito; outros, porém, certamente estão reservados àquele que inspirou seu autor.

O grande valor desta obra provavelmente reside em que nela Pearlman consegue cumprir com êxito um dos grandes desafios da tarefa do teólogo: um estudo sério e sistemático das Sagradas Escrituras.

Em muitas ocasiões, no labor teológico, deparamos com uma linha que delimita claramente o academicismo técnico, irreverente e distante da leitura simplória, ingênua e apaixonada da Escritura. Em *Conhecendo as doutrinas da Bíblia,* o leitor encontrará com certeza uma suave harmonia entre esses dois polos.

Seu valor é inestimável para a igreja brasileira, que, diferentemente das igrejas europeias e norte-americanas, é relativamente nova, como nos ensinam os missiólogos e historiadores. Estamos aprendendo a dar nossos próprios passos, tentando elaborar nossa própria teologia, publicando nossos livros, enviando nossos missionários. Neste momento, um livro como o de Pearlman nos ajudará consideravelmente a pensarmos e repensarmos toda a nossa caminhada teológica como igreja genuinamente brasileira.

Temos muito a aprender com aqueles que dedicaram a vida a ler as Escrituras e a sistematizar o conhecimento teológico, transmitido arduamente aos seguidores de Cristo. Para isso, Pearlman não mede esforços. Não só convoca a autoridade dos pais da Igreja, como também cita com propriedade os grandes teólogos clássicos da igreja cristã, no decorrer destes dois mil anos de história.

Conhecendo as doutrinas da Bíblia nos convida a um agradável passeio pelo jardim dos desígnios e ensinamentos divinos. Às vezes, a impressão que temos durante a leitura é que nos perderemos dentro dessa densa floresta teológica e que de lá não sairemos tão cedo. É então que o autor vem nos brindar com algumas dicas devocionais, informações históricas, teológicas, filosóficas e principalmente a autoridade dos santos homens de Deus, que se esmeraram no estudo das Sagradas Escrituras a fim de transmitir a homens fiéis e idôneos o conhecimento de Cristo.

Com certeza este não será mais um livro a compor sua estante. Antes, será um guia na compreensão da teologia e da tarefa do teólogo em servir a Deus e à igreja, para a edificação e o serviço dos santos.

Ricardo Bitun
Pastor da Igreja Evangélica Manaim, em São Paulo
Doutorando em Ciências Sociais pela PUC-SP

Sumário

CAPÍTULO 9: O ESPÍRITO SANTO

CAPÍTULO 10: A IGREJA

CAPÍTULO 11: AS ÚLTIMAS COISAS

Introdução

Realmente esperamos que a teologia ou a doutrina encontre o lugar que merece no pensamento e na educação religiosa. Em anos recentes, o quer que tenha sido dito que desmereça essa área de estudo foi inoportuno, em vista da grande necessidade do mundo de conhecer a soberana e indubitável verdade.

Para um ser imortal, a verdade acerca de Deus, do destino humano e do caminho para a vida eterna sempre é muito importante. Todos os homens que raciocinam devem levar em consideração essas coisas. Essas perguntas são tão antigas quanto a própria raça humana e só podem ser esquecidas quando a humanidade houver submergido na idiotice ou houver perdido a imagem de Deus.

"Porque, como o homem imaginou em seu coração, assim é. Toda a existência do homem gira em torno de como pensa, especialmente o que pensa acerca de Deus" (David S. Clarke).[1]

[1] Fonte não mencionada no texto original, nesta e em outras citações no decorrer do livro. [N. do E.]

I. A NATUREZA DA DOUTRINA

Pode-se definir a doutrina cristã (a palavra "doutrina" significa "ensino" ou "instrução") como as verdades fundamentais da Bíblia apresentadas de forma sistemática. Denomina-se habitualmente esse tipo de estudo de "teologia", ou seja, "um tratado ou discurso racional acerca de Deus". Descreve-se teologia ou doutrina (os dois termos serão usados alternadamente nesta seção) como a ciência que trata de nosso conhecimento de Deus e do relacionamento dele com o homem, compreendendo assim tudo quanto se relaciona a Deus e aos propósitos divinos.

Por que descrevemos a teologia ou a doutrina como "ciência"? A ciência é a disposição sistemática e lógica de fatos comprovados. A teologia é considerada ciência porque consiste em fatos relacionados a Deus e às coisas da ordem divina apresentados de uma maneira lógica e ordenada.

Qual a ligação existente entre teologia e religião? Religião origina-se da palavra latina *ligare*, que significa "ligar"; religião representa as atividades que "ligam" o homem a Deus em determinada relação. A teologia é o conhecimento acerca de Deus. Assim, a religião é a prática, ao passo que a teologia é o conhecimento. A religião e a teologia devem coexistir na verdadeira experiência cristã. Contudo, na prática, às vezes elas se encontram de tal maneira distanciadas que é possível ser teólogo sem ser verdadeiramente religioso; por outro lado, a pessoa pode ser verdadeiramente religiosa sem possuir um conhecimento doutrinário sistemático. A mensagem de Deus ao teólogo é: "Agora que vocês sabem estas coisas, felizes serão se as praticarem" (Jo 13.17); e a mensagem de Deus ao homem espiritual é: "Procure apresentar-se a Deus aprovado, como obreiro que não tem do que se envergonhar e que maneja corretamente a palavra da verdade" (2Tm 2.15).

Qual é a diferença entre doutrina e dogma? Doutrina é a revelação da verdade conforme se encontra nas Escrituras; dogma é a declaração do homem acerca da verdade apresentada em um credo.

II. O VALOR DA DOUTRINA

1. O conhecimento doutrinário supre a necessidade de haver uma declaração autoritária e sistemática sobre a verdade.

Em certos meios, há a tendência de não somente procurar diminuir o valor dos ensinos doutrinários, como também de dispensá-los completamente, como desnecessários e inúteis. Contudo, quando cogitam sobre as questões de sua existência, os homens sentem necessidade de uma opinião final e sistemática sobre esses problemas. A doutrina sempre será necessária enquanto os homens ainda questionarem: "De onde vim? Quem sou eu? Para onde vou?".

Muitas vezes, ouve-se a expressão: "Não importa em que a pessoa crê, desde que faça o bem". Essa opinião dispensa a doutrina, pois a julga totalmente irrelevante em relação à vida.

No entanto, todas as pessoas têm uma teologia, quer reconheçam esse fato quer não; os atos do homem são fruto de sua crença. Por exemplo, haveria grande diferença entre o comportamento da tripulação de um navio que estivesse ciente de que viajava rumo a determinado destino e o comportamento da tripulação de um navio que navegasse à mercê das ondas e sem rumo certo.

A vida humana é uma viagem no tempo para a eternidade, e as pessoas consideram extremamente relevante saber se essa viagem não tem significado nem rumo certo ou se é uma viagem planejada e dirigida pelo seu Criador para um destino celestial.

2. O conhecimento doutrinário é essencial para o pleno desenvolvimento do caráter cristão.

As crenças firmes produzem caráter firme; crenças bem definidas também produzem convicções bem definidas. Naturalmente a crença doutrinária da pessoa não é sua religião, assim como a espinha dorsal de seu organismo não é sua personalidade. Mas, assim como uma boa espinha dorsal é parte essencial do corpo, também um sistema definido de crenças é uma parte essencial da religião. Alguém disse: "O homem não precisa expor sua espinha dorsal; no entanto, para estar bem aprumado, deve possuí-la. Da mesma forma, o cristão precisa de uma definição doutrinária para não ser um cristão volúvel nem deformado!".

Certo pregador francês unitarista fez a seguinte declaração: "A pureza de coração e de vida importa mais que a opinião correta". Outro pregador francês respondeu a essa declaração: "A cura também é mais importante que o remédio; mas sem o remédio não haveria cura!". Sem dúvida, é mais importante viver a vida cristã que apenas conhecer as doutrinas cristãs, porém não pode haver experiência cristã enquanto não houver conhecimento das doutrinas cristãs.

3. O conhecimento doutrinário é um baluarte contra o erro (Mt 22.29; Gl 1.6-9; 2Tm 4.2-4).

Diz-se comumente que as estrelas surgiram antes da astronomia e que as flores floresceram antes da botânica, como também a vida existia antes da biologia, e Deus, antes da teologia.

Isso é verdade. Mas os homens em sua ignorância conceberam ideias supersticiosas acerca das estrelas, e o resultado foi o surgimento da astrologia, uma pseudociência. Os homens conceberam falsas ideias acerca das plantas, atribuindo-lhes virtudes que não tinham, e o resultado foi o surgimento da feitiçaria. O homem em sua cegueira formou conceitos errôneos acerca de Deus, e o resultado foi o paganismo com suas superstições e corrupção.

Contudo, o surgimento da astronomia e de seus princípios verdadeiros acerca dos corpos celestes expôs os erros da astrologia. Os erros da feitiçaria foram banidos com o surgimento da botânica e da verdade sobre a vida vegetal. Da mesma maneira, as doutrinas bíblicas expurgam as falsas ideias acerca de Deus e de seus caminhos.

"Que ninguém creia que o erro doutrinário seja um mal de pouca importância", declarou D. C. Hodge, teólogo de renome. "Nenhum caminho para a perdição jamais reuniu tantas pessoas como o da falsa doutrina. O erro é capa para a consciência e venda para os olhos."

4. O conhecimento doutrinário é parte necessária do preparo mental de quem ensina a Palavra de Deus.

Quando uma remessa de mercadorias chega a uma casa comercial, essas mercadorias são desempacotadas, devidamente registradas e postas em seus devidos lugares nas prateleiras para serem vendidas. Essa ilustração mostra que deve haver certa ordem. Da mesma maneira, um dos propósitos do estudo sistemático é pôr as doutrinas em ordem. A Bíblia obedece a um tema central. No entanto, existem muitas verdades relacionadas com o tema principal, as quais se encontram nos diversos livros da Bíblia. Assim, para adquirir um conhecimento satisfatório das doutrinas e poder entregá-lo a outros, é preciso combinar as referências relacionadas ao assunto e organizá-las em tópicos e subtópicos.

III. A CLASSIFICAÇÃO DA DOUTRINA

A teologia inclui muitas áreas de estudo:

1. A teologia exegética (exegética origina-se da palavra grega que significa "sacar" ou "extrair" a verdade) procura descobrir o verdadeiro significado das Escrituras. O conhecimento das línguas originais das Escrituras pertence a esse departamento da teologia.
2. A teologia histórica traça a história do desenvolvimento da interpretação doutrinária, que envolve o estudo da história da Igreja.
3. A teologia dogmática é o estudo das verdades fundamentais da fé de acordo com os credos da Igreja.
4. A teologia bíblica traça o progresso da verdade através dos diversos livros da Bíblia e descreve a maneira de cada escritor apresentar as doutrinas importantes.

Por exemplo, segundo esse método, ao estudar a doutrina da expiação seria necessário estudar como esse assunto foi tratado nas diversas seções da Bíblia — no livro de Atos, nas epístolas e em Apocalipse. Ou é preciso verificar o que Cristo, Paulo, Pedro, Tiago ou João disseram acerca do assunto. Ou ainda descobrir o que cada livro ou seção das Escrituras ensinou a respeito das doutrinas de Deus, de Cristo, da expiação, da salvação e outras.

5. A teologia sistemática. Nessa área de estudo, os ensinos bíblicos que dizem respeito a Deus e ao homem são agrupados em tópicos, de acordo com um sistema definido: por exemplo, as Escrituras relacionadas à natureza e à obra de Cristo são classificadas sob o título "doutrina de Cristo".

A matéria contida neste livro é uma combinação de teologia bíblica e sistemática. É bíblica no sentido de que as verdades são extraídas das Escrituras e o estudo busca ser fiel a estas perguntas: "O que dizem as Escrituras (exposição) e o que elas significam (interpretação)?". É sistemática no sentido de que a matéria está agrupada segundo uma ordem definida.

IV. UM SISTEMA DE DOUTRINA

Qual é a ordem a que obedece o agrupamento desses tópicos? Não é possível seguir uma regra rígida. Há muitos modos de fazer esses agrupamentos, e cada um deles possui seu valor particular. Procuraremos seguir a ordem fundamentada sobre o relacionamento de Deus com o homem, em que Deus visa à redenção da humanidade.

1. A doutrina das Escrituras. De que fonte extrairemos a verdade inerente acerca de Deus?

A natureza na verdade revela a existência, o poder e a sabedoria de Deus. No entanto, ela não expõe o caminho do perdão e não provê nenhum meio de escapar ao pecado e às suas consequências.

Além disso, ela não fornece nenhum incentivo para a santidade e nenhuma revelação acerca do futuro. Deixaremos de lado o primeiro livro de Deus — a natureza — e examinaremos o outro — a Bíblia —, na qual encontramos a revelação perfeita de Deus em relação a esses assuntos.

Qual a razão para aceitar as opiniões bíblicas como a mais pura verdade? A resposta a essa pergunta leva-nos ao estudo da natureza das Escrituras: sua inspiração, precisão e confiabilidade.

2. A doutrina de Deus. Procuramos verificar o que as Escrituras ensinam a respeito do maior de todos os fatos — Deus: sua existência e sua natureza.
3. A doutrina dos anjos. Do Criador, passamos naturalmente ao estudo de suas criaturas e, portanto, consideraremos as mais elevadas de suas criaturas: os anjos. Esse tópico também inclui os anjos maus, Satanás e os demônios.
4. A doutrina do homem. Não nos demoraremos muito tempo no tema dos espíritos maus e bons, mas passaremos a considerar a opinião bíblica a respeito do homem, porque todas as verdades bíblicas se agrupam ao redor de dois pontos centrais — Deus e o homem. O estudo a respeito do homem ocupa o segundo lugar em importância, após o estudo de Deus.
5. A doutrina do pecado. O fato mais trágico em relação ao homem é o pecado e suas consequências. As Escrituras nos falam de sua origem, natureza, consequências e cura.
6. A doutrina de Cristo. Segue-se, depois do pecado do homem, o estudo da pessoa e da obra de Cristo, o Salvador do homem.
7. A doutrina da expiação. Aqui consideraremos os fatos que esclarecem o significado da obra de Cristo a favor do homem.
8. A doutrina da salvação. Como a expiação se aplica às necessidades do homem e como se torna real em sua experiência?

Os fatos que nos dão essa resposta agrupam-se sob a doutrina da salvação.

9. A doutrina do Espírito Santo. Como a obra de Cristo se torna real no homem? Esse assunto é tratado na doutrina da natureza e da obra do Espírito Santo.
10. A doutrina da Igreja. Os discípulos de Cristo obviamente necessitam de alguma organização para que os propósitos de adoração, instrução, comunhão e propagação do evangelho se realizem. O Novo Testamento (NT) fala-nos a respeito da natureza e da obra dessa organização.
11. A doutrina das últimas coisas. É natural dirigirmos nosso olhar para o futuro e pensar: "Qual será o resultado final de todas as coisas — da vida, da História e do mundo?". Tudo o que se relaciona com o futuro agrupa-se, portanto, sob o título "As últimas coisas".

1

As Escrituras

"Os céus e a terra passarão, mas as minhas palavras jamais passarão" (Mt 24.35). "A relva murcha, e as flores caem, mas a palavra de nosso Deus permanece para sempre" (Is 40.8).

"Destrua a Bíblia, como já tentaram fazer os inimigos da felicidade humana, e ficaremos totalmente ignorantes a respeito de nosso Criador, da criação do mundo em que habitamos, da origem e dos progenitores da raça, como também de nosso destino futuro, além de ficarmos entregues para sempre ao domínio do capricho, das dúvidas e das conjecturas. Destrua a Bíblia, e ficaremos sem a religião cristã, com todos seus confortos espirituais, esperanças e perspectivas animadoras, para ficarmos sem nada, a não ser escolher entre a penumbra triste da infidelidade e as monstruosas sombras do paganismo (terrível alternativa!). Destrua a Bíblia, e o céu ficará despovoado, pois para sempre suas portas ficarão fechadas para a desventurada posteridade de Adão, e o rei dos terrores recuperará seu poder funesto, e nossas esperanças serão enterradas no mesmo túmulo que recebe nosso corpo, e o destino de todos os que partiram antes de nós será o sono eterno ou a desgraça sem fim, e nós, quando também morrermos, não poderemos esperar nada, a não ser o mesmo triste destino. Enfim, destrua a Bíblia, e, de uma vez para sempre, tudo que impede que nossa existência se torne a maior das maldições nos será roubado; o sol se apagará, o oceano secará, a atmosfera do mundo moral será retirada, e a degradação do homem será tal que ele poderá chegar a invejar os animais que perecem" (doutor Payson).

ESBOÇO

I. A NECESSIDADE DAS ESCRITURAS

1. Essa revelação é desejável.
2. Essa revelação é provável.
3. Essa revelação seria por escrito.

II. A INSPIRAÇÃO DAS ESCRITURAS

1. Divina, e não apenas humana.
2. Única, e não comum.
3. Viva, e não mecânica.
4. Completa, e não apenas parcial.
5. Verbal, e não apenas conceitual.

III. A VERIFICAÇÃO DAS ESCRITURAS

1. Elas afirmam ser inspiradas.
2. Elas parecem ser inspiradas.
3. Sente-se que elas são inspiradas.
4. Elas provam que são inspiradas.

I. A NECESSIDADE DAS ESCRITURAS

"Que é a verdade?", perguntou Pilatos, e o tom de sua voz denotava que essa busca era vã e sem esperanças. Se não houvesse um meio de chegar ao conhecimento de Deus, do homem e do mundo, então Pilatos teria razão.

No entanto, não há razão para andar tateando, imerso em dúvidas e ceticismo, porque existe um livro das Sagradas Escrituras, que "são capazes de torná-lo sábio para a salvação mediante a fé em Cristo Jesus" (2Tm 3.15).

1. Essa revelação é desejável.

O Deus que criou o Universo só pode ser um Deus sábio, e um Deus sábio certamente tem um propósito para suas criaturas. Negligenciar esse propósito é loucura e contrariá-lo é pecado. Mas como se verifica com certeza o propósito divino? A História prova que os homens chegam a conclusões muito diversas, e muitas pessoas não chegam a conclusão alguma! A experiência demonstra que esse problema não se resolve somente por meio dos estudos. Alguns não dispõem de tempo suficiente, e outros, ainda que assim desejem, não possuem a habilidade; mesmo que alcançassem êxito, suas conclusões seriam alcançadas lentamente e seriam bastante questionáveis. Os sábios são capazes de erguer patamares de pensamentos no esforço de alcançar as verdades celestiais, mas o patamar mais elevado ainda deixaria muito a desejar. "O mundo não o [Deus] conheceu por meio da sabedoria [filosofia] humana." As verdades que orientam o homem sobre como passar da terra para o céu devem ser enviadas do céu para a terra. Em outras palavras, o homem precisa de uma revelação.

2. Essa revelação é provável.

Na natureza, temos a revelação de Deus que se alcança pela razão. Mas, quando o homem está algemado aos seus pecados e a alma está sobrecarregada, a natureza e a razão são impotentes para trazer alívio e esclarecimento. Que os homens da razão testifiquem. Kant, um dos maiores pensadores de todos os tempos, disse acerca dos cristãos: "Fazem bem em basear sua paz e piedade nos Evangelhos, porque somente neles está a fonte das verdades profundas e espirituais, depois de a razão haver explorado em vão todas as possibilidades". Outro filósofo de renome, Hegel, quando estava no leito de morte, não permitiu que se lesse nenhum outro livro para ele, a não ser a Bíblia. Ele disse que, caso sua vida fosse prolongada, a Bíblia seria o único livro que estudaria, pois nele encontrara o que a razão não lhe pudera proporcionar.

Se existe um Deus bom, conforme cremos, é razoável crer que ele conceda às suas criaturas uma revelação pessoal de si mesmo. David S. Clarke declara:

> Não podemos crer que um pai se oculte para sempre de seu filho, sem nunca se comunicar com ele. Tampouco podemos imaginar um Deus bom que retivesse o conhecimento do seu ser e de sua vontade, ocultando-o às suas criaturas que ele criara à sua própria imagem. Deus fez o homem capaz e desejoso de conhecer a realidade das coisas. Será que ele ocultaria uma revelação que satisfizesse esse anseio? A antiga mitologia egípcia conta a história da fabulosa Esfinge que propunha enigmas aos viajantes, mas matava aqueles que não os podiam decifrar. Não é plausível que um Deus amoroso e sábio permita que o homem pereça, perplexo, diante do enigma do Universo por falta de conhecimento.

O doutor Hodges escreve:

> A inteligência divina nos leva a crer que Deus adaptou os meios ao fim, e que ele, finalmente, coroará essa natureza religiosa com uma religião sobrenatural. A benevolência de Deus nos conduz a esperar que ele solucione a grave perplexidade e evite o perigo para as suas criaturas. A justiça de Deus nos conduz à esperança de que ele fale de forma clara e com autoridade à nossa consciência.

3. Essa revelação seria por escrito.

É razoável que a mensagem de Deus se personificasse em um livro. Como disse o doutor Keyser:

> Os livros representam o melhor meio de preservar a verdade em sua integridade a fim de transmiti-la de geração a geração. A memória e a tradição não são confiáveis. Portanto, ao dar ao homem sua revelação em forma de livro, Deus agiu com a máxima sabedoria e também de um modo bastante comum. Pelo que podemos ver, de nenhuma outra maneira ele poderia ter entregue à humanidade um padrão infalível que fosse acessível a todos os homens, que continuasse intacto ao longo dos séculos e do qual todos os povos pudessem obter a mesma norma de fé e prática.

É razoável concluir que Deus inspiraria seus servos para que registrassem verdades que não poderiam ser descortinadas pela razão humana. Finalmente, é razoável crer que Deus tivesse preservado, por sua providência, os manuscritos das escrituras bíblicas e que tivesse influenciado sua Igreja a incluir no cânon sagrado somente os livros que fossem divinamente inspirados.

II. A INSPIRAÇÃO DAS ESCRITURAS

É possível que haja uma religião divina sem uma literatura inspirada. O professor Francis L. Patton observa:

> Se, fundamentado apenas no testemunho histórico, for possível provar que Jesus operou milagres, pronunciou profecias e proclamou sua divindade — se for possível demonstrar que ele foi crucificado para redimir os pecadores, que foi ressuscitado dentre os mortos e que fez que o destino dos homens dependesse de aceitá-lo como seu Salvador — então, quer os registros sejam inspirados quer não, ai daquele que descuidar de tão grande salvação.

Todavia, não tomaremos mais tempo com isso, pois não existe nenhuma dúvida quanto à inspiração da Bíblia. "Toda a Escritura é inspirada por Deus" (literalmente, "é dada pelo sopro de Deus"), declara Paulo (2Tm 3.16). Pedro escreve: "Pois jamais a profecia teve origem na vontade humana, mas homens falaram da parte de Deus, impelidos pelo Espírito Santo" (2Pe 1.21).

Webster define inspiração como "a influência sobrenatural do Espírito de Deus sobre a mente humana, pela qual os profetas, apóstolos e escritores sacros foram capacitados a expor a verdade divina sem nenhum erro".

Segundo o doutor Gaussen, inspiração "é o poder inexplicável que o Espírito Divino exerce sobre os autores das Escrituras, ao guiá-los até mesmo no emprego correto das palavras e ao preservá-los de todo erro, bem como de qualquer omissão".

Assim escreveu o doutor William Evans: "A inspiração divina, conforme definida por Paulo nessa passagem (2Tm 3.16), é a forte inspiração espiritual de Deus sobre os homens, capacitando-os a expressar a verdade. Assim, Deus fala por intermédio dos homens, e, por conseguinte, o Antigo Testamento (AT) é a Palavra de Deus, como se o próprio Deus tivesse falado cada palavra do livro. As Escrituras são o resultado da divina inspiração espiritual, da mesma maneira que o falar humano é efetuado pela respiração, que possibilita a emissão das palavras. Podemos dizer que a declaração de Pedro revela que o Espírito Santo estava presente de uma forma especial e miraculosa quando a Bíblia foi escrita e que foi o Espírito Santo que lhes revelou as verdades que antes não conheciam, guiando-os também no registro dessas verdades e acontecimentos, dos quais eram testemunhas oculares, de maneira que as pudessem apresentar com exatidão substancial para que outros também as pudessem conhecer".

Alguém, pela leitura dos vários credos do cristianismo, poderia julgar que o cristianismo trata-se de assunto bastante complexo, cheio de enigmas teológicos e definições obscuras. Mas esse não é o caso. As doutrinas no NT, conforme originariamente expostas, são simples, e é possível defini-las de maneira simples. Mas, com o passar dos tempos, a Igreja teve de enfrentar visões doutrinárias errôneas e distorcidas e, por conseguinte, viu-se obrigada a cercar as doutrinas certas e protegê-las com definições. Esse processo de elaboração de definições exatas e detalhadas deu origem aos credos.

As definições doutrinárias ocuparam uma parte importante e necessária na vida da Igreja e passaram a ser um impedimento a seu progresso unicamente quando uma aquiescência formal a essas doutrinas veio substituir a fé viva.

A doutrina da inspiração, conforme apresentada na Palavra, é relativamente simples, mas o surgimento de ideias errôneas criou a necessidade de proteger a doutrina certa com definições completas e detalhadas. Para opor-se a certas teorias, é necessário afirmar que a inspiração das Escrituras apresenta as características descritas a seguir.

1. Divina, e não apenas humana.

O modernista identifica a inspiração das Escrituras Sagradas com a inspiração espiritual e sabedoria de homens como Platão, Sócrates, Browning, Shakespeare e outros gênios do mundo literário, filosófico e religioso. Considera-se, portanto, a inspiração apenas como algo meramente natural. Essa teoria rouba à palavra inspiração todo seu significado e não combina, em absoluto, com o caráter sobrenatural e único da Bíblia.

2. Única, e não comum.

Alguns confundem a inspiração com o esclarecimento. O esclarecimento refere-se à influência do Espírito Santo, comum a todos os cristãos, influência que os ajuda a compreender as coisas de Deus (1Co 2.4; Mt 16.17). Eles sustentam que esse esclarecimento espiritual é a explicação adequada sobre a origem da Bíblia. Existe uma faculdade nos homens, assim ensinam eles, pela qual se pode conhecer Deus — uma espécie de olho da alma. Quando os homens piedosos da Antiguidade meditavam em Deus, o Espírito Divino vivificava essa faculdade, dando-lhes esclarecimentos em relação aos mistérios divinos.

Tal esclarecimento é prometido aos crentes, e estes o experimentam. Mas ele não é o mesmo que inspiração. Sabemos, de acordo com 1Pedro 1.10-12, que às vezes os profetas recebiam verdades por inspiração e era-lhes negado o esclarecimento necessário para a compreensão dessas mesmas verdades. O Espírito Santo inspirou-lhes as palavras, mas não achou por bem conceder-lhes a compreensão de seu significado. Descreve-se Caifás como o veículo de uma mensagem inspirada (embora de forma inconsciente), apesar de ele não estar pensando em Deus. Naquele momento, ele foi inspirado, mas não esclarecido (Jo 11.49-52).

Notemos duas diferenças específicas entre o esclarecimento e a inspiração:

1) Quanto à duração, o esclarecimento é, ou pode ser, permanente. "A vereda do justo é como a luz da alvorada, que brilha cada vez mais até a plena claridade do dia" (Pv 4.18). O apóstolo João afirma que a unção que o crente recebeu do Espírito Santo permanece nele (1Jo 2.20-27). Por outro lado, a inspiração também era intermitente; o profeta não podia profetizar à vontade, pois estava sujeito à vontade do Espírito. Pedro declara: "Pois jamais a profecia teve origem na vontade humana, mas homens falaram da parte de Deus, impelidos pelo Espírito Santo" (2Pe 1.21). Que a inspiração profética vinha repentinamente é algo que fica implícito na expressão bastante usual: "E a palavra do SENHOR veio" a este ou aquele profeta. Faz-se uma distinção clara entre os verdadeiros profetas, que profetizam unicamente quando lhes vem a palavra do Senhor, e os profetas falsos, que proferem uma mensagem de sua própria invenção (Jr 14.14; 23.11,16; Ez 13.2,3).

2) O esclarecimento admite a graduação, enquanto a inspiração não admite graduação alguma. O grau de esclarecimento varia de pessoa para pessoa, mas no caso da inspiração, no sentido bíblico, a pessoa ou recebeu ou não recebeu a inspiração.

3. Viva, e não mecânica.

A inspiração não significa ditado, no sentido de que os escritores fossem passivos, sem que suas faculdades tomassem parte no registro da mensagem, embora algumas porções das Escrituras tenham sido ditadas, como, por exemplo, os Dez Mandamentos e a Oração do Pai-nosso. A palavra inspiração exclui o sentido de ação meramente mecânica, e ação mecânica exclui qualquer sentido de inspiração. Por exemplo, um homem de negócios não inspira sua secretária quando lhe dita as cartas. Deus não falou por intermédio dos homens como quem fala por um alto-falante. Antes, o Espírito de Deus usou as faculdades mentais daqueles homens, produzindo, dessa maneira, uma mensagem perfeitamente divina, mas que, ao mesmo tempo, conservava os traços da personalidade do autor. Embora seja a Palavra do Senhor, em certo sentido ela é, simultaneamente, a palavra de Moisés, ou de Isaías, ou de Paulo. "Deus nada fez, a não ser por intermédio do homem; o homem nada fez, a não ser por intermédio de Deus. É Deus quem fala no homem, é Deus quem fala por intermédio do homem, é Deus quem fala como homem, é Deus quem fala para o homem".

O fato de haver cooperação divina e humana na produção de uma mensagem inspirada é bastante claro; mas o que é difícil de explicar é "como" ocorre essa cooperação. Se até mesmo para o homem mais sábio o entrosamento da mente com o corpo já é um mistério demasiado grande, ainda mais misterioso é o entrosamento do Espírito de Deus com o espírito do homem!

4. Completa, e não apenas parcial.

Segundo a teoria da inspiração parcial, os escritores seriam preservados do erro em questões necessárias à salvação dos homens, mas não em outros assuntos referentes a outros tópicos, como História, ciência, cronologia e outros semelhantes. Portanto, segundo essa opinião, seria mais correto dizer que "a Bíblia *contém* a Palavra, em lugar de dizer que ela é a Palavra de Deus".

Essa teoria nos lança num pântano de incertezas, pois quem poderia, sem equívocos, julgar o que é e o que não é essencial à salvação? Onde encontraríamos a autoridade infalível que decida qual parte da Bíblia é a Palavra de Deus e qual não é? E se a história da Bíblia é falsa, então a doutrina também é, porque a doutrina bíblica se fundamenta na história bíblica. Por fim, as Escrituras mesmas afirmam ser total e plenamente inspiradas. Cristo e seus apóstolos aplicaram o termo "Palavra de Deus" a todo o AT.

5. Verbal, e não apenas conceitual.

Segundo outra teoria, Deus inspirou os pensamentos, mas não as palavras dos escritores. Ou seja, Deus inspirou os homens e deixou a critério deles a seleção das palavras e das expressões. Mas a ênfase bíblica não recai nos homens inspirados, mas sim nas palavras inspiradas. "Há muito tempo Deus falou muitas vezes e de várias maneiras aos nossos antepassados por meio dos profetas" (Hb 1.1). "Homens falaram da parte de Deus, impelidos pelo Espírito Santo" (2Pe 1.21). Além disso, é difícil separar a palavra do pensamento; o pensamento é uma palavra antes de ela ser proferida ("E não comecem a dizer a si mesmos [Lc 3.8]"; "Diz o tolo em seu coração [Sl 14.1; 53.1]"). Uma palavra é um pensamento ao qual se deu expressão. Obviamente, pensamentos divinamente inspirados teriam sua expressão em palavras divinamente inspiradas. Paulo nos fala de "palavras ensinadas pelo Espírito" (1Co 2.13). Finalmente, cita-se uma simples palavra como o fundamento de doutrinas básicas (Jo 10.35; Mt 22.42-45; Gl 3.16; Hb 12.26,27).

Precisamos fazer também distinção entre a revelação e a inspiração. Por revelação, queremos dizer aquele ato de Deus pelo qual ele dá a conhecer o que o homem por si mesmo não poderia conhecer; por inspiração, queremos dizer que o escritor é preservado de qualquer erro ao escrever essa revelação. Por exemplo, os Dez Mandamentos foram revelados, e Moisés foi inspirado ao registrá--los no Pentateuco.

A inspiração nem sempre implica revelação; por exemplo, Moisés foi inspirado a registrar eventos que ele mesmo presenciara, os quais, naturalmente, estavam dentro do âmbito do seu próprio conhecimento.

Distingamos também entre as palavras não inspiradas e os registros inspirados. Por exemplo, muitos dizeres de Satanás são registrados nas Escrituras, mas sabemos que o Diabo certamente não foi inspirado por Deus ao proferi-los; no entanto, o registro dessas expressões satânicas foi inspirado.

III. A VERIFICAÇÃO DAS ESCRITURAS

1. Elas afirmam ser inspiradas.

O AT afirma que foi escrito por meio de inspiração especial de Deus. A expressão "e Deus disse", ou equivalente, é usada centenas de vezes. Declara-se que a história, a Lei, os salmos e as profecias foram escritos por homens sob inspiração especial de Deus (cf. Êx 24.4; 34.28; Js 3.9; 2Rs 17.13; Is 34.16; 59.21; Zc 7.12; Sl 78.1; Pv 6.23). Cristo mesmo sancionou o AT, citou-o e viveu em harmonia com seus ensinos. Ele aprovou sua veracidade e autoridade (Mt 5.18; 23.1,2; 26.54; Jo 10.35; Lc 18.31-33; 24.25,44), e o mesmo fizeram os apóstolos (Lc 3.4; Rm 3.2; 2Tm 3.16; Hb 1.1; 2Pe 1.21; 3.2; At 1.16; 3.18; 1Co 2.9-16).

O NT declara ter inspiração semelhante? Quanto à inspiração dos Evangelhos, esta é garantida pela promessa de Cristo, a saber, que o Espírito traria à mente dos apóstolos todas as coisas que ele lhes havia ensinado e que o mesmo Espírito os guiaria a toda a verdade. Todo o NT declara ser uma revelação mais completa e clara de Deus que aquela dada no AT e, com absoluta autoridade, também declara a aprovação das leis antigas. Portanto, se o AT é inspirado, o NT deve ter a mesma inspiração. Parece que Pedro procura colocar as epístolas de Paulo no mesmo patamar que os livros do AT (2Pe 3.15,16), e Paulo e os demais apóstolos afirmam falar com autoridade divina (1Co 2.13; 14.31; 1Ts 2.13; 4.2; 2Pe 3.2; 1Jo 1.5; Ap 1.1).

2. Elas parecem ser inspiradas.

As Escrituras se dizem inspiradas; um exame cuidadoso delas revelará o fato de que seu caráter sustenta essa posição. Quando posta em julgamento, a Bíblia se defende com provas fidedignas! Quanto a seus autores, ela foi escrita por homens cuja honestidade e integridade não podem ser postas em dúvida; quanto ao seu conteúdo, há nela a mais sublime revelação de Deus ao mundo; quanto à sua influência, ela tem trazido a luz salvadora às nações e aos indivíduos, como também possui um poder infalível para guiar os homens a Deus e transformar-lhes o caráter; quanto à sua autoridade, desempenha o papel de um tribunal supremo em assuntos religiosos, de maneira que até mesmo os cultos falsos são obrigados a citar suas palavras para poder impressionar o público.

Para ser específico, observe: 1) Sua exatidão. Nota-se a ausência total dos absurdos encontrados em outros livros "sagrados". Nela não lemos, por exemplo, que a Terra origina-se de um ovo que, depois de determinado número de anos para a sua incubação, descansa sobre uma tartaruga; nem sobre a Terra rodeada por sete mares de água salgada, suco de cana, bebidas alcoólicas, manteiga pura, leite coalhado etc. Escreve o doutor D. S. Clarke: "Há uma diferença insondável entre a Bíblia e qualquer outro livro. Essa diferença deve-se à sua origem". 2) Sua unidade. Contém 66 livros, escritos por uns 40 autores diferentes, num período de mais ou menos mil e seiscentos anos, e trata de uma variedade de tópicos; no entanto, demonstra uma unidade de tema e propósito que só se explica se houver uma mente diretriz. 3) Quantos livros podem ser lidos até duas vezes? Mas a Bíblia pode ser lida centenas de vezes sem que se consiga esgotar suas riquezas profundas ou sem que o leitor perca o interesse. 4) Sua assombrosa circulação. Já foi traduzida para milhares de idiomas e dialetos e lida em todos os países do mundo. 5) Sua atemporalidade e eternidade. É um dos livros mais antigos do mundo e, ao mesmo tempo, o mais moderno. A alma humana jamais a pode superar. O pão é um dos alimentos mais antigos e, ao mesmo tempo, o mais moderno. Enquanto os homens tiverem fome, desejarão o pão para o corpo, e enquanto anelarem por Deus e pelas coisas eternas, desejarão a Bíblia. 6) Sua admirável preservação em face da perseguição e oposição da ciência. "Os martelos se gastam, mas a bigorna permanece." 7) Todas as suas muitas profecias cumpridas.

3. Sente-se que elas são inspiradas.

"Mas você não crê naquele livro, não é mesmo?", disse um professor de um colégio de Nova York a uma aluna cristã que estava assistindo às aulas bíblicas. Ela respondeu: "É claro que sim. Acontece que conheço pessoalmente o Autor". Ela declarou a razão mais ponderável para crer na Bíblia como a Palavra de Deus, ou seja, seu apelo ao nosso conhecimento pessoal, ao falar conosco em um tom que nos faz sentir sua origem divina.

A Igreja Romana assevera que a origem divina das Escrituras depende, em última análise, do testemunho da Igreja, considerada um guia infalível em todas as questões de fé e prática. "Como se a verdade eterna e inviolável de Deus dependesse do juízo do homem!", afirmou João Calvino, o grande reformador. Declarou ele ainda:

> Afirma-se que a Igreja decide qual a reverência devida às Escrituras e quais os livros que devem ser incluídos no cânon sagrado. A pergunta: "Como saberemos que as Escrituras vieram de Deus, a não ser que haja

uma decisão da Igreja?" é tão tola quanto a pergunta: "Como discerniremos a luz das trevas, o branco do negro, o amargo do doce?".

O testemunho do Espírito é superior a todos os argumentos. Deus, em sua Palavra, é a única testemunha fidedigna de si mesmo, da mesma maneira que a Palavra não acha a crença verdadeira no coração dos homens enquanto não for selada pelo testemunho do seu Espírito. O mesmo Espírito que falou por intermédio dos profetas deve entrar em nosso coração para convencer-nos de que esses profetas entregaram fielmente a mensagem que Deus lhes confiara (Is 59.21).

Que este seja, portanto, um assunto resolvido: aqueles que são ensinados internamente pelo Espírito Santo confiam firmemente nas Escrituras; e também que as Escrituras são sua própria evidência; e que elas não podem estar legalmente sujeitas às provas e aos argumentos, mas conquistam, pelo testemunho do Espírito, a confiança que merecem.

Assim, por que citamos evidências externas sobre a exatidão das Escrituras e de seu merecimento geral? Fazemos isso primeiramente não para poder crer que são certas, mas sim porque sentimos que são certas; em segundo lugar, é motivo natural de alegria poder apontar evidências externas das coisas em que cremos no coração; finalmente, essas provas servem de veículo e receptáculo, por assim dizer, pelos quais podemos expressar em palavras nossa convicção íntima e, dessa maneira, estar "sempre preparados para responder a qualquer pessoa que [...] [nos] pedir a razão da esperança que há em [...] [nós]" (1Pe 3.15).

4. Elas provam que são inspiradas.

O doutor Eugene Stock disse:

Quando era menino, li uma história que me mostrou os diferentes meios pelos quais podemos ter certeza de que essa grande coletânea de livros sagrados, a Bíblia, é realmente a Palavra de Deus e sua revelação aos homens. O escritor da história explicara três classes de evidências

— a histórica, a interna e a experimental. Assim, ele contou como, certa vez, enviou um menino a um químico para comprar uns gramas de fósforo. O menino voltou com um pacotinho; seria mesmo fósforo? O menino relatou que foi à drogaria e pediu fósforo. O químico foi às prateleiras, tirou uma substância de um frasco, colocou-a num pacotinho e entregou-lhe. O menino levou o pacotinho diretamente para casa. Essa foi, portanto, a evidência histórica de que no pacotinho havia fósforo. Quando abriu o pacotinho, notou-se que o conteúdo parecia ser fósforo e cheirava também a fósforo. Essa foi a evidência interna. Quando ateou fogo à substância, houve fortíssima combustão! Essa foi a evidência experimental!

As defesas intelectuais da Bíblia têm seu lugar; mas, no fim das contas, o melhor argumento ainda é o prático. A Bíblia tem produzido resultados práticos. Ela tem influenciado a civilização, transformado vidas, trazido luz, inspiração e conforto a milhões. E sua obra ainda continua.

2

Deus

Vivemos num Universo cuja imensidão pressupõe um Criador poderoso, Universo cuja beleza, desenho e ordem apontam para um sábio legislador. Mas quem fez o Criador? Podemos recuar no tempo, indo da causa para o efeito, mas não podemos continuar nesse processo de recuo sem reconhecer um ser "que existe sempre". Esse Ser Que Existe Sempre é Deus, o Eterno, a causa e a origem de todas as coisas boas que existem.

ESBOÇO

I. A EXISTÊNCIA DE DEUS

1. Sua existência declarada
2. Sua existência provada
   a) O argumento da criação
   b) O argumento do desígnio
   c) O argumento da natureza do homem

d) O argumento da História

e) O argumento da crença universal

3. Sua existência negada

II. A NATUREZA DE DEUS

1. Conceito bíblico (os nomes de Deus)

a) Elohim

b) Jeová

c) El

d) Adonai

e) Pai

2. Crenças errôneas

a) O agnosticismo

b) O politeísmo

c) O panteísmo

d) O materialismo

e) O deísmo

III. OS ATRIBUTOS DE DEUS

1. Atributos não relacionados (a natureza íntima de Deus)

a) Espiritualidade

b) Infinitude

c) Unidade

2. Atributos ativos (Deus e o Universo)

a) Onipotência

b) Onipresença

c) Onisciência

d) Sabedoria

e) Soberania

3. Atributos morais (Deus e as criaturas morais)

a) Santidade

b) Justiça

c) Fidelidade

d) Misericórdia

e) Amor

f) Bondade

IV. O DEUS TRINO

1. A doutrina declarada
2. A doutrina definida
3. A doutrina provada
4. A doutrina ilustrada

I. A EXISTÊNCIA DE DEUS

1. Sua existência declarada

Em parte alguma, as Escrituras tratam de provar a existência de Deus mediante provas formais. Ela é reconhecida como fato auto-evidente e como crença natural do homem. As Escrituras em parte alguma propõem uma série de provas da existência de Deus como preliminares à fé: elas declaram o fato de Deus e chamam o homem a aventurar-se na fé. "Quem dele [de Deus] se aproxima precisa crer que ele existe" (Hb 11.6), e esse é o ponto inicial na relação entre o homem e Deus.

A Bíblia, na verdade, fala de homens que dizem em seu coração que não há Deus, mas esses são "tolos", isto é, são ímpios praticantes que expulsaram Deus dos seus pensamentos porque já o expulsaram de sua vida. Esses pertencem ao grande número de ateus *praticantes*, isto é, os que procedem e falam como se Deus não existisse. Seu número ultrapassa em muito o número de ateus *teóricos*, isto é, os que pretendem aderir à crença intelectual que nega a existência de Deus. Observe que a declaração "Não há Deus" não implica dizer que Deus não existe, mas sim que Deus não se ocupa com os negócios do mundo. Contando com a sua ausência, os homens corrompem-se e comportam-se de maneira abominável (Sl 14).

O doutor A. B. Davidson declara:

> A Bíblia não tenta demonstrar a existência de Deus, porque em toda a Bíblia subentende-se sua existência. Parece não haver nenhuma passagem no AT que represente os homens procurando conhecer a existência de Deus por meio da natureza ou pelos eventos da providência, embora haja algumas passagens que impliquem que as ideias falsas sobre a natureza de Deus podem ser corrigidas pelo estudo da natureza e da vida [...]. O AT cogita tão pouco sobre a possibilidade de conhecer Deus quanto cogita de provar sua existência. Por que os homens argumentariam sobre o conhecimento de Deus, quando já estavam persuadidos de que o conheciam, cônscios de estar em comunhão com ele, de que seus pensamentos estão cheios dele e são esclarecidos por ele, pois sabiam que seu Espírito se movia neles e os guiava em toda a sua história?
>
> A ideia de que o homem chega ao conhecimento de Deus ou à comunhão com ele por meio de seus próprios esforços é totalmente estranha ao AT. Deus fala, ele aparece; o homem ouve e vê. Deus aproxima-se dos homens, estabelece uma aliança ou relação especial com eles e dá-lhes mandamentos. Os homens o recebem quando ele se aproxima: aceitam sua vontade e obedecem aos seus preceitos. Em parte alguma, Moisés e os profetas são representados como pensadores que refletem sobre o invisível, formam conclusões acerca dele ou alcançam conceitos elevados em relação à Divindade. O invisível manifesta-se a eles, e eles o conhecem.

Quando um homem diz: "Eu conheço o presidente", ele não quer dizer: "Eu sei que o presidente existe", porque isso está subentendido em sua declaração. Da mesma maneira, os escritores bíblicos nos dizem que conhecem Deus, e essas declarações pressupõem sua existência.

2. Sua existência provada

Se as Escrituras não oferecem nenhuma demonstração racional da existência de Deus, por que nós faremos essa tentativa?

Primeiramente, para convencer os que genuinamente buscam Deus, isto é, as pessoas cuja fé tem sido ofuscada por alguma dificuldade, as quais dizem: "Eu quero crer em Deus; demonstra-me que é razoável crer nele". Mas nenhuma evidência convencerá a pessoa que, por desejar continuar no pecado e no egoísmo, diz: "Desafio você a me provar que Deus existe". Afinal, a fé é uma questão moral, não intelectual. Se a pessoa não está disposta a aceitar, porá de lado todas e quaisquer evidências (Lc 16.31).

Segundo, para fortalecer a fé daqueles que já creem. Eles estudam as provas não para crer, mas sim porque já creem. Essa fé lhes é tão preciosa que aceitarão com alegria qualquer fato que a faça aumentar ou enriquecer.

Finalmente, para poder enriquecer nosso conhecimento acerca da natureza de Deus. Poderia existir maior objeto de pensamento e estudo?

Onde acharemos evidências da existência de Deus? Na criação, na natureza humana e na história humana. Dessas três esferas, deduzimos as cinco evidências seguintes da existência de Deus:

O Universo deve ter uma "causa primeira" ou um Criador (argumento cosmológico, da palavra grega *cosmos*, que significa "mundo").

O desígnio evidente no Universo aponta para uma mente suprema (argumento teleológico, de *teleos*, que significa "desígnio ou propósito").

A natureza do homem, com seus impulsos e aspirações, assinala a existência de um governador pessoal (argumento antropológico, da palavra grega *anthropos*, que significa "homem").

A história humana dá evidências de uma providência que governa sobre tudo (argumento histórico).

A crença é universal (argumento do consenso comum).

a) **O argumento da criação.** A razão argumenta que o Universo deve ter um princípio. Todo efeito deve ter uma causa satisfatória. O Universo, que é o efeito, deve ter portanto uma causa. Consideremos a extensão do Universo. Nas palavras de George W. Grey: "O Universo, como o imaginamos, é um sistema formado por milhões e milhões de galáxias. Cada uma delas se compõe de milhões e milhões de estrelas. Perto da extremidade de uma dessas galáxias — a Via-Láctea —, existe uma estrela de tamanho médio e temperatura moderada, já amarelada pela velhice — o nosso Sol". E imagine que o Sol é milhões de vezes maior que a nossa pequena Terra! "O Sol", prossegue o mesmo escritor, "gira numa órbita vertiginosa em direção à extremidade da Via-Láctea, a 19.300 metros por segundo, levando consigo a Terra e todos os planetas, e, ao mesmo tempo, a própria galáxia gira, qual colossal roda-gigante estelar, levando consigo todo o sistema solar, que gira num gigantesco arco à velocidade incrível de 321 quilômetros por segundo. Quando algumas seções dos céus são fotografadas, é possível fazer a contagem das estrelas. No observatório do Harvard College, vi uma fotografia que inclui as imagens de mais de 200 Vias Lácteas — todas registradas numa chapa fotográfica de 35cm por 42cm. Calcula-se que o número de galáxias que compõem o Universo é da ordem de 500 milhões de milhões".

Consideremos nosso pequeno planeta e, nele, as várias formas de vida existentes, as quais revelam inteligência e desígnio. Naturalmente, surge a questão: "Como tudo isso se originou?". A pergunta é natural, pois nossa mente é constituída de tal forma que espera que todo efeito tenha uma causa. Logo, concluímos que o Universo deve ter tido uma "causa primeira", ou um Criador. "No princípio — Deus" (Gn 1.1).

Esse argumento é exposto, de modo singelo, no seguinte incidente:

> Um jovem cético disse a uma senhora idosa:
>
> — Antes eu cria em Deus, mas agora, desde que estudei filosofia e matemática, estou convencido de que Deus não passa de uma palavra vazia.
>
> — Bem — disse a senhora —, é verdade que eu não aprendi essas coisas, mas, como você já aprendeu, pode me dizer de onde veio este ovo?
>
> — Naturalmente, de uma galinha — foi a resposta.
>
> — E de onde veio a galinha?
>
> — De um ovo, naturalmente.
>
> A seguir, indagou a senhora:
>
> — Permita-me perguntar: o que veio primeiro, a galinha ou o ovo?
>
> — A galinha, por certo — respondeu o jovem.
>
> — Ah, então a galinha existia antes do ovo?
>
> — Ah, não, deveria dizer que o ovo veio primeiro.
>
> — Então suponho que você quer dizer que o ovo existia antes da galinha.
>
> O moço vacilou:
>
> — Bem, veja bem, minha senhora, isto é... bem... naturalmente, a galinha veio primeiro.
>
> — Muito bem — disse ela —, quem criou a primeira galinha de onde vieram todos os sucessivos ovos e galinhas?
>
> — Que é que a senhora quer dizer com isso? — perguntou ele.
>
> — Quero dizer simplesmente que aquele que criou o primeiro ovo ou a primeira galinha é aquele que criou o mundo — replicou a senhora. — Sem Deus, você não pode explicar sequer a existência de um ovo ou de uma galinha, e ainda quer que eu creia que você pode explicar a existência do mundo inteiro sem Deus!

b) O argumento do desígnio. O desígnio e a formosura evidenciam-se no Universo; mas o desígnio e a formosura implicam um arquiteto; portanto, o Universo é obra de um arquiteto dotado de inteligência e sabedoria suficientes para explicar sua obra. O grande relógio de Estrasburgo tem, além das funções normais de um relógio, uma combinação de luas e planetas que se movem ao longo dos dias e meses com a exatidão dos corpos celestes, com seus grupos de representações que aparecem e desaparecem com regularidade igual ao soar das horas no grande cronômetro.

Declarar não ter havido um engenheiro que construiu o relógio e que esse objeto "surgiu por acaso" seria insultar a inteligência e a razão humanas. É insensatez presumir que o Universo "surgiu por acaso", ou, em linguagem científica, que surgiu "da confluência fortuita dos átomos".

Suponhamos que o livro *O peregrino* fosse descrito da seguinte maneira: o autor tomou um vagão com tipos de imprensa e, com uma pá, os atirou ao ar. Quando caíram no chão, natural e gradualmente se ajuntaram, de maneira que formaram a famosa história de Bunyan. O homem mais incrédulo diria: que absurdo! E a mesma coisa dizemos nós a respeito das suposições do ateísmo em relação à criação do Universo.

O exame de um relógio revela que ele tem os sinais de desígnio, porque as diversas peças são reunidas com um *propósito* prévio. Elas são colocadas de tal modo que produzem movimentos, e esses movimentos são regulados de tal maneira que marcam as horas. Disso inferimos duas coisas: primeiramente, que o relógio teve *alguém que o fez* e, em segundo lugar, que o seu fabricante compreendeu sua construção e o *projetou* com o propósito de marcar as horas. Da mesma maneira, observamos o desígnio e a operação de um plano no mundo e, naturalmente, concluímos que houve alguém que o fez e que sabiamente o preparou para o propósito ao qual serve.

O fato de nunca termos observado a fabricação de um relógio não afetaria essas conclusões, mesmo que jamais conhecêssemos um relojoeiro ou que jamais tivéssemos ideia do processo desse trabalho. Igualmente, nossa convicção de que o Universo teve um arquiteto de forma nenhuma sofre alteração pelo fato de jamais termos observado sua construção ou de nunca termos visto o arquiteto.

Do mesmo modo, nossa conclusão não se alteraria se alguém nos informasse que "o relógio é resultado da operação das leis da mecânica e que é possível explicá-lo pelas propriedades da matéria". Ainda assim, teremos de considerá-lo uma obra de um hábil relojoeiro que soube aproveitar essas leis da física e suas propriedades para fazer funcionar o relógio. Da mesma forma, quando alguém nos informa que o Universo é simplesmente o resultado da operação das leis da natureza, somos constrangidos a perguntar: "Quem projetou, estabeleceu e usou essas leis?", pois uma lei implica um legislador.

Tomemos como ilustração a vida dos insetos. Há uma espécie de escaravelho cujo macho tem chifres magníficos, duas vezes mais compridos que o seu corpo; a fêmea não tem chifres. No estágio larval, eles enterram-se a si mesmos na terra e, silenciosamente, esperam na escuridão por sua metamorfose. São sem dúvida meros insetos, sem nenhuma diferença aparente e, no entanto, um deles escava para si um buraco duas vezes mais profundo que o outro. Para quê? Para que haja espaço para os chifres do macho se desenvolverem com perfeição. Por que essas larvas, aparentemente iguais, diferem assim em seus hábitos? Quem ensinou o macho a cavar um buraco duas vezes mais profundo que a fêmea? É o resultado de um processo racional? Não, foi Deus, o Criador, quem pôs naquelas criaturas a percepção instintiva que lhes seria útil.

De onde esse inseto recebeu sua sabedoria? Alguém talvez pense que ele a herdou de seus pais. Mas um cão ensinado, por exemplo, transmite à sua descendência sua astúcia e agilidade? Não. Mesmo que admitamos que o instinto seja herdado, ainda deparamos com o fato de que alguém teria instruído o primeiro escaravelho chifrudo. A explicação do maravilhoso instinto dos animais acha-se nas palavras do primeiro capítulo de Gênesis: "Disse Deus" — isto é, a vontade de Deus. Quem observa o funcionamento de um relógio sabe que a inteligência não está no relógio, mas sim no relojoeiro. E quem observa o instinto maravilhoso das menores criaturas concluirá que a primeira inteligência não era a delas, mas sim a de seu Criador, e, portanto, existe uma mente que controla os menores detalhes da vida.

O doutor Whitney, ex-presidente da Sociedade Americana e membro da Academia Americana de Artes e Ciências, disse certa vez que "um ímã atrai o outro pela vontade de Deus, e ninguém pode dar explicação melhor que essa". "O que o senhor quer dizer com a expressão 'vontade de Deus'?", alguém lhe perguntou. O doutor Whitney replicou: "Como o senhor define a luz? [...] Existe a teoria corpuscular, a teoria de ondas e, agora, a teoria do *quantum*; e nenhuma das teorias passa de uma conjectura dos estudiosos. Com explicações tão boas como essas, podemos dizer que a luz caminha pela vontade de Deus [...] A vontade de Deus, essa lei que descobrimos sem que a possamos explicar, é a única palavra final".

A. J. Pace, cartunista do periódico evangélico *Sunday School Times*, fala de sua entrevista com o já falecido Wilson J. Bentley, perito em microfotografia (fotografias do que se vê pelo microscópio). Por mais de um terço de século, esse senhor fotografou cristais de neve. Depois de haver fotografado milhares desses cristais, ele observou três fatos determinantes: primeiro, que não havia dois flocos iguais; segundo: todos tinham um padrão harmonioso e belo; terceiro: todos, invariavelmente, eram hexagonais. Quando inquirido sobre como se explicava essa simetria hexagonal, ele respondeu:

> "Decerto ninguém, a não ser Deus, sabe, mas minha teoria é a seguinte: como é do conhecimento de todos, os cristais de neve são formados de vapor de água a temperaturas abaixo de zero, e a água se compõe de três moléculas, duas de hidrogênio que se combinam com uma de oxigênio. Cada molécula tem uma carga de eletricidade positiva e outra negativa, cuja tendência é polarizar-se nos lados opostos. O algarismo três, portanto, figura desde o início".

"Como podemos explicar estes pontinhos tão interessantes, as voltas e as curvas graciosas e estas quinas chanfradas tão delicadamente cinzeladas, todas elas dispostas com perfeita simetria ao redor do ponto central?", perguntou Pace.

Bentley encolheu os ombros e respondeu: "Somente o artista que os desenhou e os modelou conhece esse processo".

Sua declaração acerca do "algarismo três que figura desde o início" fez-me meditar. Não seria o caso, portanto, de o Deus trino que modelou toda a formosura da criação ter rubricado a própria marca da Trindade nessas frágeis estrelas de cristal de gelo como quem assina o nome em sua obra-prima? Ao examinar os flocos de neve ao microscópio, vê-se instantaneamente que o princípio básico da estrutura do floco de neve é o hexágono ou a figura de seis lados, o único exemplo em todo o reino da geometria em que o raio do círculo circunscritivo é exatamente igual ao comprimento de cada um dos seis lados do hexágono. Portanto, resultam seis triângulos equiláteros reunidos em um núcleo central, em que todos os ângulos são de 60 graus, a terça parte de toda a área num lado de uma linha reta. Que símbolo sugestivo do Deus trino é o triângulo! Aqui temos unidade: um triângulo, formado de três linhas, em que cada parte é indispensável à integridade do conjunto.

A curiosidade impeliu-me agora a examinar as referências bíblicas sobre a palavra "neve", e descobri, com grande prazer, esse mesmo "triângulo" inerente na Bíblia. Por exemplo, há 21 (3 x 7) referências que contêm o substantivo "neve" no AT, e três no NT, 24 ao todo. Depois achei três referências que falam da "lepra tão branca como a neve". Três vezes compara-se a purificação do pecado à neve. Achei mais três que falam de roupas "tão brancas como a neve". Três vezes compara-se a aparência do Filho de Deus à neve.[1] Mas a maior surpresa foi quando descobri que a palavra hebraica para "neve" é composta totalmente de algarismos "3"! Embora isso não seja geralmente conhecido, o fato é que tanto os hebreus quanto os gregos, por não terem algarismos, usavam as letras do seu alfabeto como algarismos. Bastava um olhar casual

[1] O número de ocorrências do termo "neve" pode variar de acordo com a versão utilizada por questões de estilo de tradução, sem que se perca o conceito do termo no original. [N. do R.]

de um hebreu à palavra *sheleg* (palavra hebraica para "neve") para ele perceber que ela poderia ser lida tanto como 333 quanto como "neve". No hebraico, a primeira letra, que corresponde ao som "sh", vale 300; a segunda consoante, o "l", vale 30; e a consoante final, o nosso "g", vale 3. Somando-as, temos 333, três algarismos "3". Curioso, não é verdade? Mas por que não esperar exatidão matemática de um livro plenamente inspirado, tão maravilhoso quanto o mundo que Deus criou?

Muito se fala a respeito de Deus: "Ele [Deus] faz coisas grandiosas, acima do nosso entendimento. Ele diz à neve: 'Caia sobre a terra', e à chuva: 'Seja um forte aguaceiro'" (Jó 37.5,6). Estou aqui, há dois dias inteiros, empenhado na tentativa de copiar à mão o desenho que Deus fez, a saber, os seis cristais de neve, e fiquei bastante fatigado. E como é fácil para ele fazê-lo! "Ele diz à neve" — e com uma palavra, pronto, está feito.

Imagine quantos milhões de cristais de neve caem sobre um hectare de terra durante uma hora; e imagine, se puder, o fato surpreendente de que cada cristal tem sua individualidade própria, um desenho e modelo sem duplicata, nessa ou em qualquer outra tempestade. "Tal conhecimento é maravilhoso demais e está além do meu alcance; é tão elevado que não o posso atingir" (Sl 139.6). Como pode uma pessoa sensata, diante de tal evidência de desígnios, multiplicados por um sem-número de variedades, duvidar da existência e da obra do desenhista, cuja capacidade é imensurável? Um Deus capaz de criar tantas belezas é capaz de tudo, até mesmo de moldar nossa vida dando-lhe beleza e simetria.

c) **O argumento da natureza do homem.** O homem dispõe de natureza moral, isto é, sua vida é regulada por conceitos do bem e do mal. Ele reconhece que há um caminho reto de ação, que deve seguir, e um caminho errado, que deve evitar. Esse conhecimento chama-se "consciência". Ao fazer o bem, a consciência o aprova; ao fazer o mal, ela o condena. A consciência, quer seja obedecida quer não, fala com autoridade. Butler disse, acerca da consciência: "Se ela tivesse poder na mesma proporção de sua autoridade manifesta, governaria o mundo, isto é, se a consciência tivesse a força de pôr em ação o que ordena, ela revolucionaria o mundo". Mas acontece que o homem é dotado de livre-arbítrio e, portanto, tem poder para desobedecer a essa voz íntima. Mesmo quando mal-orientada e sem esclarecimento, a consciência ainda fala com autoridade e faz o homem sentir sua responsabilidade. Kant, o grande filósofo alemão, declarou: "Duas coisas me impressionam: o alto céu estrelado e a lei moral em meu interior".

Qual a conclusão que se tira desse conhecimento universal do bem e do mal? Que há um legislador que idealizou uma norma de conduta para o homem e tornou a natureza humana capaz de compreender esse padrão. A consciência não cria o padrão; ela simplesmente testifica acerca dele, registrando sua conformidade ou não conformidade. Quem, originariamente, criou esses dois poderosos conceitos do bem e do mal? Deus, o justo legislador! O pecado obscureceu a consciência e quase anulou a lei do ser humano; mas, no monte Sinai, Deus gravou essa lei em pedras para que o homem tivesse a lei perfeita para dirigir sua vida. O fato de que o homem compreende essa lei, como também sente sua responsabilidade para com ela, manifesta a existência de um legislador que criou o homem com tal capacidade.

Qual é a conclusão que podemos tirar do sentimento de responsabilidade? Que o legislador é também um juiz que recompensa os bons e castiga os maus. Aquele que impôs a lei por fim defenderá essa lei.

Não somente a natureza moral do homem, mas também todos os aspectos de sua natureza testificam sobre a existência de Deus. Até as religiões mais degradadas demonstram o fato de que o homem tateia, como um cego, à procura de algo por que sua alma anseia. A pessoa que tem fome física busca algo que possa satisfazê-la. Quando o homem tem fome de Deus, ele anseia por Alguém ou Algo que possa satisfazê-lo. A afirmação "minha alma tem sede de Deus" (Sl 42.2) é um argumento a favor da existência de Deus, pois a alma não enganaria o homem com sede daquilo que não existe.

É como disse certa vez um estudioso da igreja primitiva: "Para ti nos fizeste, e nosso coração estará inquieto enquanto não encontrar descanso em ti".

d) O argumento da História. A marcha dos eventos da história universal fornece evidência de um poder e de uma providência dominantes. Toda a história bíblica foi escrita para revelar Deus na História, isto é, para ilustrar a obra de Deus nos assuntos humanos.

"A história da humanidade, o surgimento e o declínio de nações, como a Babilônia e Roma, mostram que o progresso acompanha o uso das faculdades dadas por Deus e a obediência à sua lei, e que o declínio nacional e a podridão moral seguem a desobediência" (D. L. Pierson). A. T. Pierson, em seu livro *The New Acts of the Apostles* [Os novos Atos dos Apóstolos] expõe as evidências da prevalente providência de Deus nas missões modernas.

Em especial, o modo de Deus tratar com os indivíduos fornece provas de sua presença ativa nos assuntos humanos. Charles Bradlaugh, que foi, por certo tempo, o ateu mais notável na Inglaterra, desafiou para um debate o pastor Charles Hugh Price. O desafio foi aceito, e o pregador, por sua vez, desafiou o ateu da seguinte maneira:

> Como todos sabemos, senhor Bradlaugh, que "o homem, embora convencido contra a própria vontade, mantém sempre seu ponto de vista", e visto que o debate, como ginástica mental que é, provavelmente não converterá ninguém, proponho-lhe que apresentemos algumas evidências concretas da validade das afirmações do cristianismo por meio de homens e mulheres redimidos, pela influência do cristianismo e pela do ateísmo, da vida mundana e vergonhosa. Eu trarei 100 desses homens e mulheres e o desafio a fazer o mesmo.
>
> Se o senhor Bradlaugh não puder apresentar 100, contra os meus 100, ficarei satisfeito se trouxer 50 homens e mulheres que se levantem e testifiquem que foram transformados de uma vida vergonhosa pela influência dos seus ensinos ateus. Se não puder apresentar 50, desafio-o a apresentar 20 pessoas que testifiquem com rosto radiante,

como o farão os meus cem, que têm agora uma grande e nova alegria em sua vida mais digna em resultado dos ensinos ateus. Se não puder apresentar 20, ficarei satisfeito se apresentar 10. Não, senhor Bradlaugh, desafio-o a trazer um só homem ou uma só mulher que dê tal testemunho acerca da influência enobrecedora de seus ensinos ateístas. Meus homens e mulheres redimidos trarão provas irrefutáveis quanto ao poder salvador de Jesus Cristo sobre sua vida redimida da escravidão do pecado e da vergonha. Talvez, senhor Bradlaugh, essa seja a verdadeira demonstração da validade das afirmações do cristianismo.

O senhor Bradlaugh retirou seu desafio!

e) **O argumento da crença universal**. A crença na existência de Deus é praticamente tão difundida quanto a própria raça humana, embora muitas vezes se manifeste de forma pervertida ou grotesca e revestida de ideias supersticiosas. Essa opinião é contestada por alguns que argumentam a existência de raças que não têm a menor concepção de Deus. Mas o senhor Jevons, autoridade no assunto de raças e religiões comparadas, afirma: "Todos os antropólogos sabem que essa concepção já foi para o limbo das controvérsias mortas [...] todos concordam que não existem raças, por mais primitivas que sejam, totalmente destituídas de concepção religiosa! Embora alguém possa citar exceções, sabemos que a exceção não anula a regra. Por exemplo, se fossem encontrados alguns seres humanos inteiramente destituídos de todo sentimento humano e de compaixão, isso não serviria de base para dizer que o homem é, em essência, uma criatura destituída de sentimentos. A presença de cegos no mundo não prova que todos os homens são cegos". William Evans afirma que "o fato de certas nações não conhecerem a tabuada de multiplicação não afeta a aritmética".

Como essa crença universal se originou? A maior parte dos ateus parece imaginar que um grupo de teólogos especialistas reuniu-se em uma sessão secreta, na qual inventaram a ideia de Deus e depois a apresentaram ao povo. Mas os teólogos não inventaram Deus, como também os astrônomos não inventaram as estrelas, nem os botânicos, as flores. É certo que os antigos mantinham ideias erradas acerca dos corpos celestes, mas esse fato não nega a existência desses corpos celestes. E como a humanidade já teve ideias distorcidas acerca de Deus, isso implica que existe um Deus acerca do qual os seres humanos podiam ter noções errôneas.

Esse conhecimento universal não se originou necessariamente pelo raciocínio, porque há homens de grande capacidade de raciocínio que também negam a existência de Deus. Mas é evidente que o mesmo Deus que fez a natureza, com suas belezas e maravilhas, fez também o homem dotado de capacidade para observar, *por intermédio* da natureza, seu Criador. "Pois o que de Deus se pode conhecer é manifesto entre eles, porque Deus lhes manifestou. Pois desde a criação do mundo os atributos invisíveis de Deus, seu eterno poder e sua natureza divina, têm sido vistos claramente, sendo compreendidos por meio das coisas criadas, de forma que tais homens são indesculpáveis" (Rm 1.19,20). Deus não fez o mundo sem deixar certos sinais, sugestões e evidências indicadoras das obras de suas mãos. "Porque, [os homens] tendo conhecido a Deus, não o glorificaram como Deus, nem lhe renderam graças, mas os seus pensamentos tornaram-se fúteis e o coração insensato deles obscureceu-se" (Rm 1.21). O pecado deturpou sua visão; perderam Deus de vista e, em vez de ver Deus por intermédio da criatura, desprezaram-no pela ignorância e adoraram a criatura. Esse foi o início da idolatria. Mas até isso prova que o homem é uma criatura adoradora que, forçosamente, procura um objeto de culto.

Essa crença universal em Deus prova o quê? Prova que a natureza do homem é de tal maneira constituída que é capaz de compreender e apreciar essa ideia, como o expressou certo escritor: "O homem é irremediavelmente religioso", o que, em sentido mais amplo, inclui: 1) a aceitação da existência de um ser acima e além das forças da natureza; 2) um sentimento de dependência para com Deus, como aquele que domina o destino do homem; esse sentimento é despertado pelo pensamento da própria debilidade e pequenez e pela magnitude do Universo; 3) a convicção de que se pode efetuar uma união amistosa e que nessa união ele, o homem, encontra segurança e felicidade. Dessa maneira, vemos que o homem, por natureza, é constituído para crer na existência de Deus, para confiar em sua bondade e para adorar em sua presença.

Esse "sentimento religioso" não se encontra nas criaturas inferiores. Por exemplo, alguém que procurasse ensinar religião ao mais elevado dos símios perderia seu tempo. Mas o mais inferior dos homens pode ser instruído nas coisas de Deus. Por quê? Falta ao animal a natureza religiosa, pois não foi feito à imagem de Deus; apenas o homem possui natureza religiosa e procura um objeto de adoração.

3. Sua existência negada

O ateísmo consiste na negação absoluta da existência de Deus. Alguns duvidam de que haja verdadeiros ateus; mas, se os houver, seria impossível provar que estejam sinceramente buscando Deus ou que sua lógica seja coerente.

Desde que os ateus se opõem às convicções mais profundas e mais fundamentais da raça humana, cabe-lhes a responsabilidade de provar a não existência de Deus. Não podem sincera e logicamente se declarar ateus enquanto não apresentarem provas irrefutáveis de que Deus não existe. Inegavelmente, a evidência da existência de Deus ultrapassa em muito a evidência contra sua existência. D. S. Clarke escreve:

> Uma pequena prova pode demonstrar que há Deus, porquanto nenhuma prova, por maior que seja, pode atestar a não existência dele. As pegadas de uma ave sobre uma rocha junto ao mar provariam que, em algum momento, um pássaro visitou as terras adjacentes ao Atlântico. Mas, antes que alguém diga que nunca pássaro algum esteve lá, seria necessário conhecer a história inteira dessa costa, desde o começo da vida no globo terrestre. Apenas um pouco de

evidência pode demonstrar que Deus existe. Antes que alguém diga que não há Deus, deve analisar todos os elementos do Universo; deve investigar todas as forças mecânicas, elétricas, vitais, mentais e espirituais — deve ter conhecimento de todos os seres e compreendê-los completamente; deve estar em todos os pontos do espaço a um só tempo, para que, possivelmente, Deus não esteja em alguma outra parte e assim escape à sua atenção. Essa pessoa deve ser onipotente, onipresente, eterna; de fato, essa mesma pessoa deve ser Deus antes que ela afirme dogmaticamente que não há Deus.

Por mais estranho que pareça, somente Deus, cuja existência o ateu nega, teria essa capacidade de provar que não há Deus!

Outrossim, mesmo a mais remota possibilidade de existir um Soberano moral põe sobre o homem imensa responsabilidade, e a conclusão ateísta, enquanto a inexistência de Deus não for demonstrada de maneira irrefutável, é inaceitável.

Demonstra-se a posição contraditória ateísta no fato de que muitos ateus oram quando se encontram em perigo ou em dificuldades. Em quantas ocasiões as tempestades e lutas da vida varreram o refúgio teórico de tais indivíduos, revelando os alicerces espirituais e demonstrando o comportamento humano. Dizemos "humano" porque aquele que nega a existência de Deus abala e suprime os instintos e impulsos mais profundos e nobres da alma. Como disse Pascal: "O ateísmo é uma enfermidade". Quando o homem perde a fé em Deus não é em virtude dos argumentos (não importa a lógica aparente com que apresente sua negação), mas em consequência de "algum desastre, traição ou negligência íntimos, ou por causa de algum ácido corrosivo, destilado em sua alma, o qual dissolveu a pérola de grande preço".

A história seguinte, um incidente contado por um fidalgo russo, esclarece esse tema:

> Aconteceu em novembro de 1917, quando os bolcheviques tomaram o governo de Kerensky e iniciaram um reinado de terror. O fidalgo

estava na casa de sua mãe, constantemente com medo de ser preso. A campainha da porta tocou, e o criado que atendeu trouxe um cartão de visita com o nome do príncipe Kropotkin — o pai do anarquismo. Ele entrou e pediu permissão para examinar o apartamento. Não havia outra coisa a fazer, a não ser permitir-lhe entrar, porque evidentemente ele tinha autorização para dar busca e até mesmo para requisitar a casa.

Minha mãe permitiu-lhe passar adiante. Ele entrou num quarto e depois em outro, sem parar, como se tivesse morado ali antes e conhecesse a ordem dos cômodos. Entrou na sala de jantar, olhou em redor e, de repente, dirigiu-se ao quarto ocupado por minha mãe.

— Oh, perdoe-me — disse minha mãe, quando o príncipe estava prestes a abrir a porta —, este é o meu quarto.

Ele parou por um instante diante da porta, olhou para minha mãe e, depois, como se estivesse envergonhado, e com voz trêmula, disse rapidamente:

— Sim, sim, eu sei. Perdoe-me, mas preciso entrar nesse quarto!

Pôs a mão na maçaneta e lentamente começou a abrir a porta; a seguir, depois de entrar, fechou-a repentinamente atrás de si.

Fiquei tão agitado diante da conduta do príncipe que me vi tentado a repreendê-lo. Aproximei-me do quarto, abri rapidamente a porta — e, com grande espanto, não pude dar mais um passo. O príncipe Kropotkin estava ajoelhado orando diante do oratório no quarto de minha mãe. Eu o vi fazer o sinal-da-cruz de joelhos; não vi seu rosto nem seus olhos, pois estava de costas. Sua figura ajoelhada e sua oração fervorosa fizeram-no parecer tão humilde enquanto sussurrava algo vagarosamente a Deus. Estava tão ocupado que nem notou minha presença.

De repente, toda a minha ira e meu ódio contra esse homem tinham-se evaporado, qual cerração ante os raios solares. Tão comovido fiquei que, cuidadosamente, fechei a porta.

O príncipe Kropotkin permaneceu no quarto de minha mãe por cerca de vinte minutos. Por fim, saiu com o ar de um menino que tivesse feito alguma travessura e nem levantou os olhos, como que reconhecendo seu erro. Entretanto, havia um sorriso no seu rosto. Chegou perto da minha mãe, tomou-lhe a mão, beijou-a e logo disse em voz muito baixinha:

— Agradeço-lhe muito por haver-me permitido visitar sua casa. Não fique magoada comigo [...], pois, minha cara senhora, foi nesse quarto que minha mãe morreu. Entrar outra vez nesse quarto foi um grande consolo para mim. Obrigado, muito obrigado.

Sua voz tremia, e seus olhos estavam marejados. Logo se despediu e desapareceu.

Esse homem, apesar de ser anarquista, revolucionário e ateu, ainda assim orou! Não é evidente que ele tornou-se ateu porque esmagou os sentimentos mais profundos de sua alma?

O ateísmo é um crime contra a sociedade, pois destrói o único fundamento da moral e da justiça — um Deus pessoal que põe sobre o homem a responsabilidade de guardar as suas leis. Se não há Deus, então não há lei divina, e todas as leis são do homem. Mas por que se deve ter uma vida reta? Por que um homem ou grupo de homens o ordenam? É possível que haja pessoas dotadas de relativa nobreza de espírito e que elas façam o bem e sejam direitas, sem, contudo, possuírem crença em Deus, mas para a grande massa da humanidade existe somente uma sanção para fazer o que é reto — "Assim diz o Senhor", o Juiz dos vivos e dos mortos, o poderoso Governador do destino eterno. Remover isso é destruir os fundamentos da sociedade humana. Comenta James M. Gillis:

> O ateu é como um ébrio cambaleante que entra num laboratório de pesquisas e começa a juntar certas substâncias químicas que o podem destruir, bem como a tudo ao seu derredor. Na verdade, o ateu está brincando com forças mais misteriosas e mais poderosas que qualquer coisa que exista nos tubos de ensaios, mais misteriosas do que o tão falado raio da morte. Nem se pode imaginar qual seria o resultado se um ateu realmente extinguisse a fé em Deus; toda a trágica história deste planeta não registra um só evento que ilustre o cataclismo universal que se verificaria.

O ateísmo é crime contra o homem. Ele procura arrancar do coração do homem o anelo pelas coisas espirituais, sua fome e sede do infinito. Os ateus protestam contra os crimes praticados em nome da religião; reconhecemos que a religião tem sido pervertida pelo sacerdotalismo e eclesiasticismo. Mas procurar apagar a ideia de Deus por ter havido abusos é tão absurdo quanto tentar arrancar o amor do coração humano porque em alguns casos esse amor se desvirtuou.

II. A NATUREZA DE DEUS

1. Conceito bíblico (os nomes de Deus)

Quem é Deus e o que ele é? A melhor definição é a que se encontra no Catecismo de Westminster: "Deus é Espírito, infinito, eterno e imutável em seu ser, sabedoria, poder, santidade, justiça, bondade e verdade". Pode-se formular a definição bíblica pelo estudo dos nomes de Deus. O "nome" de Deus, nas Escrituras, significa mais que uma combinação de sons; representa seu caráter revelado. Deus revela-se a si mesmo fazendo-se conhecer ou proclamando seu nome (Êx 6.3; 33.19; 34.5,6). Adorar a Deus é invocar seu nome (Gn 12.8), temê-lo (Dt 28.58), louvá-lo (2Sm 22.50), glorificá-lo (Sl 86.9). É sacrilégio tomar seu nome em vão (Êx 20.7), profaná-lo ou blasfemá-lo (Lv 18.21; 24.16). Reverenciar Deus é santificar ou bendizer seu nome (Mt 6.9). O nome do Senhor defende seu povo (Sl 20.1) e, por amor do seu nome, ele não os abandona (1Sm 12.22).

Os nomes de Deus mais comuns que encontramos nas Escrituras são os seguintes:

a) Elohim (traduzido por "Deus"). Essa palavra emprega-se sempre que o poder criador e a onipotência de Deus são descritos ou estão implícitos. Elohim é o Deus Criador. A forma plural significa a plenitude de poder e representa a Trindade.

b) Jeová (traduzido por "SENHOR" na *NVI*). Elohim, o Deus Criador, não permanece alheio a suas criaturas. Deus, ao observar a necessidade entre os homens, desceu para ajudá-los e salvá-los; ao assumir esse relacionamento, ele revela-se a si mesmo como Jeová, o Deus da Aliança. O nome *JEOVÁ* tem sua origem no verbo SER, abrangendo os três tempos desse verbo — passado, presente e futuro. O nome, portanto, significa: ele é o que era e o que há de ser; em outras palavras, o Eterno. Visto que Jeová é o Deus que se revela a si mesmo ao homem, o nome significa: eu me manifestei, me manifesto e ainda me manifestarei.

O que Deus opera a favor de seu povo acha expressão em seus nomes, e, quando o povo experimenta sua graça, então pode-se dizer-se que esse povo "conhece o seu nome" (cf. Sl 9.10). A relação entre Jeová e Israel resume-se no uso dos nomes encontrados nas alianças entre Jeová e seu povo. Para os que estão em seu leito, doentes, ele se manifesta como *JEOVÁ-RAFÁ*, "o SENHOR que os cura" (Êx 15.26). Os oprimidos pelo inimigo invocam *JEOVÁ-NISSI*, "o SENHOR é minha bandeira" (Êx 17.8-15). Os sobrecarregados com os cuidados deste mundo aprendem que ele é *JEOVÁ- SHALOM*, "o SENHOR é Paz " (Jz 6.24). Os peregrinos na terra sentem a necessidade de *JEOVÁ-ROÍ*, "O SENHOR é o meu pastor" (Sl 23.1). Aqueles que se sentem sob condenação e necessitam da justificação invocam, cheios de esperança, *JEOVÁ--TSIDKENU*, "O SENHOR é a Nossa Justiça" (Jr 23.6). Aqueles que se sentem desamparados aprendem que ele é *JEOVÁ-JIREH*, "O SENHOR Proverá" (Gn 22.14). E quando o Reino de Deus se concretizar na terra, ele será conhecido como *JEOVÁ-SHAMMÁ*, "o SENHOR ESTÁ AQUI" (Ez 48.35).

c) El (Deus) é usado em certas combinações: *EL-ELYON* (Gn 14.18-20), o "Deus Altíssimo", o Deus que é exaltado sobre todo deus ou deuses; *EL-SHADDAI*, "Deus todo-poderoso" (Êx 6.3); *EL-OLAM*, "o Deus Eterno" (Gn 21.33).

d) Adonai significa literalmente "Senhor" ou "Mestre" e transmite a ideia de governo e domínio (Êx 23.17; Is 10.16,33). Deus, graças ao que é e ao que tem feito, exige o serviço e a lealdade do seu povo. Esse nome, no NT, aplica-se ao Cristo glorificado.

e) **Pai** emprega-se tanto no AT quanto no NT. O significado mais amplo desse nome descreve Deus como a fonte de todas as coisas e o Criador do homem, de maneira que, no sentido referente à criação, todos podem se considerar geração de Deus (At 17.28). Todavia, esse relacionamento não garante a salvação. Somente aqueles que foram vivificados e receberam uma nova vida pelo seu Espírito são seus filhos no sentido íntimo e salvífico desse termo (Jo 1.12,13).

2. Crenças errôneas

Existem outras ideias extrabíblicas acerca de Deus. Dessas, algumas se originaram em verdades exageradas. Algumas são deficientes, outras, pervertidas ou distorcidas. Por que gastar tempo com essas ideias? Como é muito difícil descrever perfeitamente o ser de Deus, podemos, por procurar conhecer o que ele *não* é, chegar a uma melhor compreensão do que ele realmente *é*.

a) O agnosticismo (expressão originada de duas palavras gregas, cujo significado é "não saber") nega a capacidade humana de conhecer Deus. "A mente finita não pode alcançar o infinito", declara o agnóstico. Mas o agnóstico não percebe que há grande diferença entre conhecer Deus no sentido absoluto e conhecer algumas coisas acerca de Deus. Não podemos *compreender* Deus, isto é, conhecê-lo inteira e perfeitamente; mas podemos *apreender*, isto é, ter uma concepção *de* sua Pessoa.

D. S. Clarke escreve:

> "Podemos saber quem é Deus sem saber *tudo* o que ele é. Podemos tocar a terra, embora não possamos envolvê-la com os braços. Um menino pode conhecer Deus, enquanto o filósofo não pode descobrir todos os segredos do Todo-poderoso".

As Escrituras, por um lado, fundamentam-se no pensamento de que é possível conhecer Deus; mas, por outro lado, elas nos avisam que agora conhecemos apenas "em parte" (cf. Êx 33.20; Jó 11.17; Rm 11.33,34; 1Co 13.9-12).

b) O politeísmo (culto a muitos deuses) era característico das religiões antigas e, ainda hoje, é praticado em muitas terras pagãs. Ele se fundamenta na ideia de que o Universo é governado não por uma força só, mas por muitas, de maneira que há um deus da água, um deus do fogo, um deus das montanhas, um deus da guerra etc. Essa é a consequência natural do paganismo, que endeusou os objetos finitos e as forças naturais: "e adoraram e serviram a coisas e seres criados, em lugar do Criador" (Rm 1.25).

Abraão foi chamado a separar-se do paganismo para tornar-se testemunha do único e verdadeiro Deus; seu chamado foi o começo da missão de Israel, a qual era pregar o monoteísmo (o culto a um só Deus), o contrário do politeísmo, praticado nas nações vizinhas.

c) O panteísmo (proveniente de duas palavras gregas, cujo significado é "tudo é Deus") é o sistema de pensamento que identifica Deus com o Universo. Árvores e pedras, pássaros e animais, terra e água, répteis e homens — todos são declarados partes de Deus, e Deus vive e expressa-se a si mesmo por meio das substâncias e forças, da mesma forma que a alma se expressa por meio do corpo.

Como esse sistema se originou? O que está escrito em Romanos 1.20-23 desvenda esse mistério. Pode ser que, na penumbra do passado, os filósofos pagãos, após perder Deus de vista e expulsá-lo de seu coração, tenham observado que era necessário achar alguma coisa que preenchesse esse lugar, uma vez que o homem procura sempre um objeto de culto. Para preencher o lugar de Deus, deve haver algo *tão grande* quanto o próprio Deus. Como Deus fora retirado do mundo, então por que não tornar o *mundo* Deus? Por esse raciocínio, iniciou-se o culto às montanhas e às árvores, aos homens e aos animais, e a todas as forças da natureza.

À primeira vista, essa adoração da natureza pode parecer bonita, mas leva a uma conclusão absurda. Pois se a árvore, a flor e a estrela são Deus, logo também o devem ser o verme, o micróbio, o tigre e também o mais vil pecador — uma conclusão absolutamente impensável.

O panteísmo confunde Deus com a natureza. Mas a verdade é que o poema não é o poeta, a arte não é o artista, a música não é o músico, e a criação não é Deus. Uma linda tradição judaica relata-nos como Abraão observou essa distinção:

> Quando Abraão começou a refletir sobre a natureza de Deus, pensou primeiramente que as estrelas fossem divindades por causa de seu brilho e formosura. Mas quando percebeu que a Lua as excedia em brilho, concluiu, assim, que a Lua era divindade. A luz da Lua, porém, desvaneceu-se ante a luz do Sol, e esse fato o fez pensar que esse último era a divindade. No entanto, à noite o Sol também desaparecia. "Deve existir algo no mundo maior que essas constelações", pensou Abraão. Dessa maneira, do culto à natureza, ele se elevou ao culto ao Deus da natureza.

As Escrituras corrigem as ideias pervertidas do panteísmo. Ao ensinar que Deus é revelado por intermédio da natureza, elas fazem distinção entre Deus e a natureza. Os panteístas dizem que Deus é o Universo; mas a Bíblia diz que Deus criou o Universo.

Onde se professa o panteísmo hoje? Primeiramente, entre alguns poetas que atribuem divindade à natureza. Em segundo lugar, essa é a filosofia que fundamenta a maior parte das religiões da Índia, as quais a citam para justificar a adoração de ídolos. "Não será a árvore parte da imagem de Deus?", argumentam eles. Em terceiro lugar, a Ciência Cristã é uma forma de panteísmo, porque um de seus fundamentos é: "Deus é tudo, e tudo é Deus". Tecnicamente falando, esse panteísmo é "idealista", porque ensina que tudo é mente ou "ideia" e que, por conseguinte, toda matéria é irreal.

d) **O materialismo** nega qualquer distinção entre a mente e a matéria; afirma que todas as manifestações da vida e da mente e todas as forças são simplesmente propriedades da matéria. "O pensamento é a secreção do cérebro, como a bílis é a secreção do fígado" e "O homem é apenas uma máquina" são alguns dos pensamentos prediletos dos materialistas. "O homem não passa de um animal", declaram eles, pensando que com isso poderão extinguir o conceito generalizado acerca da superioridade do ser humano e de seu destino divino.

Essa teoria é tão absurda que quase não merece refutação. No entanto, em dezenas de universidades, em centenas de novelas e de muitos outros modos, discute-se e aceita-se a ideia de que o homem é animal e máquina, que não tem responsabilidade por seus atos e que não existe o bem nem o mal.

Para refutar esse erro, devemos observar o seguinte: 1) A nossa consciência afirma-nos que somos algo mais que matéria e que somos diferentes das árvores e das pedras. Um grama de bom senso, nesse caso, vale mais que uma tonelada de filosofia. Conta-se que Daniel O'Connell, orador irlandês, certa vez se encontrou com uma velha irlandesa, temida por sua linguagem cáustica e seu vocabulário blasfemo. O orador, no encontro com a velha senhora, desferiu contra ela, aos berros, uma verdadeira salva de termos geométricos: "Você, miserável romboide; você, hipotenusa sem escrúpulos! Todos que a conhecem sabem que você guarda um paralelogramo em sua casa", e assim continuou ele até que deixou a pobre mulher confusa e perplexa. Da mesma maneira, os filósofos modernos tentam assustar-nos com palavras portentosas. Mas o erro não se transforma em verdade somente porque ele se expressa com palavras multissilábicas. 2) A experiência e a observação demonstram que a vida procede unicamente de vida já existente e, por conseguinte, a vida que existe neste mundo procede de uma causa viva. Jamais houve um caso em que a vida procedesse de substância morta. Há alguns anos, certos pesquisadores científicos concluíram que haviam descoberto esse fenômeno — vida procedente de substância morta —, mas, ao ser descoberta a presença de micróbios no ar, essa teoria caiu por terra! 3) A evidência de uma inteligência superior e de desígnio no Universo refutam o materialismo cego. 4) Na hipótese de que o homem seja apenas máquina, mesmo assim a máquina não se faz por si mesma. A máquina não produziu o inventor, mas o inventor criou a máquina.

O mal do materialismo está no fato de que destrói os fundamentos da moralidade. Pois se o homem fosse apenas máquina, não seria responsável por seus atos. Por conseguinte, não podemos denominar o herói de nobre, nem o homem vil de maléfico, pois nem um nem outro são capazes de agir de outra maneira. Portanto, nenhum homem pode condenar outro, como a serra circular não pode dizer à guilhotina: "Como você pode ser tão cruel?".

Qual é o antídoto para o materialismo? O antídoto é o evangelho pregado com demonstração de poder do Espírito, acompanhado dos sinais.

e) **O deísmo** admite que haja um Deus pessoal, que criou o mundo, mas insiste que, depois da criação, Deus o abandonou para que fosse governado pelas leis naturais. Em outras palavras, ele deu corda ao mundo, como quem dá corda a um relógio, e depois o abandonou sem dedicar mais nenhum cuidado a ele. Dessa maneira, não seria possível haver nenhuma revelação e nenhum milagre. Esse sistema é muitas vezes chamado de racionalismo, porque eleva a razão à posição de supremo guia em assuntos de religião; também se descreve como religião natural, por oposição à religião revelada. Tal sistema é refutado pelas evidências da inspiração da Bíblia e pelas evidências das obras de Deus na História.

A ideia de Deus, conforme propagada pelo deísta, é unilateral. As Escrituras ensinam duas importantes verdades concernentes à relação de Deus para com o mundo: 1) sua *transcendência*, que significa sua separação do mundo e do homem e sua exaltação sobre eles (Is 6.1); 2) sua *imanência*, que significa sua presença no mundo e sua aproximação do homem (At 17.28; Ef 4.6). O deísmo acentua demais a primeira verdade, enquanto o panteísmo enfatiza demais a segunda. As Escrituras apresentam a ideia verdadeira e equilibrada: Deus, de fato, está separado do mundo e acima do mundo; por outro lado, ele está no mundo. Ele enviou seu Filho para estar *conosco*, e o Filho enviou o Espírito Santo para estar *em* nós. Dessa maneira, a doutrina da Trindade evita os dois extremos. À pergunta: "Deus está separado do mundo ou está no mundo?", a Bíblia responde: "Ele está tanto separado do mundo quanto também está no mundo".

III. OS ATRIBUTOS DE DEUS

Sendo Deus um ser infinito, é impossível que qualquer criatura o conheça exatamente como ele é. No entanto, ele bondosamente revelou-se por meio de uma linguagem compreensível a nós. E essa revelação está nas Escrituras. Por exemplo, Deus diz acerca de si mesmo: "Eu sou santo"; portanto, podemos afirmar: Deus é santo. A santidade é, assim, um atributo de Deus, porque a santidade é uma qualidade que podemos atribuir ou aplicar a ele. Dessa forma, com a ajuda da revelação que Deus deu de si mesmo, podemos ajustar nossos pensamentos acerca de Deus.

Qual a diferença entre os nomes de Deus e os seus atributos? Os nomes de Deus expressam as qualidades de todo o seu ser, ao passo que seus atributos indicam vários aspectos de seu caráter.

Há muito a dizer sobre um ser tão grande como Deus, mas facilitaremos nossa tarefa se classificarmos seus atributos. Compreender Deus em sua plenitude seria tão difícil como encerrar o oceano Atlântico numa xícara; mas ele revelou de si mesmo o suficiente para satisfazer nossa capacidade. A classificação seguinte talvez nos facilite a compreensão:

1. Atributos sem relação entre si, ou seja, o que Deus é em si mesmo, independentemente da criação. Esses atributos

respondem à pergunta: quais são as qualidades que caracterizavam Deus antes que alguma coisa existisse?

2. Atributos ativos, ou seja, o que Deus é em relação ao Universo.
3. Atributos morais, ou seja, o que Deus é em relação aos seres morais, criados por ele.

1. Atributos não relacionados (a natureza íntima de Deus)

a) **Espiritualidade.** "Deus é espírito" (Jo 4.24). Deus é espírito com personalidade; ele pensa, sente e fala, portanto pode ter comunhão direta com suas criaturas feitas à sua imagem. Sendo espírito, Deus não está sujeito às limitações às quais estão sujeitos os seres humanos dotados de corpo físico.

Deus não possui partes corporais nem está sujeito às paixões; sua pessoa não se compõe de nenhum elemento material e não está sujeita às condições de existência natural. Portanto, ele não pode ser visto com os olhos naturais nem apreendido pelos sentidos naturais.

Isso não implica que Deus leve uma existência sombria e irreal, pois Jesus se referiu à "forma" de Deus (Jo 5.37; cf. Fp 2.6). Deus é uma Pessoa real, mas de natureza tão infinita que não se pode apreendê-lo plenamente pelo conhecimento humano nem é possível descrevê-lo satisfatoriamente em linguagem humana.

"Ninguém jamais viu a Deus", declara o apóstolo João (Jo 1.18; cf. Êx 33.20); no entanto, em Êxodo 24.9,10, lemos que Moisés e certos anciãos "viram o Deus de Israel". Nisso não há contradição; João quer dizer que nenhum homem jamais viu Deus como ele *é*. Mas sabemos que o espírito pode manifestar-se em forma corpórea (Mt 3.16), portanto Deus pode manifestar-se de uma maneira perceptível ao homem. Deus também descreve sua personalidade infinita em linguagem compreensível à mente finita; portanto, a Bíblia fala de Deus como um ser que tem mãos, braços, olhos e ouvidos, e descreve-o como um ser que vê, sente, ouve, arrepende-se etc.

Contudo, Deus também é insondável e inescrutável. "Você consegue perscrutar os mistérios de Deus? Pode sondar os limites do Todo-poderoso?" (Jó 11.7) — e nossa resposta só pode ser: "Não temos 'com que tirar água, e o poço é fundo' ", para usar a expressão da mulher samaritana (Jo 4.11).

b) Infinitude. Deus é infinito, isto é, não está sujeito às limitações naturais e humanas. Pode-se observar sua infinitude de duas maneiras: 1) Em relação ao *espaço*. Deus caracteriza-se pela imensidão (1Rs 8.27), isto é, a natureza da Trindade está presente, de modo igual, em todo o espaço infinito e em todas as suas partes. Nenhuma parte existente está separada de sua presença ou de sua energia, e nenhum ponto do espaço escapa à sua influência. "Seu centro está em toda parte, e sua circunferência, em parte alguma." Mas, ao mesmo tempo, não devemos esquecer que existe um lugar especial onde sua presença e sua glória são reveladas de uma maneira extraordinária; esse lugar é o céu. 2) Em relação ao *tempo*. Deus é eterno (Êx 15.18; Dt 33.27; Ne 9.5; Sl 90.2; Jr 10.10; Ap 4.8-10). Ele existe desde a eternidade e existirá por toda a eternidade. O passado, o presente e o futuro estão presentes em sua mente. Sendo eterno, ele é imutável — "é o mesmo, ontem, hoje e para sempre" (Hb 13.8). Essa verdade, para o crente, é confortadora, pois ele pode descansar na confiança de que o "Deus eterno é o seu refúgio, e para segurá-lo estão os braços eternos" (Dt 33.27).

c) Unidade. Deus é único (Êx 20.3; Dt 4.35,39; 6.4; 1Sm 2.2; 2Sm 7.22; 1Rs 8.60; 2Rs 19.15; Ne 9.6; Is 44.6-8; 1Tm 1.17). A expressão "Ouça, ó Israel: O SENHOR, o nosso Deus, é o único SENHOR" era um dos fundamentos da religião do AT, como também a mensagem especial a um mundo que adorava muitos falsos deuses.

Haveria contradição entre esse ensino sobre a unidade de Deus e o ensino da Trindade do NT? É preciso distinguir entre dois tipos de unidade — unidade *absoluta* e unidade *composta*.

A expressão "um homem" transmite a ideia de unidade absoluta, porque se refere a uma só pessoa. Mas, quando lemos que homem e mulheres serão "uma só carne" (Gn 2.24), essa é uma unidade composta, visto que se refere à união de duas pessoas. Veja também Esdras 3.1 e Ezequiel 37.17, passagens bíblicas que empregam a mesma palavra para significar "único" (*echad* em hebraico), como se usa em Deuteronômio 6.4. Existe outra palavra (*yachidh* em hebraico) que se usa para exprimir a ideia de unidade absoluta (Gn 22.2,12; Am 8.10; Jr 6.26; Zc 12.10; Pv 4.3; Jz 11.34).

A qual classe de unidade se refere Deuteronômio 6.4? Pelo fato de a palavra correspondente a "nosso Deus" estar no plural (Elohim, em hebraico), concluímos que o texto se refere a unidade composta. A doutrina da Trindade ensina a unidade de Deus como unidade composta de três pessoas divinas em unidade essencial e eterna.

2. Atributos ativos (Deus e o Universo)

a) **Onipotência.** Deus é onipotente (Gn 1.1; 17.1; 18.14; Êx 15.7; Dt 3.24; 32.39; 1Cr 16.25; Jó 40.2; Is 40.12-15; Jr 32.17; Ez 10.5; Dn 3.17; 4.35; Am 4.13; 5.8; Zc 12.1; Mt 19.26; Ap 15.3; 19.6). A onipotência de Deus significa duas coisas: 1) Sua liberdade e poder para fazer tudo que esteja em harmonia com sua natureza: "Pois nada é impossível para Deus" (Lc 1.37). Isso naturalmente não significa que ele possa ou queira fazer alguma coisa contrária à sua própria natureza, como, por exemplo, mentir ou roubar; nem que faria alguma coisa absurda ou contraditória em si mesma, tal como fazer um círculo triangular ou criar água seca. 2) Ter controle e soberania sobre tudo que existe ou que pode existir. Mas, se isso é verdade, por que se pratica o mal neste mundo? Porque Deus dotou o homem de livre-arbítrio, o que Deus não violará; portanto, ele permite os atos maus, mas com um sábio propósito de, finalmente, dominar todo o mal. Somente Deus é todo-poderoso, e até mesmo Satanás nada pode fazer sem sua permissão (cf. Jó 1, 2).

Toda a vida é sustentada por Deus (Hb 1.3; At 17.25,28; Dn 5.23). A existência do homem é como o som de um órgão que soa enquanto os dedos de Deus pressionam as teclas. Assim, sempre que a pessoa peca, usa o próprio poder do Criador para ultrajá-lo.

b) **Onipresença.** Deus é onipresente, isto é, impossível de ser limitado pelo espaço material (Gn 28.15,16; Dt 4.39; Js 2.11; Sl 139.7-10; Pv 15.3,11; Is 66.1; Jr 23.23,24; Am 9.2-4,6; At 7.48,49; Ef 1.23). Qual a diferença entre imensidão e oni-pre-sença? Imensidão é a presença de Deus em relação ao *espaço*, enquanto onipresença é sua presença considerada em relação às *criaturas*. Para suas criaturas, ele está presente das seguintes maneiras: 1) Em glória, para as hostes adoradoras do céu (Is 6.1-3). 2) Efetivamente, na ordem natural (Na 1.3). 3) Providencialmente, nos assuntos relacionados com os homens (Sl 68.7,8). 4) Atentamente, para aqueles que o buscam (Mt 18.19,20; At 17.27). 5) Judicialmente, para a consciência dos ímpios (Gn 3.8; Sl 68.1,2). O homem não deve se iludir com o pensamento de que existe um cantinho no Universo onde possa escapar à lei do seu Criador. Um chinês disse a um cristão genuíno: "Se o seu Deus está em toda parte, então deve estar também no inferno". A resposta foi imediata: "A ira dele está no inferno". Conta-se uma história a respeito de um ateísta, que teria escrito: "Deus não está em lugar nenhum". Mas sua filhinha leu: "Deus está aqui agora".[2] Isso o condenou. 6) Corporalmente, em seu Filho, "Deus conosco" (Cl 2.9). 7) Misticamente, na Igreja (Ef 2.12-22). 8) Oficialmente, com seus obreiros (Mt 28.19,20).

[2] Em inglês, há um jogo de palavras entre os termos "nowhere" (em lugar nenhum) e "now here" (aqui e agora). [N. do R.]

Embora Deus *esteja* em todo lugar, ele não *habita* em todo lugar. Somente quando Deus entra em *relação pessoal* com um grupo ou com um indivíduo, é possível dizer que ele *habita* com eles.

c) **Onisciência.** Deus é onisciente, porque conhece todas as coisas (Gn 18.18,19; 2Rs 8.10,13; 1Cr 28.9; Sl 94.9; 139.1-16; 147.4,5; Pv 15.3; Is 29.15,16; 40.28; Jr 1.4,5; Ez 11.5; Dn 2.22,28; Am 4.13; Lc 16.15; At 15.8,18; Rm 8.27,29; 1Co 3.20; 2Tm 2.19; Hb 4.13; 1Pe 1.2; 1Jo 3.20). O conhecimento de Deus é perfeito, ele não precisa raciocinar nem fazer pesquisas, tampouco aprender gradualmente — seu conhecimento do passado, do presente e do futuro é instantâneo.

Examinar esse atributo é muito reconfortante. Em todas as provas da vida, o crente tem a certeza de que "o seu Pai sabe" (Mt 6.8).

Alguns se defrontam com as seguintes dificuldades: Deus, por ser conhecedor de todas as coisas, sabe quem se perderá; portanto, como essa pessoa pode evitar perder-se?

No entanto, a presciência de Deus sobre o uso que a pessoa fará do livre-arbítrio não a força a escolher este ou aquele destino. Deus prevê, mas não determina.

d) Sabedoria. Deus é sábio (Sl 104.24; Pv 3.19; Jr 10.12; Dn 2.20,21; Rm 11.33; 1Co 1.24,25,30; 2.6,7; Ef 3.10; Cl 2.2,3). A sabedoria de Deus é a associação de sua onisciência com sua onipotência. Ele tem poder para aplicar seu conhecimento para que se realizem os melhores propósitos possíveis pelos melhores meios possíveis. Deus sempre faz o bem da forma certa e no tempo certo: "Ele faz tudo muito bem" (Mc 7.37).

Essa ação da parte de Deus de organizar todas as coisas e executar sua vontade no curso dos eventos com a finalidade de realizar seu bom propósito chama-se Providência. A Providência divina *geral* relaciona-se com o Universo como um todo; sua Providência *particular* relaciona-se com os detalhes da vida do homem.

e) Soberania. Deus é soberano, isto é, ele tem o direito absoluto de governar suas criaturas e dispor delas como lhe apraz (Dn 4.35; Mt 20.15; Rm 9.21). Ele tem esse direito em virtude de sua infinita superioridade, de seu domínio absoluto de tudo e de todas as coisas dependerem totalmente dele para continuar a existir. Dessa maneira, censurar os caminhos do Senhor é insensatez e transgressão. D. S. Clarke observa:

> A doutrina da soberania de Deus é uma doutrina muito útil e animadora. Se fosse para escolher, o que seria preferível: ser governado pelo fatalismo cego, pela sorte caprichosa, pela lei natural irrevogável, pelo "eu" pervertido cuja visão é de curto alcance, ou ser governado por um Deus sábio, santo, amoroso e poderoso? Quem rejeita a soberania de Deus pode escolher ser governado por qualquer um dos fatores restantes.

3. Atributos morais (Deus e as criaturas morais)

Ao examinar o registro das formas de Deus lidar com os homens, aprendemos sobre os seguintes atributos:

a) Santidade. Deus é santo (Êx 15.11; Lv 11.44,45; 20.26; Js 24.19; 1Sm 2.2; Sl 5.4; 111.9; 145.17; Is 6.3; 43.14,15; Jr 23.9; Lc 1.49; Tg 1.13; 1Pe 1.15,16; Ap 4.8; 15.3,4). A santidade de Deus significa sua absoluta pureza moral; ele não peca nem tolera o pecado. O sentido essencial da palavra "santo" é "separado". Em que sentido Deus está separado? Ele está separado do homem no *espaço* — ele está no céu, o homem, na terra. Ele está separado do homem quanto à *natureza* e ao *caráter* — ele é perfeito, o homem, imperfeito; ele é divino, o homem, humano; ele é moralmente perfeito, o homem, pecaminoso. Percebemos, portanto, que a santidade é o atributo que mantém a distinção entre Deus e a criatura. Não denota apenas um atributo de Deus, mas a própria natureza divina. Portanto, quando Deus se revela a si mesmo para impressionar o homem com sua divindade, diz-se que ele se mostra santo (Ez 36.23; 38.23), isto é, revela-se a si mesmo como o Santo. Quando os serafins descrevem o resplendor divino que emana daquele que está assentado no trono, eles exclamam: "Santo, santo, santo é o SENHOR dos Exércitos" (Is 6.3).

Diz-se que os homens santificam Deus quando o honram e o reverenciam como divino (Nm 20.12; Lv 10.3; Is 8.13). Quando o desonram pela violação de seus mandamentos, diz-se que "profanam" seu nome — o contrário de santificar seu nome (Mt 6.9).

Somente Deus é santo em si mesmo. Dessa maneira, o povo, os edifícios e os objetos santos são assim descritos porque Deus os *fez* santos, ou os santificou. A palavra "santo", quando aplicada às pessoas ou aos objetos, expressa *relação* com Jeová — pelo fato de estarem separados para seu serviço. Os objetos separados precisam estar limpos; e as pessoas separadas devem consagrar-se e viver de acordo com a lei da santidade. Esses fatos constituem a base da doutrina da santificação.

b) Justiça. Deus é justo. Qual a diferença entre santidade e justiça? Uma das respostas é: "Justiça é santidade em ação". Justiça é a santidade de Deus que se manifesta no tratamento correto com suas criaturas. "Não agirá com justiça o Juiz de toda a terra?" (Gn 18.25). Justiça é obediência a uma norma reta; é conduta reta em relação ao outro. Quando é que Deus manifesta esse atributo? 1) Quando livra o inocente, condena o ímpio e exige que se faça justiça. Deus julga, não como o fazem os juízes modernos, que fundamentam seu julgamento na evidência apresentada a eles por outras pessoas. Deus descobre por si mesmo as evidências. O Messias, cheio do Espírito divino, não "julgará pela aparência, nem decidirá com base no que ouviu", mas julgará com justiça (Is 11.3). 2) Quando Deus perdoa todo aquele que se arrepende (Sl 51.14; 1Jo 1.9; Hb 6.10). 3) Quando castiga e julga seu povo (Is 8.17; Am 3.2). 4). Quando salva seu povo. Chama-se justiça de Deus a intervenção que ele faz a favor do seu povo (Is 46.13; 45.24,25). A salvação é o lado negativo;

a justiça, o positivo. Ele livra seu povo de seus pecados e de seus inimigos, e o resultado é a retidão do coração (Is 60.21; 54.13; 61.10; 51.6). 5) Quando dá vitória à causa de seus servos fiéis (Is 50.4-9). Depois de Deus libertar seu povo e julgar os ímpios, teremos "novos céus e nova terra, onde habita a justiça" (2Pe 3.13).

Deus não somente trata justamente, como também *exige* justiça. Mas que sucederá no caso de o homem haver pecado? Ele graciosamente justifica todo aquele que se arrepender (Rm 4.5). Essa é a base da doutrina da justificação.

Há que se notar que a natureza divina é a base das relações de Deus para com os homens. Como ele é, assim ele opera. O santo santifica, o justo justifica.

c) **Fidelidade.** Deus é fiel. Ele é absolutamente digno de confiança, sua palavra não falha. Portanto, seu povo pode descansar em suas promessas (Êx 34.6; Nm 23.19; Dt 4.31; Js 21.43-45; 23.14; 1Sm 15.29; Jr 4.28; Is 25.1; Ez 12.25; Dn 9.4; Mq 7.20; Lc 18.7,8; Rm 3.4; 15.8; 1Co 1.9; 10.13; 2Co 1.20; 1Ts 5.24; 2Ts 3.3; 2Tm 2.13; Hb 6.18; 10.23; 1Pe 4.19; Ap 15.3).

d) **Misericórdia.** Deus é misericordioso. "A misericórdia de Deus é a divina bondade em ação, com respeito às misérias de suas criaturas, ao sentir compaixão por eles, ao oferecer alívio, e, no caso dos pecadores que não se arrependem, ao demonstrar paciência para com eles" (Hodges) (Tt 3.5; Lm 3.22; Dn 9.9; Jr 3.12; Sl 32.5; Is 49.13; 54.7). Uma das mais belas descrições da misericórdia de Deus encontra-se em Salmos 103.8-18. O conhecimento de sua misericórdia torna-se o fundamento da esperança (Sl 130.7), como também da confiança (Sl 52.8). A misericórdia de Deus manifestou-se de maneira preeminente quando ele enviou Cristo ao mundo (Lc 1.78).

e) **Amor.** Deus é amor. O amor é o atributo de Deus que o leva a desejar ter um relacionamento pessoal com aqueles que possuem sua imagem e, mais especialmente, com aqueles que foram santificados e cujo caráter se assemelha ao dele. Observe como o amor de Deus é descrito (Dt 7.8; Ef 2.4; Sf 3.17; Is 49.15,16; Rm 8.39; Os 11.4; Jr 31.3); observe a quem é manifestado (Jo 3.16; 16.27; 17.23; Dt 10.18); observe como foi revelado (Jo 3.16; 1Jo 3.1; 4.9,10; Rm 9.11-13; Is 38.17; 43.3,4; 63.9; Tt 3.4-7; Ef 2.4,5; Os 11.4; Dt 7.13; Rm 5.5).

f) **Bondade.** Deus é bom. A bondade de Deus é o atributo por meio do qual ele concede vida e outras bênçãos a suas criaturas (Sl 25.8; 31.19; 68.10; 85.5; 145.9; Na 1.7; Mt 5.45; At 14.17; Rm 2.4). O doutor Howard Agnew Johnson afirma:

> Há alguns anos, fomos convidados a almoçar com uma família. O dono da casa pediu-nos que orássemos. Depois de pedirmos a bênção e expressar nossa gratidão pelas dádivas de Deus, ele disse com certa franqueza: "Realmente, não vejo razão para isso, pois eu mesmo provi esta refeição". Replicamos com uma pergunta: "O senhor nunca pensou que, se falhassem a sementeira e a colheita uma só vez em toda a terra, a metade do povo morreria antes da colheita seguinte? E não pensou também que, se falhassem a sementeira e a colheita em dois anos sucessivos em todo o Planeta, todos os homens morreriam antes da colheita seguinte? Ele, evidentemente assombrado, admitiu que nunca pensara em tal possibilidade. Assim, mencionamos que ele estava muito equivocado em dizer que fora ele quem fornecera aquela refeição para nós. Ele devia a Deus sua própria vida e as forças para ganhar o dinheiro. Deus havia posto vida no grão e no animal que usávamos como alimento, coisa que ele nunca poderia fazer.
>
> Assinalamos também que ele, ao participar das leis divinas para suprir nossas necessidades, fora um cooperador de Deus. Assim, perguntamos a ele: "Se alguém lhe desse alguma coisa, o senhor não diria 'obrigado'? E, se essas dádivas fossem repetidas duas ou três vezes ao dia, o senhor não diria 'obrigado' em cada uma das vezes? Ele prontamente concordou conosco. "Portanto, o senhor entende por que dizemos 'obrigado' a Deus toda vez que recebemos suas bênçãos." A esse comentário, ele exclamou: "Ah, isso nada mais é que ser educado e decente, nada além da atitude de quem é inteligentemente agradecido!".

Para certas pessoas, a existência do mal e do sofrimento apresenta um obstáculo à crença na bondade de Deus. "Por que um Deus de amor criou um mundo cheio de sofrimento?", perguntam alguns. As considerações seguintes poderão esclarecer o problema: 1) Deus não é responsável pelo mal. Se um trabalhador descuidado jogar areia numa máquina delicada, deve-se responsabilizar o fabricante? Deus fez tudo bom, mas o homem danificou sua obra. Praticamente todo o sofrimento que há no mundo é consequência da desobediência deliberada do homem. 2) Sendo Deus todo-poderoso, o mal existe por sua permissão. Nem sempre podemos compreender por que ele permite o mal, pois seus caminhos são inescrutáveis. Ao extremamente curioso, ele diria: "O que lhe importa? Quanto a você, siga-me!" (Jo 21.22). No entanto, podemos compreender parte de seus caminhos — o suficiente para saber que ele não erra. Stevenson, notável autor, declara o seguinte: "Se eu pudesse, através de um visor, com meus olhos de alcance limitado, enxergar uma minúscula fração do Universo e, ainda assim, perceber em meu próprio destino algumas parcas evidências de um plano e alguns sinais de uma bondade dominante, será que eu seria tão insensato a ponto de queixar-me de não poder entender tudo? Não deveria eu ficar infinita e gratamente surpreso pelo fato de poder, em um empreendimento tão vasto, entender algo, por pouco que seja, e fazer que esse pouco inspire minha fé?". 3) Deus é tão grande que pode prevalecer sobre o mal para operar o bem. Lembre-se de como ele prevaleceu sobre a maldade dos irmãos de José, do faraó, de Herodes e daqueles que rejeitaram e crucificaram Cristo. Afirmou acertadamente um erudito da Antiguidade: "Deus todo-poderoso não permitiria, de maneira alguma, a existência do mal na sua obra se ele não fosse tão onipotente e tão bom que até mesmo do mal pudesse operar o bem". Muitos cristãos já saíram do fogo do sofrimento com o caráter purificado e a fé fortalecida. O sofrimento os impeliu ao seio de Deus. O sofrimento foi a moeda que comprou o caráter provado no fogo. 4) Deus formou o Universo segundo as leis naturais, e estas leis implicam a possibilidade de acidentes. Por exemplo, se uma pessoa, por descuido ou de propósito, cair em um precipício, sofrerá as consequências de ter violado a lei da gravidade. Mas ao mesmo tempo ficamos satisfeitos com essas leis, pois de outra forma o mundo estaria num estado de confusão. 5) É sempre bom lembrar que esse não é o estado perfeito das coisas. Deus preparou outra vida, em uma época futura, em que mostrará a razão de todos os seus tratados e ações. Visto que opera segundo a "Hora Oficial Celestial", às vezes pensamos que ele tarda, mas bem "depressa" fará justiça a seus escolhidos (Lc 18.7,8). Não se deve julgar Deus enquanto não descer a cortina sobre a última cena do grande Drama dos Séculos. Só naquele momento, veremos que "ele faz tudo muito bem" (Mc 7.37).

IV. O DEUS TRINO

1. A doutrina declarada

As Escrituras ensinam que Deus é um e que além dele não existe outro. Isso poderia suscitar a pergunta: "Como Deus poderia ter comunhão com alguém antes que existissem as criaturas finitas?". A resposta é que a unidade divina é uma unidade composta, havendo nessa unidade realmente três pessoas distintas, cada uma das quais é a Divindade, e que, no entanto, cada uma delas está sumamente consciente das outras duas. Assim, observamos que havia comunhão antes que fossem criadas quaisquer criaturas finitas. Portanto, Deus nunca esteve só.

Não é o caso de haver três deuses, pois todos os três são independentes e têm existência própria. Os três cooperam unidos para um mesmo propósito, de maneira que, no sentido pleno da palavra, são "um". O Pai cria, o Filho redime e o Espírito Santo santifica; e, no entanto, em cada uma dessas operações divinas os três estão presentes.

O Pai é preeminentemente o Criador, contudo o Filho e o Espírito são cooperadores na mesma obra. O Filho é preeminentemente o Redentor, contudo Deus Pai e o Espírito Santo são pessoas que enviam o Filho para que este redima a humanidade. O Espírito Santo é o Santificador, contudo o Pai e o Filho cooperam nessa obra.

A Trindade é uma comunhão eterna, mas a obra da redenção do homem evocou sua manifestação histórica. O Filho entrou no mundo de uma maneira nova, pois tomou sobre si a natureza humana e recebeu um novo nome, Jesus. O Espírito Santo entrou no mundo de uma maneira nova, isto é, como o Espírito de Cristo incorporado na Igreja. Mas, ao mesmo tempo, os três trabalham juntos. O Pai testificou do Filho (Mt 3.17), e o Filho testificou do Pai (Jo 5.19). O Filho testificou do Espírito Santo (Jo 14.26), e, mais tarde, o Espírito Santo testificou do Filho (Jo 15.26).

Parece difícil compreender tudo isso? Não poderia ser de outra maneira, visto que estamos tentando explicar a vida íntima do Deus todo-poderoso! A doutrina da Trindade é claramente uma doutrina revelada, e não doutrina concebida pela razão humana. De que maneira poderíamos aprender acerca da natureza íntima da Divindade, a não ser pela revelação (1Co 2.16)? É verdade que a palavra "Trindade" não aparece no NT; trata-se de uma expressão teológica, que surgiu no século II para descrever a divindade. Mas o planeta Júpiter existiu antes de receber esse nome, e a doutrina da Trindade encontrava-se na Bíblia antes que fosse tecnicamente chamada de Trindade.

2. A doutrina definida

É fácil compreender por que a doutrina da Trindade frequentemente não foi bem compreendida nem bem explicada. Era muito difícil achar termos humanos que pudessem expressar a unidade da Divindade e, ao mesmo tempo, a realidade e a distinção das três pessoas. Ao acentuar a realidade da divindade de Jesus e da personalidade do Espírito

Santo, alguns escritores corriam o perigo de cair no triteísmo, a crença em três deuses. Outros escritores, ao acentuar a unidade de Deus, corriam o perigo de esquecer-se da distinção entre as três pessoas da Trindade. Esse último erro é comumente conhecido como sabelianismo, doutrina do bispo Sabélio, o qual postulava que Pai, Filho, e Espírito Santo são simplesmente três aspectos ou manifestações de Deus. Esse erro ocorreu muitas vezes na história da Igreja e existe ainda hoje.

O sabelianismo é claramente uma doutrina antibíblica e não deve ser aceita, por causa das distinções que a Bíblia faz entre o Pai, o Filho e o Espírito. O Pai ama e envia o Filho; o Filho veio do Pai e voltou para o Pai. O Pai e o Filho enviam o Espírito Santo; o Espírito Santo intercede ao Pai. Se, portanto, o Pai, o Filho e o Espírito são apenas um Deus sob diferentes aspectos ou nomes, então o NT é uma confusão. Por exemplo, a leitura da oração intercessória (Jo 17) pressupondo que Pai, Filho e Espírito fossem uma só pessoa revelaria o absurdo dessa doutrina: "Pois eu me dei autoridade sobre toda a humanidade, para que conceda a vida eterna a todos os que eu me dei. [...] Eu me glorifiquei na terra, completando a obra que me dei para fazer. E agora eu me glorifico junto a mim, com a glória que eu tinha comigo antes que o mundo existisse" (cf. Jo 17.2,4,5).

Como a doutrina da Trindade conseguiu evitar o deslocamento para os extremos, nem para o lado da unidade (sabelianismo) nem para o lado da triunidade (triteísmo)? Pela formulação de *dogmas*, isto é, as interpretações que definiram a doutrina e a "protegeram" do erro. O seguinte exemplo de dogma acha-se no *Credo de Atanásio*, formulado no século V:

> Adoramos um Deus em trindade, e a trindade em unidade. Não confundimos as pessoas nem separamos a substância. Pois a pessoa do Pai é uma, a do Filho, outra, e a do Espírito Santo, ainda outra. Mas no Pai, no Filho e no Espírito Santo há uma divindade, glória igual e

majestade coeterna. O que o Pai é, o Filho e o Espírito Santo também são. O Pai é incriado, o Filho é incriado, o Espírito é incriado. O Pai é imensurável, o Filho é imensurável, o Espírito Santo é imensurável. O Pai é eterno, o Filho é eterno, o Espírito Santo é eterno. E, não obstante, não há três eternos, mas sim um eterno. Da mesma forma, não há três (seres) incriados, nem três seres imensuráveis, mas um incriado e um imensurável. Da mesma forma, o Pai é onipotente, o Filho é onipotente e o Espírito Santo é onipotente. No entanto, não há três seres onipotentes, mas sim um Onipotente. Assim, o Pai é Deus, o Filho é Deus, e o Espírito Santo é Deus. No entanto, não há três Deuses, mas um Deus. Assim, o Pai é Senhor, o Filho é Senhor, e o Espírito Santo é Senhor. Todavia, não há três Senhores, mas um Senhor. Assim como a verdade cristã nos obriga a confessar cada Pessoa individualmente como Deus e Senhor, também ficamos privados de dizer que haja três Deuses ou Senhores. O Pai não foi feito de coisa alguma, nem criado, nem gerado. O Filho procede apenas do Pai, não foi feito, nem criado, mas gerado. O Espírito Santo procede do Pai e do Filho, não foi feito, nem criado, nem gerado, mas é procedente. Há, portanto, um Pai, não três Pais; um Filho, não três Filhos; um Espírito Santo, não três Espíritos Santos. E na Trindade não existe primeiro nem último, maior nem menor. Mas as três pessoas coeternas são iguais entre si mesmas, de sorte que, por meio de todas, como antes foi dito, tanto a unidade na Trindade quanto a Trindade na unidade devem ser adoradas.

A declaração anterior pode parecer-nos complicada, por tratar de pontos sutis; mas, nos dias dos primórdios do cristianismo, demonstrou ser um meio eficaz de preservar a declaração correta sobre verdades tão preciosas e vitais para a Igreja.

3. A doutrina provada

Como a doutrina da Trindade diz respeito à natureza íntima da Trindade, esta não poderia ser conhecida, exceto por meio de revelação. Essa revelação encontra-se nas Escrituras.

a) O Antigo Testamento. O AT não ensina clara e diretamente sobre a Trindade, e a razão é evidente. Num mundo em que o culto de muitos deuses era comum, tornava-se necessário acentuar para Israel a verdade de que Deus é um e que não havia outro além dele. Se no princípio a doutrina da Trindade fosse ensinada diretamente, ela poderia não ser bem compreendida nem bem interpretada.

Muito embora essa doutrina não fosse explicitamente mencionada, sua origem pode ser encontrada no AT. Sempre que um hebreu pronunciava o nome de Deus (Elohim), ele estava realmente dizendo "Deuses", pois a palavra é plural e no hebraico às vezes vem acompanhada de adjetivo plural (Js 24.18,19) e com verbo no plural (Gn 35.7). Imaginemos um hebreu devoto e esclarecido ponderando o fato de que Jeová é um e, no entanto, é Elohim — "Deuses". É fácil imaginar que ele chegue à conclusão de que exista pluralidade de pessoas dentro de um Deus. Paulo, o apóstolo, nunca cessou de crer na unidade de Deus, conforme lhe fora ensinada desde a mocidade (1Tm 2.5; 1Co 8.4). Paulo, de fato, insistia em que não divulgava outros ensinos senão aqueles que se encontravam na Lei e nos Profetas. Seu Deus era o Deus de Abraão, Isaque e Jacó. No entanto, pregava a divindade de Cristo (Fp 2.6-8; 1Tm 3.16) e a personalidade do Espírito Santo (Ef 4.30), e incluiu as três pessoas na bênção apostólica (2Co 13.14).

Todos os membros da Trindade são mencionados no AT: 1) o Pai (Is 63.16; Ml 2.10); 2) o Filho de Jeová (Sl 2.6,7,12; 45.6,7; Pv 30.4): o Messias é descrito com títulos divinos (Jr 23.5,6; Is 9.6); faz-se menção ao misterioso Anjo de Jeová que leva o nome de Deus e tem poder tanto para perdoar quanto para reter os pecados (Êx 23.20,21); 3) o Espírito Santo (Gn 1.2; Is 11.2,3; 48.16; 61.1; 63.10).

Prenúncios da Trindade veem-se na tríplice bênção de Números 6.24-26 e na tríplice doxologia de Isaías 6.3.

b) O Novo Testamento. Os cristãos primitivos mantinham como um dos fundamentos da fé a unidade de Deus. Eles testificam tanto ao judeu quanto ao pagão: "Cremos em um Deus". Mas, ao mesmo tempo, apresentavam as palavras claras de Jesus para provar que ele arrogou a si uma posição e uma autoridade que, se ele não fosse Deus, seriam blasfêmia. Os escritores do NT, quando se referiam a Jesus, usavam uma linguagem que indicava que reconheciam Jesus como "Deus acima de todos, bendito para sempre!" (Rm 9.5). E a experiência espiritual dos cristãos apoiava essas afirmações. Quando conheciam Jesus, conheciam-no como Deus.

O mesmo se verifica em relação a Deus e ao Espírito Santo. Os cristãos primitivos criam que o Espírito Santo, que habitava neles, ensinando-os, guiando-os e inspirando-os a andar em novidade de vida. Não era meramente uma influência ou um sentimento, mas um ser que poderiam conhecer e com o qual suas almas poderiam ter comunhão verdadeira. Ao examinar o NT, descobriram que ali ele era descrito como um ser que tinha atributos de personalidade.

Assim, a igreja primitiva defrontava-se com dois fatos: que Deus é um; e que o Pai é Deus, o Filho é Deus e o Espírito Santo é Deus. Esses dois grandes fatos concernentes a Deus constituem a doutrina da Trindade. Deus Pai era para eles uma realidade, o Filho era para eles uma realidade e também o Espírito Santo era para eles uma realidade. Diante desses fatos, a única conclusão a que se podia chegar era a seguinte: que havia na Divindade uma verdadeira, embora misteriosa, distinção de personalidades, distinção que se tornou manifesta na obra divina para redimir o homem.

Várias passagens do NT mencionam as três pessoas divinas (cf. Mt 3.16,17; 28.19; Jo 14.16,17,26; 15.26; 2Co 13.14; Gl 4.6; Ef 2.18; 2Ts 3.5; 1Pe 1.2; Ef 1.3,13; Hb 9.14).

Uma comparação de textos tomados de todas as partes das Escrituras mostra o seguinte: 1) Cada uma das três pessoas é Criador, embora se declare que há um só Criador (Jo 33.4 e Is 44.24). 2) Cada uma delas é chamada Jeová (Dt 6.4; Jr 23.6; Ez 8.1,3), o Senhor (Rm 10.12; Lc 2.11; 2Co 3.18), o Deus de Israel (Mt 15.31; Lc 1.16,17; 2Sm 23.2,3), o Legislador (Rm 7.25; Gl 6.2; Rm 8.2;

Tg 4.12), o onipresente (Jr 23.24; Ef 1.22; Sl 139.7,8), a fonte da vida (Dt 30.20; Cl 3.4; Rm 8.10). Mas, ao mesmo tempo, afirma-se que há só um ser que pode ser descrito dessa maneira. 3) Cada uma delas fez o homem (Sl 100.3; Jo 1.3; Jó 33.4), vivifica os mortos (Jo 5.21; 6.33), levantou Cristo (1Co 6.14; Jo 2.19; 1Pe 3.18), comissiona para o ministério (2Co 3.5; 1Tm 1.12; At 20.28), santifica o povo de Deus (Jd 1; Hb 2.11; Rm 15.16) e faz todas as operações espirituais (1Co 12.6; Cl 3.11; 1Co 12.11). Contudo, é claro que somente Deus é capaz de fazer essas coisas.

4. A doutrina ilustrada

Como podem três pessoas ser um Deus? — essa é uma pergunta que deixa muita gente perplexa. Não nos admiramos dessa estranheza, pois, ao considerar a natureza interna do eterno Deus, estamos tratando de uma forma de existência muito diferente da nossa. O doutor Peter Green afirma:

> Suponhamos que houvesse um ser, uma espécie de anjo, ou visitante do planeta Marte, que nunca tivesse visto nenhum ser vivo. Seria bem difícil para ele compreender o crescimento. Talvez fosse possível compreender que uma coisa pudesse aumentar de volume, por assim dizer, por acréscimo, como um montão de pedras se torna sempre maior ao acrescentar-se a ele outras pedras. Mas ele teria dificuldade em compreender como uma coisa pudesse crescer, por assim dizer, de dentro e por si mesma. A ideia de crescimento seria para ele algo muito difícil de ser compreendido. E se ele fosse orgulhoso, impaciente e não tivesse vontade de aprender, é quase certo que não entenderia o processo de crescimento.
>
> Agora, suponhamos que esse mesmo ser estranho, ao aprender algo acerca da vida e do crescimento, como se vê nas árvores e nas plantas, fosse apresentado a um novo fato, a saber, o da inteligência, como se manifesta nos animais de ordem superior. Seria bem difícil para ele compreender o significado de gostar e desgostar, escolher e recusar, conhecer ou ignorar. Se a vida já é difícil de entender, quanto mais difícil

é a mente. Aqui também seria necessário ser humilde, paciente e ter vontade de aprender para entender essas ideias. Mas, no momento em que tal ser começasse a compreender o que significa a mente e como ela funciona, teria de procurar entender algo mais elevado que a mente, como a encontramos nos seres humanos. Nesse caso, novamente ele enfrentaria algo novo, estranho e que não se explicaria por referência a qualquer outra coisa de seu conhecimento. Ele teria de ser cuidadoso, humilde e disposto a ser instruído.

Ele, o tal anjo ou visitante de Marte, esperaria desse modo, e nós também faríamos bem em esperar que, ao passarmos da consideração da natureza do homem para a consideração da natureza de Deus, encontrássemos algo novo.

Existe, porém, um método por meio do qual as verdades que estão além do alcance da razão ainda podem, até certo ponto, tornar-se perceptíveis a ela. Referimo-nos ao uso de ilustrações ou analogias. Estas, porém, devem ser usadas com cuidado e não podem ser levadas muito além de certo limite. "Toda comparação é falha", disse um sábio da Grécia antiga. Até as melhores comparações são imperfeitas e inadequadas. Elas podem ser equiparadas a minúsculas lanternas elétricas que nos ajudam a enxergar algum tênue vislumbre da razão das verdades imensuráveis, vastas demais para serem perfeitamente compreendidas.

Obtemos as ilustrações de três fontes: a natureza; a personalidade humana; as relações humanas.

a) A natureza proporciona muitas analogias. 1) A água é uma, mas esta também é conhecida sob três formas — líquido, gelo e vapor. 2) Há apenas uma eletricidade, mas no ônibus elétrico ela funciona sob a forma de movimento, luz e calor. 3) O Sol é um, mas se manifesta como luz, calor e fogo. 4) Quando São Patrício evangelizava os irlandeses, explicou a doutrina da Trindade usando o trevo como ilustração. 5) Todo raio de luz, conforme todos nós sabemos, realmente se compõe de três raios: primeiro, o actínico, que é invisível; segundo, o luminoso, que é visível; terceiro, o calorífero, que produz calor, que se sente, mas não se vê. Quando esses três estão presentes, há luz; quando há luz, temos a presença desses três. João, o apóstolo, disse: "Deus é luz". Deus Pai é invisível; ele tornou-se visível em seu Filho e opera no mundo por meio do Espírito, que é invisível, mas eficaz. 6) Três velas num quarto darão uma só luz. 7) O triângulo tem três lados e três ângulos; se retirarmos apenas um lado, deixa de ser triângulo. Onde há três ângulos, existe um triângulo.

b) A personalidade humana. 1) Deus disse: "Façamos o homem à nossa imagem, conforme a nossa semelhança". O homem é um, e, no entanto, é tripartido, constituído de espírito, alma e corpo. 2) O conhecimento humano assinala divisões na personalidade. Às vezes, não tomamos consciência de estarmos arrazoando com nós mesmos, como também de estarmos ouvindo a conversação? Eu falo comigo mesmo e me escuto enquanto faço isso!

c) Relacionamento. 1) Deus é amor. Ele é eternamente Alguém que ama. Mas o amor requer um objeto a ser amado; e, sendo eterno, ele tem um objeto de amor eterno, a saber, seu filho. O amante eterno e o amado eterno! E o vínculo eterno e transbordante desse amor é o Espírito Santo. 2) Nosso governo é um, mas é constituído de três poderes: legislativo, judiciário e executivo.

3

Os anjos

Existe ao nosso redor um mundo de espíritos, muito mais populoso, mais poderoso e de maiores recursos que nosso mundo visível de seres humanos. Espíritos, bons e maus, passeiam em nosso meio. Passam de um lugar para outro com a rapidez de um relâmpago e com movimentos imperceptíveis. Eles habitam os espaços ao redor de nós. Sabemos que alguns deles se interessam por nosso bem-estar; outros, porém, estão empenhados em nos prejudicar. Os escritores inspirados descortinam para nós uma visão desse mundo invisível, a fim de que possamos ser confortados e admoestados.

ESBOÇO

I. OS ANJOS

1. Sua natureza
   a. Criaturas
   b. Espíritos

c. Imortais

d. Numerosos

e. Assexuados

2. Sua classificação

a. Anjo do Senhor

b. Arcanjo

c. Anjos eleitos

d. Anjos das nações

e. Querubins

f. Serafins

3. Seu caráter

a. Obedientes

b. Reverentes

c. Sábios

d. Mansos

e. Poderosos

f. Santos

4. Sua obra

a. Agentes de Deus

b. Mensageiros de Deus

c. Servos de Deus

II. SATANÁS

1. Sua origem
2. Seu caráter
3. Suas atividades
4. Seu destino

III. ESPÍRITOS MAUS

1. Anjos caídos
2. Demônios

I. OS ANJOS

1. Sua natureza

Os anjos são:

a) **Criaturas**, isto é, seres criados. Foram feitos do nada pelo poder soberano de Deus. Não conhecemos a época exata de sua criação, porém sabemos que, antes que aparecesse o homem, eles já existiam havia muito tempo e que a rebelião daqueles sob Satanás já se havia registrado, deixando duas classes — os anjos bons e os anjos maus. Sendo eles criaturas, não aceitam adoração (Ap 19.10; 22.8,9) e ao homem, por sua vez, é proibido adorá-los (Cl 2.18).

b) **Espíritos.** Os anjos são descritos como espíritos, porque, diferentemente dos homens, não estão limitados às condições naturais e físicas. Aparecem e desaparecem à vontade e movimentam-se com uma rapidez inconcebível sem usar meios naturais. Apesar de serem puramente espíritos, têm o poder de assumir a forma de um corpo humano a fim de tornar visível sua presença aos homens (Gn 19.1-3).

c) **Imortais**, isto é, não estão sujeitos à morte. Em Lucas 20.34-36, Jesus explica aos saduceus que os santos ressuscitados serão como os anjos, no sentido de que não podem mais morrer.

d) **Numerosos.** As Escrituras nos ensinam que seu número é muito grande: "Milhares de milhares o serviam; milhões e milhões estavam diante dele" (Dn 7.10); "mais de doze legiões de anjos" (Mt 26.53); "uma grande multidão do exército celestial" (Lc 2.13); "aos milhares de milhares de anjos em alegre reunião" (Hb 12.22). Por isso, seu Criador e Mestre é descrito como "Senhor dos exércitos".

e) **Assexuados.** Os anjos sempre são descritos como varões, mas, na realidade, não têm sexo; não propagam sua espécie (Lc 20.34,35).

2. Sua classificação

Como "a ordem é a primeira das leis do céu", é de esperar que os anjos estejam classificados segundo seu posto e atividade. Tal classificação está implícita em 1Pedro 3.22, em que lemos sobre "anjos, autoridades e poderes" (cf. Cl 1.16; Ef 1.20,21).

a) **Anjo do Senhor.** O "anjo do Senhor" é descrito de tal forma que se distingue de qualquer outro anjo. É-lhe atribuído o poder de perdoar ou reter pecados, e o nome de Deus está nele (Êx 23.20-23). Em Êxodo 32.34 diz-se: "Meu anjo irá à sua frente"; em Êxodo 33.14, há esta variação: "Eu mesmo o acompanharei [literalmente, "meu rosto"], e lhe darei descanso". As duas expressões aparecem combinadas em Isaías 63.9: "Em toda a aflição do seu povo ele também se afligiu, e o anjo da sua presença os salvou". Duas coisas importantes são ditas acerca desse anjo: primeiro, que o nome de Jeová, isto é, seu caráter revelado, está nele; segundo, que ele é o rosto de Jeová, ou melhor, pode-se ver nele o rosto de Jeová. Por isso, tem o poder de salvar (Is 63.9) e de recusar o perdão (Êx 23.21). Observe também como Jacó identificou o anjo com o próprio Deus (Gn 32.30; 48.16). Não se pode evitar a conclusão de que esse anjo misterioso não é outro senão o Filho de Deus, o Messias, o libertador de Israel, o Salvador do mundo. Portanto, o anjo do Senhor é realmente um ser incriado.

b) **Arcanjo.** Miguel é mencionado como o arcanjo, o anjo principal (Jd 9; Ap 12.7; cf. 1Ts 4.16). Ele aparece como o anjo protetor da nação israelita (Dn 12.1). Gabriel também é mencionado de uma maneira que o posiciona em uma classe muito elevada. Ele está na presença de Deus (Lc 1.19) e a ele são confiadas as mensagens mais elevadas e importantes em relação ao Reino de Deus (Dn 8.16; 9.21).

c) **Anjos eleitos.** São provavelmente aqueles que permaneceram fiéis a Deus durante a rebelião de Satanás (1Tm 5.21; Mt 25.41).

d) **Anjos das nações.** Daniel 10.13,20 parece ensinar que cada nação tem seu anjo protetor, o qual se interessa pelo bem-estar dessa nação. Era tempo de os judeus regressarem do cativeiro (Dn 9.1,2), e Daniel dedicou-se a orar e a jejuar pela volta deles. Depois de três semanas, um anjo apareceu-lhe e disse-lhe que a demora foi por causa do príncipe, ou anjo da Pérsia, ter-se oposto ao retorno dos judeus. O motivo talvez tenha sido em virtude de não desejar perder a influência deles na Pérsia. O anjo disse-lhe que sua petição para o regresso dos judeus não tivera apoio, a não ser o de Miguel, o príncipe da nação hebraica (Dn 10.21). O príncipe dos gregos também não estava inclinado a favorecer a volta dos judeus (Dn 10.20). As palavras do NT "poderes e autoridades" podem referir-se a esses príncipes angélicos das nações; o termo é usado tanto para os anjos bons quanto para os maus (Ef 3.10; 6.12; Cl 2.15).

e) **Querubins.** Parecem ser uma classe elevada de anjos relacionados com os propósitos retributivos (Gn 3.24) e redentores (Êx 25.22) de Deus para com o homem. Conforme a descrição, eles têm rosto de homem, rosto de leão, rosto de boi e rosto de águia, o que sugere que representam a perfeição dos seres criados — força de leão, inteligência de homem, rapidez de águia e serviço de boi. Essa composição de formas e sua aproximação de Deus asseguram que "a própria natureza criada será libertada da escravidão da decadência" (Rm 8.21).

f) **Serafins.** São mencionados em Isaías, no capítulo 6. Pouco sabemos acerca deles. Certo escritor crê que eles constituem a ordem mais elevada de anjos e que a característica que os distingue é um ardente amor a Deus. A palavra "serafins" significa literalmente "ardentes".

3. Seu caráter

a) **Obedientes.** Cumprem seus encargos sem questionar ou vacilar. Por isso, devemos orar: "Seja feita a tua vontade, assim na terra como no céu" (Mt 6.10; cf. Sl 103.20; Jd 6; 1Pe 3.22).

b) **Reverentes.** Sua atividade mais elevada é a adoração a Deus (Ne 9.6; Fp 2.9-11; Hb 1.6).

c) **Sábios.** "Como um anjo [...], capaz de discernir entre o bem e o mal" (2Sm 14.17), uma expressão proverbial em Israel. A inteligência dos anjos excede a dos homens nesta vida, porém é necessariamente finita. Os anjos não podem discernir diretamente nossos pensamentos (1Rs 8.39), e seu conhecimento acerca dos mistérios da graça são limitados (1Pe 1.12). Como diz certo escritor: "Imagina-se que um anjo tenha capacidade intelectual tão maior e uma compreensão tão mais vasta que a nossa que uma só imagem mental de um anjo contenha mais detalhes que uma vida toda de estudos poderia proporcionar aqui".

d) **Mansos.** Não abrigam ressentimentos pessoais nem injuriam seus opositores (2Pe 2.11; Jd 9).

e) **Poderosos.** São "anjos poderosos" (Sl 103.20).

f) **Santos.** Como foram separados por Deus e para Deus, são "santos anjos" (Ap 14.10).

4. Sua obra

a) **Agentes de Deus.** São mencionados como os executores dos pronunciamentos de Deus (Gn 3.24; Nm 22.22-27; Mt 13.39,41,49; 16.27; 24.31; Mc 13.27; Gn 19.1; 2Sm 24.16; 2Rs 19.35; At 12.23).

b) **Mensageiros de Deus.** (Anjo significa literalmente "mensageiro".) Por meio dos anjos, Deus envia: 1) anunciações (Lc 1.11-20;

Mt 1.20,21); 2) advertências (Mt 2.13; Hb 2.2); 3) instrução (Mt 28.2-6; At 10.3; Dn 4.13-17); 4) encorajamento (At 27.23; Gn 28.12); 5) revelação (At 7.53; Gl 3.19; Hb 2.2; Dn 9.21-27; Ap 1.1).

c) **Servos de Deus.** "Os anjos não são, todos eles, espíritos ministradores enviados para servir aqueles que hão de herdar a salvação?" (Hb 1.14). Os anjos são enviados para sustentar (Mt 4.11; Lc 22.43; 1Rs 19.5); para preservar (Gn 16.7; 24.7; Êx 23.20; Ap 7.1); para resgatar (Gn 48.16; Nm 20.16; Sl 34.7; 91.11; Is 63.9; Dn 6.22; Mt 26.53); para interceder (Zc 1.12; Ap 8.3,4); para ministrar aos justos depois da morte (Lc 16.22).

Após ler os versículos anteriormente citados à luz das palavras de nosso Senhor em Mateus 18.10, alguns formularam a doutrina de "anjos protetores", a qual ensina que cada crente tem um anjo especial designado para guardá-lo e protegê-lo durante sua vida. Eles afirmam que as palavras em Atos 12.15 implicam que os cristãos primitivos entenderam dessa maneira as palavras do Senhor. Não podemos ser dogmáticos sobre o assunto; entretanto, é certo que as promessas de ajuda por parte dos anjos são suficientemente numerosas e claras para fornecer uma fonte de ânimo a todos os cristãos.

II. SATANÁS

Alguns afirmam que o Diabo não existe, mas depois de se observar o mal que existe no mundo, é natural perguntar: "Quem está cuidando do trabalho de Satanás durante sua ausência, uma vez que ele não existe?".

As Escrituras nos revelam alguns fatos sobre esse ser.

1. Sua origem

Leia Isaías 14.12-15; Ezequiel 28.12-19.

A concepção popular de um diabo com chifres, pés de cabra e aparência horrível teve sua origem na mitologia pagã, e não na

Bíblia. De acordo com as Escrituras, Satanás era originariamente Lúcifer (literalmente, "o que leva luz"), o mais glorioso dos anjos. Mas ele, por orgulho, desejou ser "como o Altíssimo" e precipitou-se na "condenação em que caiu o Diabo" (1Tm 3.6).

Observemos os antecedentes históricos nos capítulos 14 de Isaías e 28 de Ezequiel. Muitos se perguntam: "Por que os reis da Babilônia e de Tiro são mencionados primeiro, antes do relato da queda de Satanás?". A resposta é que o profeta descreveu a queda de Satanás tendo em vista um propósito prático. Alguns dos reis da Babilônia e de Tiro exigiam adoração, como se fossem seres divinos, o que é uma blasfêmia (cf. Dn 3.1-12; Ap 13.15; Ez 28.2; At 12.20-23), e seus súditos serviam apenas para alimentar sua ambição cruel. Para admoestar esses reis, os inspirados profetas de Deus afastaram o véu do passado obscuro e descreveram a queda do anjo rebelde, que disse: "Serei como o Altíssimo" (Is 14.14). A lição prática é esta: se Deus castigou o orgulho blasfemo desse anjo de tão alta categoria, como deixará de julgar qualquer rei que se atreva a usurpar seu lugar? Observemos como Satanás procurou contagiar nossos primeiros pais com seu espírito (cf. Gn 3.5; Is 14.14). Observemos como o orgulho e a ambição frustrados ainda o consomem, a ponto de desejar ser adorado (Mt 4.9) como o "deus desta era" (2Co 4.4), ambição que será temporariamente satisfeita quando ele encarnar o anticristo (Ap 13.4).

Satanás, como castigo por sua maldade, foi lançado fora do céu, junto com um grupo de anjos que ele alistara em sua rebelião (Mt 25.41; Ap 12.7; Ef 2.2; Mt 12.24). Ele procurou ganhar Eva como sua aliada. Deus, porém, frustrou o plano e disse: "Porei inimizade entre você e a mulher" (Gn 3.15).

2. Seu caráter

As qualificações do caráter de Satanás são indicadas pelos seguintes títulos e nomes pelos quais é conhecido:

a) **Satanás.** Significa literalmente "adversário" e representa seus intentos maléficos e persistentes de obstruir os propósitos de Deus.

Essa oposição manifestou-se especialmente em suas tentativas de impedir o plano de Deus, quando procurou destruir a linhagem escolhida, da qual viria o Messias — atividade predita em Gênesis 3.15. Desde o princípio, ele persiste nessa luta. Caim, o primeiro filho de Eva, "pertencia ao Maligno e matou seu irmão" (1Jo 3.12). Deus deu a Eva outro filho, Sete, que veio a ser a semente escolhida da qual procederia o libertador do mundo. Mas o veneno da serpente ainda estava agindo na raça humana, e, no transcurso do tempo, a linhagem de Sete cedeu às más influências e se deteriorou. O resultado foi a impiedade universal que resultou no Dilúvio. O plano de Deus, não obstante, não foi frustrado, porque havia pelo menos uma pessoa justa, Noé, cuja família se tornou a origem de uma nova raça. Dessa maneira, Satanás fracassou em seu propósito de destruir a raça humana e impedir o plano de Deus.

Abraão, o progenitor de um povo escolhido por meio do qual Deus salvaria o mundo, era descendente de Sem, filho de Noé. Naturalmente, os esforços do inimigo se dirigiriam contra essa família em particular. Um escritor traça a astuta oposição de Satanás nos seguintes incidentes: na oposição de Ismael a Isaque, na intenção de Esaú de matar Jacó e na opressão do faraó sobre aos israelitas.

Satanás, conforme a descrição que encontramos na Bíblia, procura destruir a Igreja de duas maneiras: interiormente, pela introdução de falsos ensinos (1Tm 4.1; cf. Mt 13.38,39), e exteriormente, pela perseguição (Ap 2.10). Foi o que se verificou com Israel, a Igreja de Deus do AT. A adoração do bezerro de ouro, no princípio de vida nacional de Israel, é um caso típico que ocorreu de forma constante ao longo de toda a história da nação; já no livro de Ester, temos o exemplo de um esforço feito para destruir o povo escolhido. Mas o povo escolhido de Deus tem sobrevivido tanto à corrupção da idolatria quanto à fúria do perseguidor, e isso por causa da graça divina que sempre preservou um remanescente fiel.

Quando, na plenitude dos tempos, o Redentor veio ao mundo, o cruel Herodes planejou matá-lo. Contudo, mais uma vez Deus prevaleceu, e o plano de Satanás fracassou. No deserto, Satanás procurou opor-se ao ungido de Deus e desviá-lo de sua missão salvadora. Ele, porém, foi derrotado, e aquele que o venceu "andou por toda parte fazendo o bem e curando todos os oprimidos pelo Diabo" (At 10.38).

Esse conflito secular chegará a seu apogeu quando Satanás se encarnar no anticristo e for destruído por ocasião da vinda de Cristo.

b) **Diabo**. Significa literalmente "caluniador". Denomina-se Satanás desse modo porque ele calunia tanto Deus (Gn 3.2,4,5) quanto o homem (Ap 12.10; Jó 1.9; Zc 3.1,2; Lc 22.31).

c) **Destruidor**. É o sentido das palavras "Apoliom" (grego) e "Abadom" (hebraico) (Ap 9.11). O Diabo, cheio de ódio contra o Criador e suas obras, desejava estabelecer a si mesmo como o deus da destruição.

d) **Serpente.** "A antiga serpente chamada Diabo ou Satanás" (Ap 12.9) faz-nos lembrar aquele que, na Antiguidade, usou uma serpente como seu agente para ocasionar a queda do homem.

e) **Tentador** (Mt 4.3). "Tentar" significa literalmente provar ou testar, e o termo é usado também com relação aos procedimentos de Deus (Gn 22.1). Mas, enquanto Deus põe à prova os homens para o próprio bem deles — para purificar e desenvolver o caráter —, Satanás tenta-os com o propósito malicioso de destruí-los.

f) **Príncipe deste mundo e deus desta era** (Jo 12.31; 2Co 4.4). Esses títulos sugerem sua influência sobre a sociedade organizada fora ou à parte da influência da vontade de Deus ("o mundo"). "O mundo todo está sob o poder do Maligno" (1Jo 5.19) e é influenciado por ele (1Jo 2.16). As Escrituras descrevem o mundo como

> o vasto conjunto de atividades humanas, cuja trilogia se resume nestas palavras: fama, prazer e bens. Tudo está subordinado a esses três

objetivos, em defesa dos quais o mundo apresenta hábeis argumentos, criando a ilusão de que são realmente dignos. O mundo desfruta ainda da vantagem de vastíssimo aparato literário, comercial e governamental, insinuando constantemente que se cultuem esses objetivos, associando-os nesse caso aos mais elevados valores e aplaudindo sem cessar aqueles que os conquistam. Julgam-se as coisas pelo aspecto e êxito aparentes, fundamentando-se em falsos postulados de honra, em ideias equivocadas sobre o propósito do prazer e em falsas concepções sobre o valor e a dignidade da riqueza. Ademais, faz-se veemente apelo aos instintos inferiores da nossa natureza, os quais não passam de materialismo pretensamente refinado.

3. Suas atividades

a) A natureza de suas atividades. Satanás perturba a obra de Deus (1Ts 2.18), opõe-se ao evangelho (Mt 13.19; 2Co 4.4), domina, cega, engana os ímpios e cria ciladas para eles (Lc 22.3; 2Co 4.4; Ap 20.7,8; 1Tm 3.7). Ele aflige (Jó 1.12) e tenta (1Ts 3.5) os santos de Deus.

Satanás é descrito como presunçoso (Mt 4.4,5), orgulhoso (1Tm 3.6), poderoso (Ef 2.2), maligno (Jó 2.4), astuto (Gn 3.1; 2Co 11.3), enganador (Ef 6.11) e ferozmente cruel (1Pe 5.8).

b) A esfera de suas atividades. O Diabo não limita suas operações aos ímpios e depravados. Muitas vezes, age nos círculos mais elevados como "anjo de luz" (2Co 11.14). De fato, até assiste às reuniões religiosas, o que é indicado pela sua presença nas convenções dos anjos (Jó 1), como também pelo uso dos termos "doutrinas de demônios" (1Tm 4.1) e "sinagoga de Satanás" (Ap 2.9). Seus agentes com frequência fazem-se passar por "servos da justiça" (2Co 11.15).

A razão que o leva a frequentar as reuniões religiosas é seu maléfico intento de destruir a Igreja, porque ele sabe que, se o sal da terra perder seu sabor, o homem, com seu coração inescrupuloso, torna-se presa fácil.

c) **O motivo de suas atividades.** Por que Satanás está tão interessado em nossa ruína? Joseph Husslein responde a essa pergunta: "Ele odeia a imagem de Deus em nós. Odeia até mesmo a natureza humana que possuímos, com a qual o Filho de Deus se revestiu. Odeia a glória externa de Deus, para a qual fomos criados e pela qual alcançaremos nossa felicidade eterna. Ele odeia a felicidade, para a qual estamos destinados, porque ele mesmo a perdeu para sempre. Ele tem ódio de nós por mil razões, como também tem inveja de nós". Assim disse um antigo escriba judeu: "Pela inveja do Diabo, a morte veio ao mundo; e os que o seguem estão do seu lado".

d) **As restrições de suas atividades.** Ao mesmo tempo que reconhecemos que Satanás é forte, devemos ter cuidado para não exagerar seu poder. Para aqueles que creem em Cristo, ele já é um inimigo derrotado (Jo 12.31), forte apenas para aqueles que cedem à tentação. Apesar de sua fúria violenta, ele é covarde, pois Tiago disse: "Resistam ao Diabo, e ele fugirá de vocês" (Tg 4.7). Ele tem poder, mas limitado. Não pode tentar (Mt 4.1), afligir (Jó 1.16), matar (Jó 2.6; Hb 2.14) nem tocar no crente sem a permissão de Deus.

4. Seu destino

Desde o princípio, Deus predisse e decretou a derrota daquele poder que causara a queda do homem (Gn 3.15), e o castigo da serpente, que comeria o pó da terra, foi um vislumbre profético da degradação e derrota final dessa "antiga serpente, que é o Diabo" (Ap 20.2). A carreira de Satanás está sempre em declínio.

No princípio, ele foi expulso do céu; durante a tribulação, será lançado da esfera celeste à terra (Ap 12.9); durante o Milênio, será aprisionado no abismo; e, depois de mil anos, será lançado ao lago de fogo (Ap 20.10). Dessa maneira, a Palavra de Deus assegura-nos de que o mal será totalmente derrotado.

III. ESPÍRITOS MAUS

1. Anjos caídos

Os anjos foram criados perfeitos e sem pecado, e, como o homem, dotados de livre-arbítrio. Sob a direção de Satanás, muitos pecaram e foram lançados fora do céu (Jo 8.44; 2Pe 2.4; Jd 6). O pecado no qual eles e seu líder caíram foi o orgulho. Alguns consideram que a ocasião da rebelião dos anjos foi a revelação da futura encarnação do Filho de Deus e da obrigação de eles o adorarem.

Segundo as Escrituras, os anjos maus passam parte do tempo no inferno (2Pe 2.4) e parte no mundo, especialmente nos ares que nos rodeiam (Jo 12.31; 14.30; 2Co 4.4; Ap 12.4,7-9). Ao seduzir os homens por meio do pecado, exercem grande poder sobre eles (2Co 4.3,4; Ef 2.2; 6.11,12); não obstante, esse poder, para aqueles que são fiéis a Cristo, é reduzido a nada por intermédio da redenção que ele consumou (Ap 5.9; 7.13,14). Os anjos não são contemplados no plano da redenção (1Pe 1.12), mas o inferno foi preparado para o castigo eterno dos anjos maus (Mt 25.41).

2. Demônios

As Escrituras não descrevem a origem dos demônios. Essa questão parece fazer parte do mistério que envolve a origem do mal. As Escrituras, porém, dão claro testemunho da sua existência real e de sua operação (Mt 12.26,27). Nos Evangelhos, aparecem como os espíritos imundos ou malignos, desprovidos de um corpo, que entram em pessoas que são por isso chamadas de endemoninhadas. Em alguns casos, mais de um demônio faz sua morada na mesma vítima (Mc 16.9; Lc 8.2). Os efeitos dessa possessão evidenciam-se por meio da loucura, epilepsia e outras enfermidades associadas principalmente com o sistema nervoso e a mente das pessoas (Mt 9.33; 12.22; Mc 5.4,5). O indivíduo sob a influência de um demônio não é senhor de si mesmo, pois o espírito mau fala por seus lábios ou o emudece à sua vontade, leva-o para onde quer e geralmente o usa como instrumento, revestindo-o, às vezes, de uma força sobrenatural.

Assim escreve o doutor Nevius, missionário na China, que fez um estudo profundo sobre as causas da possessão demoníaca:

> Na China, em pessoas possuídas pelos demônios, observamos casos semelhantes aos expostos nas Escrituras, pois algumas vezes essas pessoas manifestam uma espécie de dupla consciência ou apresentam ações e impulsos absolutamente contraditórios. Uma senhora em Fuchow, apesar de estar sob a influência de um demônio, cujo impulso era fugir da presença de Cristo, sentiu-se movida por uma influência oposta, a saber, a de deixar seu lar e vir a Fuchow buscar a ajuda de Jesus.

O mesmo autor, fundamentado num estudo da possessão demoníaca entre os chineses, chega à seguinte conclusão:

> A característica mais surpreendente desses casos é que o sujeito manifesta outra personalidade, e a personalidade normal, nessa hora, está parcial ou totalmente dormente. A nova personalidade apresenta traços de caráter totalmente distintos daqueles que realmente pertencem à vítima em seu estado normal. E essa troca de caráter tende, com raras exceções, à perversidade moral e à impureza [...]. Muitas pessoas, quando possuídas por demônios, dão evidências de um conhecimento do qual não poderiam se dar conta em seu estado normal. Com frequência, parecem reconhecer que o Senhor Jesus Cristo é uma pessoa divina e mostram aversão e temor a ele.

Observe especialmente estas boas-novas:

> Muitos casos de possessão demoníaca são curados com uma oração a Cristo, ou em seu nome, alguns imediatamente, outros após certas dificuldades. De acordo com nossa experiência, esse método de cura não falhou em nenhum caso em que foi aplicado, independentemente de o

problema ser difícil ou crônico. E, em nenhum desses casos, até onde se pôde observar, o mal não voltou, uma vez que a pessoa tenha se convertido e passado a viver uma vida cristã [...]. Vemos, conforme o resultado da comparação feita, que a correspondência entre os casos encontrados na China e aqueles registrados nas Escrituras é completa e circunstancial, abarcando quase todos os pontos apresentados na narração bíblica.

Que motivo influencia os demônios a se apoderar do corpo dos homens? O doutor Nevius responde:

> A Bíblia ensina claramente que todas as relações de Satanás com a raça humana têm por objetivo enganar e arruinar. Ao afastar nossa mente de Deus e induzir-nos a infringir suas leis, ele traz sobre nós o desagrado do Senhor. Esses objetivos são conseguidos por meio da possessão demoníaca. Assim, produzem-se efeitos sobre-humanos que parecem divinos ao ignorante e incauto. Ele exige e consegue, como se fosse Deus, adoração e obediência implícitas pela imposição de sofrimentos físicos e por falsas promessas e terríveis ameaças. Desse modo, os ritos e as superstições idólatras, entrelaçadas com os costumes sociais e políticos, têm usurpado, em quase todas as nações ao longo da História, o lugar da adoração genuína a Deus (cf. 1Co 10.20,21; Ap 9.20; Dt 32.16; Is 65.3). Quanto aos próprios demônios, parece que eles têm motivos pessoais e próprios. A possessão dos corpos humanos parece proporcionar-lhes um lugar muito desejado de descanso e prazer físico. Nosso Salvador fala dos espíritos imundos que andam por lugares áridos em busca de descanso, especialmente no corpo da vítima. Quando privados de um lugar de descanso no corpo humano, eles buscam esse descanso no corpo dos animais inferiores (Mt 12.43-45).

Martinho Lutero disse: "O Diabo é o imitador de Deus". Em outras palavras, o inimigo está sempre tentando reproduzir as obras de Deus. Certamente, a possessão demoníaca é uma grotesca e diabólica falsificação da mais sublime das experiências — a habitação do Espírito Santo no homem. Observe alguns paralelos: 1) A possessão demoníaca significa a introdução de uma nova personalidade no ser da vítima, tornando-a, em certo sentido, uma nova criatura. Observe como o gadareno endemoninhado (Mt 8.29) falava e se portava como se fosse controlado por outra personalidade. Aquele que é controlado por Deus tem uma personalidade divina que habita nele (Jo 14.23). 2) As elocuções inspiradas pelo demônio são imitações satânicas daquelas inspiradas pelo Espírito Santo. 3) Já se observaram casos em que a pessoa que se rende conscientemente ao poder do demônio recebe, muitas vezes, um dom estranho, de forma que pode ler a sorte, ser médium etc. O doutor Nevius afirma: "Nesse estado, o endemoninhado desenvolve certas habilidades psíquicas e se dispõe a ser usado. Ele é o escravo voluntário do demônio, treinado por ele e acostumado com ele". Essa é uma imitação satânica dos dons do Espírito Santo! 4) Os endemoninhados com frequência manifestam uma força extraordinária e sobre-humana — uma imitação satânica do poder do Espírito Santo.

Assim, vemos que a possibilidade da possessão demoníaca argumenta a favor da possibilidade da possessão do Espírito divino. O Senhor Jesus veio ao mundo para resgatar o povo do poder dos espíritos maus e sujeitá-los ao controle do Espírito de Deus.

4

O homem

Somente Deus pode verdadeiramente revelar Deus. Essa revelação de si mesmo, tão necessária à salvação, encontra-se nas Escrituras. Da mesma fonte, origina-se a perspectiva de Deus sobre o homem, a perspectiva verdadeira, pois quem melhor pode conhecer o homem senão o seu Criador? Nestes dias, quando as falsas filosofias representam de modo errado a natureza humana, é de grande importância que conheçamos a verdade. Dessa forma, poderemos também compreender melhor as doutrinas sobre o pecado, o juízo e a salvação, as quais se baseiam no ponto de vista bíblico da natureza do homem.

ESBOÇO

I. A ORIGEM DO HOMEM

1. Criação especial *versus* evolução

II. A NATUREZA DO HOMEM

1. A triunidade do homem
2. O espírito humano

3. A alma do homem
    a. A natureza da alma
    b. A origem da alma
    c. A alma e o corpo
    d. A alma e o pecado
    e. A alma e o coração
    f. A alma e o sangue
4. O corpo humano
    a. Habitação terrena ou tabernáculo
    b. Invólucro
    c. Templo

III. A IMAGEM DE DEUS NO HOMEM

1. Parentesco com Deus
2. Caráter moral
3. Razão
4. Capacidade para a imortalidade
5. Domínio sobre a terra

I. A ORIGEM DO HOMEM

1. Criação especial *versus* evolução

A Bíblia ensina claramente a doutrina de uma criação especial, o que significa que Deus fez cada criatura "de acordo com a sua espécie" (Gn 1.24). Ele criou as várias espécies e depois as deixou para que se desenvolvessem e progredissem segundo as leis de seu ser. A distinção entre o homem e as criaturas inferiores fica clara com a declaração de que Deus criou "o homem à sua imagem" (Gn 1.27).

Em oposição à criação especial, surgiu a teoria da evolução, que ensina que todas as formas de vida tiveram sua origem em uma só forma e que as espécies mais elevadas surgiram de uma forma inferior. Por exemplo, o que outrora era caramujo transformou-se em peixe; o que era peixe chegou a ser réptil; o que era réptil tornou-se pássaro; e (para encurtar a história) o que era macaco evoluiu e tornou-se ser humano. A teoria é a seguinte: em tempos muito remotos, apareceram a matéria e a força — mas como e quando a ciência não sabe explicar. Dentro da matéria e da força, surgiu uma célula viva, mas de onde ela surgiu também ninguém sabe. Nessa célula, havia uma centelha de vida, da qual se originaram todas as coisas vivas, desde o vegetal até o homem, sendo tal desenvolvimento controlado por leis inerentes. Essas leis, em ligação com o meio ambiente, explicam a origem das diversas espécies que existiram e existem, incluindo o homem. De maneira que, segundo essa teoria, houve uma ascensão gradual e constante das formas inferiores de vida às formas mais elevadas, até chegar ao homem.

O que constitui uma espécie? Uma classe de plantas ou animais que tenha propriedades e características comuns e que possa se propagar indefinidamente, sem mudar essas características, constitui uma espécie. Uma espécie pode produzir uma *variedade*, isto é, uma ou mais plantas ou animais isolados que possuem uma peculiaridade acentuada, a qual não é comum à espécie em geral. Por exemplo, um tipo especial de cavalo de corrida pode ser produzido por um processo especial, mas é sempre cavalo. Quando se produz uma variedade e esta se perpetua por muitas gerações, temos uma *raça*. Dessa forma, na espécie canina (os cães) temos muitas raças que diferem consideravelmente umas das outras; todas elas, porém, retêm certas características que as identificam como pertencentes à família dos cães. Quando lemos que Deus fez cada criatura segundo sua espécie, não dizemos que Deus as fez incapazes de se desenvolver em variedades novas; apenas queremos dizer que ele criou cada espécie distinta e separada e pôs uma barreira entre elas, de maneira que, por exemplo, um cavalo não deveria se desenvolver e transformar-se num animal que não fosse cavalo.

Qual é a prova pela qual se conhece a distinção entre as espécies? A prova é esta: se os animais podem cruzar-se e produzir uma descendência fértil por tempo indefinido, então são da mesma espécie; de outra maneira, não o são. Por exemplo, sabe-se que os cavalos e os jumentos são de espécies diferentes, e, embora a mula resulte do cruzamento da égua com o jumento, ela não tem a capacidade de gerar outra mula, ou seja, a espécie mula. Esse fato é um argumento contra a teoria da evolução, pois mostra claramente que Deus pôs uma barreira entre as espécies para que uma espécie não se transforme em outra.

Define-se a ciência como "conhecimentos comprovados". Será que a evolução é um fato comprovado cientificamente? A teoria mais propagada da evolução é a de Darwin. Entretanto, poderíamos citar os nomes de muitos cientistas eminentes que declaram que a teoria de Darwin já caiu por falta de provas. O doutor Coppens afirma:

> Embora os cientistas tenham trabalhado muitos anos pesquisando a terra e os mares, examinando os restos de fósseis de um sem-número de espécies de plantas e animais, e tenham aplicado todo o gênio inventivo do homem para obter e perpetuar novas raças e variedades, nunca conseguiram exibir uma prova decisiva de que a transformação das espécies tenha ocorrido pelo menos uma vez. Os animais de hoje são como os que se veem desenhados nas pirâmides ou mumificados nos túmulos do Egito. São iguais àqueles que deixaram sua forma fóssil nas rochas. Muitas espécies já foram extintas, e outras foram encontradas das quais não se descobriu nenhum espécime muito antigo. No entanto, não é possível provar que qualquer espécie tenha evoluído de outra.

Há um abismo intransponível entre os seres irracionais e o homem — entre a forma animal mais elevada e a forma mais inferior de vida humana. Nenhum animal usa ferramentas, acende fogo, emprega linguagem articulada ou tem capacidade de conhecer as coisas espirituais. Mas todas essas coisas encontram-se na forma inferior de vida humana. O macaco mais inteligente não passa de um ser irracional, mas a espécie mais degradada de homem continua sempre um ser humano.

Os evolucionistas imaginaram um tipo de criatura por meio da qual o macaco passou para o estágio humano. Esse é o tal "elo perdido", que os cientistas denominaram de *Pithecanthropus erectus* ou *Homo erectus*. Onde está a evidência? Há anos, alguns ossos — dois dentes, um fêmur e uma parte de um crânio — foram descobertos na ilha de Java. Com um pouco de gesso, reconstruíram o que dizem ser o elo perdido que une os homens com a criação inferior! Outros "elos" também se fabricaram da mesma maneira. Mas o doutor Etheridge, pesquisador do Museu Britânico, afirmou: "Em todo este grande museu, não há uma partícula de evidência da transmutação das espécies. Este museu está cheio de provas da falsidade dessas ideias".

Nathan G. Moore recentemente escreveu o que podemos chamar de uma investigação jurídica sobre a teoria da evolução. Seu livro fundamenta-se numa avaliação dos fatos expostos em algumas das obras científicas mais recentes que foram escritas em favor dessa teoria. Como ele é advogado, um profissional acostumado às leis da evidência, seu testemunho tem valor prático. O propósito desse escritor é "comparar os fatos principais e submeter ao juízo do leitor ponderado o seguinte: primeiro, se os fatos provam ou não a hipótese (uma suposta explicação) de que o homem é produto da evolução em vez de ter sido criado; e, segundo, se existe ou não uma lei ou conjunto de leis que possa explicar os fatos fundamentados na esfera natural". Depois de um exame detalhado dos fatos, esse advogado chegou às seguintes conclusões:

> A teoria da evolução não explica nem ajuda a explicar a origem do homem; tampouco apresenta provas de que o homem tivesse evoluído de uma forma inferior, nem mesmo fisicamente. Essa teoria nem sequer sugere um método pelo qual o homem tenha adquirido essas qualidades mais elevadas que o distinguem das outras formas de vida.

Outro advogado, Philip Mauro, faz o seguinte resumo das evidências apresentadas pelos proponentes da teoria da evolução:

> Imaginem um litigante em juízo a quem cabe o ônus da prova. Ele insiste em que sua declaração está certa e exige sentença favorável, mas não apresenta provas que sustentem suas alegações. Na verdade, toda a evidência apresentada em juízo depõe contra ele. Todavia, ele exige que a decisão lhe seja favorável por causa das seguintes suposições: 1) grande número de provas (dos "elos perdidos" etc.), as quais outrora existiram, foi totalmente destruído, sem deixar traço; 2) se essas provas pudessem ser reproduzidas agora, elas seriam a seu favor! Esse é o estado absurdo de coisas em que a teoria da evolução se encontra atualmente.

Os evolucionistas procuram unir o homem ao ser irracional, mas Jesus Cristo veio ao mundo para unir o homem a Deus. Ele tomou sobre si a nossa natureza para poder glorificá-la em seu destino celestial. "Contudo, aos que o receberam, aos que creram em seu nome, deu-lhes o direito de se tornarem filhos de Deus" (Jo 1.12). Aqueles que participam de sua vida divina tornam-se membros de uma nova e mais elevada raça — a dos filhos de Deus! Contudo, essa nova raça surgiu (o "novo homem" Ef 2.15) não porque a natureza humana evoluísse até a divina, mas porque a divina penetrou na natureza humana. E àqueles que se tornaram "participantes da natureza divina" (2Pe 1.4), João, o apóstolo, afirma: "Amados, agora somos filhos de Deus" (1Jo 3.2).

II. A NATUREZA DO HOMEM

1. A triunidade do homem

O homem, segundo Gênesis 2.7, compõe-se de duas substâncias — a substância material, o corpo, e a substância imaterial, a alma. A alma dá vida ao corpo; e, quando a alma se retira, o corpo morre.

Contudo, o homem, de acordo com 1Tessalonicenses 5.23 e Hebreus 4.12, compõe-se de três substâncias — espírito, alma e corpo. Alguns estudiosos da Bíblia defendem esse ponto de vista, de que a constituição humana se compõe de três partes, contrapondo-se à doutrina adotada por outros de que o homem se compõe de duas partes apenas.

Ambas as opiniões são corretas quando bem compreendidas. O espírito e a alma representam os dois lados da substância não física do homem; ou, em outras palavras, o espírito e a alma representam os dois lados da natureza espiritual. Embora distintos, o espírito e a alma são *inseparáveis*, pois permeiam e interpenetram um ao outro. Por estarem tão interligados, as palavras "espírito" e "alma" muitas vezes confundem-se (Ec 12.7; Ap 6.9), de maneira que em um trecho descreve-se a substância espiritual do homem como alma (Mt 10.28) e em outra passagem, como espírito (Tg 2.26).

Embora muitas vezes os termos sejam usados alternativamente, têm significados distintos. Por exemplo, "alma" é o homem como o vemos em relação a esta vida atual. Descrevem-se as pessoas falecidas como "almas" quando o escritor se refere à sua vida pregressa (Ap 6.9,10; 20.4). "Espírito" é a descrição comum daqueles que passaram para a outra vida (At 7.59; 23.9; Hb 12.23; Lc 23.46; 1Pe 3.19). Quando alguém é "arrebatado" temporariamente para fora do corpo (2Co 12.2), descreve-se isso como "tomado pelo Espírito" (Ap 4.2; 17.3).

> Sendo o homem "espírito", é capaz de ter conhecimento de Deus e comunhão com ele; sendo ele "alma", tem conhecimento de si próprio; sendo ele "corpo", tem, por intermédio dos sentidos, conhecimento do mundo (Scofield).

2. O espírito humano

O espírito dado por Deus, de forma individual, habita toda carne humana (Nm 16.22; 27.16). O espírito foi formado pelo

Criador no interior da natureza do homem e é capaz de renovação e desenvolvimento (Sl 51.10). Esse espírito é o centro e a fonte da vida humana; a alma possui e usa essa vida, dando-lhe expressão por meio do corpo. No princípio, Deus soprou o espírito de vida no corpo inanimado, e o homem "se tornou um ser vivente" (Gn 2.7). Assim, a alma é um espírito encarnado ou um espírito humano que recebe expressão mediante o corpo. A combinação desses dois elementos, espírito e corpo, constitui a "alma" do homem. A alma sobrevive à morte porque o espírito a dota de energia; no entanto, a alma e o espírito são inseparáveis, porque o espírito está entrelaçado no tecido da alma. Eles estão fundidos e unidos em uma substância.

O espírito é aquilo que faz o homem diferente de todas as demais coisas criadas. Esse espírito é dotado de vida humana (e inteligência, Pv 20.27; Jó 32.8), que se distingue da vida dos seres irracionais. Os seres irracionais têm alma (Gn 1.20, no original), mas não têm espírito. Em Eclesiastes 3.21, a referência aparentemente trata do princípio de vida, tanto no homem quanto no ser irracional. Salomão registra ali uma questão que propôs quando se afastou de Deus. Assim, os seres irracionais, de forma distinta dos homens, não podem conhecer as coisas de Deus (1Co 2.11; 14.2; Ef 1.17; 4.23) e não podem ter um relacionamento pessoal e responsável com ele (Jo 4.24). O espírito do homem, quando se torna morada do Espírito de Deus (Rm 8.16), torna-se um centro de adoração (Jo 4.23,24), de oração, cântico e bênção (1Co 14.15) e de serviço (Rm 1.9; Fp 1.27).

O espírito humano, que representa a natureza superior do homem, rege a qualidade de seu caráter. Aquilo que domina o espírito torna-se atributo de seu caráter. Por exemplo, se o homem permitir que o orgulho o domine, ele tem um "espírito altivo" (Pv 16.18). Conforme as influências respectivas que o dominem, um homem pode ter um espírito perverso (Is 19.14), um espírito rebelde (Sl 106.33), um espírito impaciente (Pv 14.29), um espírito perturbado (Gn 41.8), um espírito contrito e humilde (Is 57.15; Mt 5.3). Pode estar sob um espírito de servidão (Rm 8.15) ou ser impelido pelo espírito de inveja (Nm 5.14). Assim, é preciso que o homem cuide de seu espírito (Ml 2.15), domine seu espírito (Pv 16.32), deixe pelo arrependimento que seu espírito se torne um novo espírito (Ez 18.31) e confie em Deus para transformar o seu espírito (Ez 11.19).

Quando as paixões vis exercem domínio e a pessoa manifesta um espírito perverso, isso significa que a alma (a vida egocêntrica ou a vida natural) destronizou o espírito. O espírito lutou e perdeu. O homem é vítima de seus sentimentos e apetites naturais e, desse modo, é "carnal". O espírito já não domina mais, e essa impotência se descreve como um estado de morte. Dessa maneira, há necessidade de receber um espírito novo (Ez 18.31; Sl 51.10), e somente aquele que, na origem e criação do homem, soprou no *corpo* desse homem o fôlego da vida poderá soprar na *alma* dele uma nova vida espiritual — isto é, regenerá-lo (Jo 3.8; 20.22; Cl 3.10). Quando isso acontece, o espírito do homem novamente ocupa lugar de ascendência, e o homem passa a ser "espiritual". Entretanto, o espírito não pode viver por si mesmo, mas deve buscar a renovação constante pelo Espírito de Deus.

3. A alma do homem

a) A natureza da alma. A alma é aquele princípio inteligente e vivificante que anima o corpo humano, que usa os sentidos físicos como seus agentes na exploração das coisas materiais e os órgãos do corpo para expressar-se e comunicar-se com o mundo exterior. A alma, no início, veio a existir em resultado do sopro sobrenatural do Espírito de Deus. Podemos descrevê-la como espiritual e vivente, porque opera por meio do corpo. No entanto, não devemos crer que a alma seja *parte* de Deus, pois a alma peca. É mais correto dizer que é dom e obra de Deus (Zc 12.1).

Devem-se notar quatro distinções:

1. A alma distingue a vida humana e a vida dos seres irracionais das coisas *inanimadas* e também da vida *inconsciente,* como a vida vegetal.

Tanto os homens quanto os seres irracionais têm alma (em Gn 1.20, a palavra "vida" é "alma", no original). Poderíamos dizer que as plantas têm alma (no sentido de um princípio de vida), mas não é uma alma *consciente*.

2. A alma do homem o distingue dos seres irracionais. Estes têm alma, mas uma alma terrena que vive somente enquanto durar o corpo (Ec 3.21). A alma do homem é de qualidade diferente, pois é vivificada pelo espírito humano. Como "nem toda carne é a mesma" (1Co 15.39), assim sucede com a alma; existe a alma humana e a alma dos seres irracionais.

Evidentemente, os homens fazem o que os seres irracionais, por mais inteligentes que sejam, não podem fazer; a inteligência destes é proveniente do instinto, e não da razão. Tanto os homens quanto os seres irracionais constroem casas. Mas o homem progrediu, vindo a construir catedrais, escolas e arranha-céus, enquanto os animais inferiores constroem suas casas hoje da mesma maneira que o faziam quando Deus os criou. Os seres irracionais podem guinchar (como o macaco), cantar (como o pássaro), falar (como o papagaio); mas somente o homem produz a arte, a literatura, a música e as invenções científicas. O instinto dos animais pode manifestar a sabedoria de seu Criador, mas somente o homem pode conhecer e adorar seu Criador.

Para ilustrar ainda melhor o lugar elevado que ocupa o homem na escala da vida, devemos observar os quatro degraus da vida, que se elevam em dignidade um sobre o outro, conforme a independência da matéria. Primeiro, a vida vegetal, que necessita de órgãos materiais para assimilar o alimento; segundo, a vida sensível, que usa os órgãos para perceber as coisas materiais e ter contato com elas; terceiro, a vida intelectual, que percebe o significado das coisas pela lógica, e não meramente pelos sentidos; quarto, a vida moral, que diz respeito à lei e à conduta. Os animais são dotados de vida vegetativa e sensível; o homem é dotado de vida vegetativa, sensível, intelectual e moral.

3. A alma distingue um homem de outro e, dessa maneira, forma a base da individualidade. A palavra "alma" é, portanto, usada com frequência no sentido de "pessoa". Em Êxodo 1.5 (*ARC*), "setenta almas" significa "setenta pessoas". Em Romanos 13.1 (*ARC*), "toda a alma" significa "toda a pessoa". Às vezes, escutamos: "Não havia vivalma ali", uma referência às pessoas.
4. A alma distingue o homem não somente das ordens inferiores de vida, mas também das ordens superiores. Não há referência à existência de alma nos anjos, porque estes não têm um corpo semelhante ao dos homens. O homem tornou-se um "ser vivente", quer dizer, a alma preeenche um corpo terreno sujeito às condições terrenas. Os anjos são descritos como espíritos (Hb 1.14) porque não estão sujeitos às condições ou limitaçoes materiais. Por essa mesma razão, descreve-se Deus como "Espírito". Mas os anjos são espíritos criados e finitos, enquanto Deus é o Espírito eterno e infinito.

b) A origem da alma. Sabemos que a primeira alma veio a existir como resultado de Deus ter soprado no homem o sopro de vida. Mas como chegaram a existir as almas desde esse tempo? Os estudantes da Bíblia se dividem em dois grupos, que defendem ideias diferentes: 1) Um grupo afirma que cada alma individual não é proveniente dos pais, mas sim da criação divina imediata. Citam as seguintes escrituras: Isaías 57.16; Eclesiastes 12.7; Hebreus 12.9; Zacarias 12.1. 2) Outros pensam que a alma é transmitida pelos pais. Apontam como argumento contra a criação divina de cada alma o fato da transmissão da natureza pecaminosa de Adão à posteridade; outro argumento que utilizam é o fato de as características dos pais se transmitirem à descendência. Citam as seguintes passagens: João 1.13; 3.6; Romanos 5.12; 1Coríntios 15.22; Efésios 2.3; Hebreus 7.10.

A origem da alma pode explicar-se pela *cooperação* tanto do Criador quanto dos pais. No princípio de uma nova vida, a criação divina e o uso criativo dos meios agem em cooperação. O homem gera o homem em cooperação com o "Pai dos espíritos" (Hb 12.9). O poder de Deus domina e permeia o mundo (At 17.28; Hb 1.3) de maneira que todas as criaturas venham a ter existência segundo as leis que ele ordenou. Portanto, os processos normais da reprodução humana põem em execução as leis da vida, fazendo que a alma nasça no mundo.

A origem de todas as formas de vida é encoberta por um véu de mistério (Ec 11.5; Sl 139.13-16; Jó 10.8-12), o que deve servir de aviso contra especulações que estão além dos limites das declarações bíblicas.

c) **A alma e o corpo.** A relação da alma com o corpo pode ser descrita e ilustrada da seguinte maneira:

1. A alma é a depositária da vida; ela figura em tudo que pertence ao sustento, ao risco e à perda da vida. É por isso que, em muitos casos, a palavra "alma" é traduzida por "vida" (cf. Gn 9.5; 1Rs 19.3; 2.23; Pv 7.23; Êx 21.23,30; 30.12; At 15.26). A vida é o entrosamento do corpo com a alma. Quando a alma e o corpo se separam, o corpo não existe mais; o que resta é apenas um grupo de partículas materiais, em estado de rápida decomposição.
2. A alma permeia e habita todas as partes do corpo e afeta mais ou menos diretamente todos os seus membros.

Esse fato explica por que as Escrituras atribuem sentimentos ao coração e aos rins (Sl 16.7; 73.21; Jó 16.13; 38.36; Jr 4.19; 12.2; Lm 1.20; 2.11; 3.13; Pv 23.16; Ct 5.4; Fm 12), às entranhas (Is 16.11) e ao ventre (Sl 17.14; Jó 15.35; 20.23; Jo 7.38). Essa mesma verdade de que a alma permeia o corpo explica por que em muitas passagens se descreve a alma executando atos corporais (Pv 13.4; Is 32.6; Nm 21.4; Jr 16.16; Gn 44.30; Ez 23.17,22,28).

"As partes internas" ou "entranhas" é a expressão que geralmente descreve o entrosamento da alma com o corpo (Is 16.11; Sl 51.6; Zc 12.1; Is 26.9 [*ARC*]; 1Rs 3.28). Essas passagens descrevem as partes internas como o centro dos sentimentos, da experiência espiritual e da sabedoria. Mas devemos notar que não é o tecido material que pensa e sente, e sim a alma que opera por meio dos tecidos. Não é exatamente o coração de carne que sente, mas sim a alma por meio do coração.

3. Por meio do corpo, a alma recebe suas impressões do mundo exterior. Essas impressões são apreendidas pelos cinco sentidos (visão, audição, paladar, olfato e tato) e transmitidas ao cérebro por intermédio do sistema nervoso. Por meio do cérebro, a alma elabora essas impressões pelos processos do intelecto, da razão, da memória e da imaginação. A alma atua sobre essas impressões enviando ordens às várias partes do corpo mediante o cérebro e o sistema nervoso.
4. A alma estabelece contato com o mundo por meio do corpo, o instrumento da alma. Sentir, pensar, exercer vontade e outros atos são, todos eles, atividades da alma ou do "eu". É o "eu" que vê, e não apenas os olhos; é o "eu" que pensa, e não meramente o intelecto; é o "eu" que joga a bola, e não meramente meu braço; é o "eu" que peca, e não simplesmente a língua ou os membros. Quando um órgão é ferido, a alma não pode funcionar bem por meio dele; em caso de lesão cerebral, é possível que a demência se manifeste. A alma,

portanto, passa a ser como um músico com um instrumento danificado ou quebrado.

d) **A alma e o pecado.** A alma vive sua vida natural por meio dos instintos, termo que empregaremos por falta de outro melhor. Esses instintos são forças motrizes da personalidade, com as quais o Criador dotou o homem para fazê-lo apto a uma existência terrena (assim como o dotou de faculdades espirituais para capacitá-lo a uma existência celestial). Nós os denominamos instintos porque são impulsos inatos, implantados na criatura a fim de capacitá-la a fazer *instintivamente* o que é necessário para originar e preservar a vida natural. Assim escreve o doutor Leander Keyser: "Se no início de sua vida a criança não tivesse certos instintos, não poderia sobreviver, mesmo com o melhor cuidado paterno e médico". Consideraremos os cinco instintos mais importantes.

O primeiro é o instinto da autopreservação, que nos avisa do perigo e nos capacita a cuidar de nós mesmos. O segundo é o instinto de aquisição, que nos conduz a adquirir (conseguir) as provisões para o sustento próprio. O terceiro é o instinto da busca de alimento, o impulso que leva a satisfazer a fome natural. O quarto é o instinto da reprodução, que conduz à perpetuação da espécie. O quinto é o instinto de domínio, que conduz à iniciativa própria, necessária para o desempenho da vocação e das responsabilidades.

O registro desses dons (ou instintos) do homem concedidos pelo Criador acha-se nos primeiros dois capítulos de Gênesis. O instinto de autopreservação implica a proibição e o aviso: "Mas não coma da árvore do conhecimento do bem e do mal, porque no dia em que dela comer, certamente você morrerá" (Gn 2.17). O instinto de aquisição aparece no fato de Adão ter recebido da mão de Deus o lindo jardim do Éden. Percebe-se o instinto da busca de alimento nas palavras: "Eis que lhes dou todas as plantas que nascem em toda a terra e produzem sementes, e todas as árvores que dão frutos com sementes. Elas servirão de alimento para vocês" (Gn 1.29). O instinto de reprodução está implícito nestas declarações: "Homem e mulher os criou" (Gn 1.27); "Deus os abençoou, e lhes disse: 'Sejam férteis e multipliquem-se!'" (Gn 1.28). O quinto instinto, o de domínio, é mencionado neste mandamento: "Encham e subjuguem a terra! Dominem [...]" (Gn 1.28).

Deus ordenou que as criaturas inferiores fossem governadas primeiramente pelos instintos, mas o homem foi elevado à dignidade de possuir o dom do livre-arbítrio e a razão, com os quais poderia disciplinar a si mesmo e tornar-se árbitro de seu próprio destino.

Como guia para o regulamento das faculdades do homem, Deus impôs uma *lei*. O entendimento do homem quanto a essa lei produziu uma *consciência*, que significa literalmente "com conhecimento". Quando o homem deu ouvidos à lei, teve a consciência esclarecida; quando desobedeceu a Deus, sofreu com uma consciência acusadora. No relato da tentação (Gn 3), lemos como o homem cedeu à concupiscência dos olhos, à cobiça da carne e à vaidade da vida (1Jo 2.16), e usou seus poderes de modo contrário à vontade de Deus. A alma, consciente e voluntariamente, usou o corpo para pecar contra Deus. Essa combinação de alma pecaminosa e corpo humano constitui o que se conhece como "o corpo do pecado" (Rm 6.6), ou "a carne" (Gl 5.24). Descreve-se a inclinação e o desejo da alma para usar o corpo dessa maneira como a "mentalidade da carne" (Rm 8.7). Visto que o homem pecou com o corpo, será julgado segundo as ações "praticadas por meio do corpo" (2Co 5.10). Isso implica uma ressurreição (Jo 5.28,29).

Quando a "carne" é condenada, a referência não é ao corpo material (o elemento material não pode pecar), mas ao corpo usado pela alma pecadora. É a alma que peca. Ainda que a língua do difamador fosse cortada, o difamador ainda seria o mesmo. Amputam-se as mãos do larápio, mas de coração ele ainda é ladrão. São os *impulsos* pecaminosos da alma que devem ser extirpados, e essa é a obra do Espírito Santo (cf. Cl 3.5; Rm 8.13).

A "carne" pode ser definida como a soma total dos instintos do homem, não como vieram das mãos do Criador, e sim como são na realidade, pervertidos e feitos anormais pelo pecado. É a natureza humana em sua condição decaída, enfraquecida e desorganizada pela herança racial legada por Adão e debilitada e pervertida por atos voluntários pecaminosos. Ela representa a natureza humana não regenerada cujas fraquezas com frequência são desculpadas com as palavras: "Afinal de contas, a natureza humana é assim mesmo".

É a deturpação desses instintos e faculdades dados por Deus que forma a base do pecado. Por exemplo, o egoísmo, a irritabilidade, a inveja e a ira são deturpações do instinto de autopreservação. O roubo e a cobiça são perversões do instinto de aquisição. "Não furtarás" (Êx 20.15; Dt 5.19; Mt 19.18; Mc 10.19; Lc 18.20; Rm 13.9) e "não cobiçarás" (Êx 20.17; Dt 5.21; Rm 7.7; 13.9) querem dizer: não perverterás o instinto de aquisição. A glutonaria é a perversão do instinto de alimentação, portanto é pecado. A impureza é perversão do instinto de reprodução. A tirania, a arrogância, a injustiça e a implicância representam abusos do instinto de domínio. Assim, vemos que o pecado, fundamentalmente, é o abuso ou a deturpação das forças com que Deus nos dotou.

Observemos quais as consequências dessa perversão: 1) a consciência culpada, que diz ao homem que ele desonrou seu Criador e o alerta da pena terrível; 2) a perversão dos instintos reage sobre a alma, ao debilitar a vontade, incitar e fortalecer hábitos maus e criar deformações do caráter. Paulo fez um catálogo dos sintomas desses "defeitos" da alma (uma palavra hebraica traduzida por "pecado" significa literalmente "tortuosidade") em Gálatas 5.19-21: "Ora, as obras da carne são manifestas: imoralidade sexual, impureza e libertinagem; idolatria e feitiçaria; ódio, discórdia, ciúmes, ira, egoísmo, dissensões, facções e inveja; embriaguez, orgias e coisas semelhantes". Paulo considerou tais coisas tão sérias que acrescenta estas palavras: "Aqueles que praticam essas coisas não herdarão o Reino de Deus".

Sob o poder do pecado e da culpa, a alma torna-se morta "em suas transgressões e pecados" (Ef 2.1). Quando pressionada entre o corpo e o espírito, entre o mais elevado e o inferior, entre o terreno e o espiritual, a alma fez uma escolha errada. Mas não obteve proveito algum dessa escolha, e sim perda eterna (Mt 16.26). Fez-se a má "barganha" de Esaú — a troca da bênção espiritual por uma coisa terrena e perecível (Hb 12.16). Com essa morte, a alma tem de passar para o outro mundo "contaminada pela carne" (Jd 23).

Felizmente, existe um remédio — a cura dupla, tanto para a culpa quanto para o poder do pecado. 1) Porque o pecado é uma ofensa a Deus, exige-se uma expiação para remover a culpa e purificar a consciência. A provisão do evangelho é o sangue de Jesus Cristo. 2) Como o pecado traz doença à alma e desordem ao ser humano, requer-se um poder curativo e corretivo. Esse poder é justamente aquele provido pela operação interna do Espírito Santo, que endireita as coisas tortas de nossa natureza e movimenta as forças de nossa vida para a direção certa. Os resultados (os frutos) são "amor, alegria, paz, paciência, amabilidade, bondade, fidelidade, mansidão e domínio próprio" (Gl 5.22,23). Em outras palavras, o Espírito Santo faz-nos *justos*, palavra que no hebraico significa "reto". O pecado é a tortuosidade da alma; a justiça, sua retidão.

e) A alma e o coração. Tanto nas Escrituras quanto na linguagem comum, a palavra "coração" significa o âmago, o centro de algo (Dt 4.11; Mt 12.40; Êx 15.8; Sl 46.2; Ez 27.4,25,26,27). O "coração" do homem é, portanto, o verdadeiro centro de sua personalidade. É o centro da vida física. Nas palavras do doutor Beck: "O coração é a primeira coisa a viver, e seu primeiro movimento é sinal seguro de vida; seu silêncio, sinal positivo de morte". Ele também é a fonte e o lugar em que as correntes da vida espiritual e da alma se encontram. Podemos descrevê-lo como a parte mais profunda do nosso ser, a "casa de máquinas", por assim dizer, da personalidade, de onde procedem os impulsos que determinam o caráter e a conduta do homem.

1. O coração é centro da vida, do desejo, da vontade e do juízo. O amor, o ódio, a determinação, a vontade e a alegria (Sl 105.3) dizem respeito ao coração. O coração sabe, compreende (1Rs 3.9), delibera, calcula, está disposto, é dirigido, presta atenção e inclina-se para as coisas. Tudo o que impressiona a alma está, conforme se afirma, fixado, estabelecido ou escrito no coração. O coração é o depósito de tudo quanto se ouve ou se experimenta (Lc 2.51). O coração é a "fábrica", por assim dizer, em que se formam os pensamentos e propósitos, bons ou maus (cf. Sl 14.1; Mt 9.4; 1Co 7.37; 1Rs 8.17).
2. O coração é o centro da vida emocional. Ao coração atribuem-se todos os graus de alegria, desde o prazer (Is 65.14) até o êxtase e a exultação (At 2.46); todos os graus de dor, desde o descontentamento (Pv 25.20) e a tristeza (Jo 14.1) até o lamento dilacerante e esmagador (Sl 109.22; At 21.13); todos os graus de má vontade, desde a provocação e a ira (Pv 23.17) até a cólera incontrolável (At 7.54) e o desejo vingativo e corrosivo (Dt 19.6); todos os graus de temor, desde o temor reverente (Jr 32.40) até o pavor (Dt 28.28). O coração esmorece e retorce-se em angústia (Js 5.1); torna-se fraco pela depressão (Lv 26.36); murcha sob o peso da tristeza (Sl 102.4); quebra-se e fica esmagado pela adversidade (Sl 147.3); e consome-se por um ardor sagrado (Jr 20.9).
3. O coração é o centro da vida moral. No coração, pode-se encontrar o amor de Deus (Sl 73.26) ou o orgulho blasfemo (Ez 28.2,5). O coração é a "oficina" de tudo quanto é bom ou mau nos pensamentos, nas palavras e nas ações (Mt 15.19). É onde se encontram todos os impulsos bons ou as cobiças más; é a sede de um tesouro bom ou ruim. A boca fala do que está cheio o coração, e o homem age segundo o que há em seu coração (Mt 12.34,35). É o lugar onde originariamente se escreveu a lei de Deus (Rm 2.15) e onde se renova essa

mesma lei pela operação do Espírito Santo (Hb 8.10). É a sede da consciência (Hb 10.22), e a ele atribuem-se todos os testemunhos da consciência (1Jo 3.19-21). Com o coração, o homem crê (Rm 10.10) ou descrê (Hb 3.12). É o campo onde se semeia a Palavra divina (Mt 13.19). Segundo as suas decisões, ele está sob a inspiração de Deus (2Co 8.16) ou de Satanás (Jo 13.2). É a morada de Cristo (Ef 3.17), do Espírito (2Co 1.22), da paz de Deus (Cl 3.15). É o receptáculo do amor de Deus (Rm 5.5), o lugar da aurora celestial (2Co 4.6), o aposento particular da comunhão secreta com Deus (Ef 5.19). Somente Deus pode sondar seus tão profundos mistérios (Jr 17.9).

Foi tendo em vista as imensas possibilidades implícitas no coração do homem que Salomão proferiu esta advertência: "Acima de tudo, guarde o seu coração, pois dele depende toda a sua vida" (Pv 4.23).

f) A alma e o sangue — "Pois a vida [literalmente, alma] da carne está no sangue" (Lv 17.11). As Escrituras ensinam que, tanto no homem quanto no ser irracional, o sangue é a fonte e o depositário da vida física (Lv 17.11; 3.17; Dt 12.23; Lm 2.12; Gn 4.10; Hb 12.24; Jó 24.12; Ap 6.9,10; Jr 2.34; Pv 28.17). Citaremos as palavras de Harvey, médico inglês, descobridor da circulação do sangue: "É o primeiro órgão a viver e o último a morrer; é a sede principal da alma. Ele vive por si mesmo e nutre-se de si mesmo, e por nenhuma outra parte do corpo". Em Atos 17.26 e João 1.13, o sangue apresenta-se como a matéria original de onde surge o organismo humano. A alma, ao usar o coração como bomba e o sangue como meio da vida, envia vitalidade e nutrição a todas as partes do corpo.

O lugar que a criatura ocupa na escala da vida determina o valor de seu respectivo sangue. Primeiro, vem o sangue dos animais; mas de valor maior é o sangue do homem, porque o homem tem a imagem de Deus (Gn 9.6). Merece especial apreço, aos olhos de

Deus, o sangue dos inocentes e dos mártires (Gn 4.10; Mt 23.35). O mais precioso de todos é o sangue de Cristo (1Pe 1.19; Hb 9.12), de valor infinito por estar unido à Divindade.

Pelo plano gracioso de Deus, o sangue tornou-se o meio de expiação, quando aspergido sobre o altar de Deus. "Pois a vida da carne está no sangue, e eu o dei a vocês para fazerem propiciação por si mesmos no altar; é o sangue que faz propiciação pela vida" (Lv 17.11).

4. O corpo humano

Os seguintes nomes aplicam-se ao corpo:

a) Habitação terrena ou tabernáculo (2Co 5.1). É a tenda terrena na qual a alma do homem, qual peregrina, mora durante sua viagem do tempo para a eternidade. Com a morte, desarma-se a tenda, e a alma parte (cf. Is 38.12; 2Pe 1.13,14).

b) Invólucro (Dn 7.15). O corpo é a "bainha" da alma. A morte é o desembainhar da espada.

c) Templo. O templo é um lugar consagrado pela presença de Deus — um lugar onde a onipresença de Deus se localiza (1Rs 8.27,28). O corpo de Cristo foi um "templo" (Jo 2.21), porque Deus estava nele (2Co 5.19). Quando Deus entra em relação espiritual com uma pessoa, o corpo dessa pessoa torna-se um templo do Espírito Santo (1Co 6.19).

Os filósofos pagãos falavam do corpo com desprezo, pois o consideravam um obstáculo à alma. Assim, almejavam o dia em que a alma estaria livre das suas complicadas e ardilosas roupagens. Mas as Escrituras, em toda parte, tratam o corpo como obra de Deus, o qual deve ser apresentado a Deus (Rm 12.1) e usado para a glória dele (1Co 6.20). Por que, por exemplo, o livro de Levítico contém tantas leis que servem para governar a vida física dos israelitas? Para ensiná-los que o corpo, como instrumento da alma, deve conservar-se forte e santo.

É verdade que esse corpo é terreno (1Co 15.47) e, portanto, um corpo de humilhação (Fp 3.21), sujeito às enfermidades e à morte (1Co 15.53), de maneira que gememos por um corpo celestial (2Co 5.2). Mas com a vinda de Cristo o mesmo poder que vivificou a alma transformará o corpo, completando, assim, a redenção do homem. O penhor dessa mudança é o Espírito que nele habita (2Co 5.5; Rm 8.11).

III. A IMAGEM DE DEUS NO HOMEM

"Quando Deus criou o homem, à semelhança de Deus o fez" (cf. Gn 5.1; 9.6; Ec 7.29; At 17.26,28,29; 1Co 11.7; 2Co 3.18; 4.4; Ef 4.24; Cl 1.15; 3.10; Tg 3.9; Is 43.7; Ef 2.10). O homem foi criado à semelhança de Deus, isto é, com caráter e personalidade semelhantes aos dele. Em todas as Escrituras, o padrão ou alvo exposto diante do homem é o de ser semelhante a Deus (Lv 19.2; Mt 5.45-48; Ef 5.1). Ser como Deus significa ser como Cristo, a imagem do Deus invisível.

Consideremos alguns dos elementos que constituem a imagem divina no homem:

1. Parentesco com Deus

A relação das primeiras criaturas viventes com Deus consistia em obedecer cegamente aos instintos implantados nelas pelo Criador; mas a vida inspirada ao homem resultou realmente da personalidade de Deus. O homem, na verdade, tem um corpo feito do pó da terra, mas Deus soprou em suas narinas o sopro da vida (Gn 2.7); dessa maneira, dotou-o de uma natureza capaz de conhecer, amar e servir a Deus. Por causa dessa imagem divina, todos os homens são, por criação, filhos de Deus. Mas, como essa imagem foi manchada pelo pecado, os homens devem ser recriados ou nascidos de novo (Ef 4.24) para que sejam em realidade filhos de Deus.

Um estudioso da língua grega aponta para o fato de uma das palavras gregas traduzidas por "homem" (*anthropos*) ser uma combinação de palavras cujo significado literal é "aquele que olha para cima". O homem é uma criatura de oração, e sempre há um momento na vida dos mais perversos em que eles invocam algum Poder Supremo para socorrê-los. O homem pode não entender a grandeza da sua dignidade e, assim, tornar-se *semelhante* aos seres irracionais que perecem (Sl 49.20), mas ele não é um ser irracional. O homem, mesmo em sua degradação, é testemunha de sua origem nobre, pois o animal não pode degradar-se. Por exemplo, ninguém pensaria em ordenar a um tigre: "Agora seja um tigre!". Ele sempre foi e sempre será tigre! Mas a ordem "Seja um homem" tem um significado verdadeiro para aquele que se degradou. Por mais que o homem se tenha degradado, ele ainda reconhece que deveria estar em um plano mais elevado.

2. Caráter moral

O reconhecimento do bem e do mal pertence somente ao homem. Pode-se ensinar um animal a não fazer certas coisas, mas é porque essas coisas são contrárias à vontade do dono, não porque o animal saiba que essas coisas são sempre corretas e outras são sempre erradas. Em outras palavras, os animais não possuem natureza religiosa ou moral; assim, não são capazes de ser instruídos nas verdades que dizem respeito a Deus e à moralidade. Um grande naturalista afirma:

> Concordo plenamente com a opinião dos escritores que asseguram ser o sentido moral, ou seja, a consciência, a mais importante de todas as diferenças entre o homem e os animais inferiores. Esse sentido está resumido naquele curto, mas imperioso "deve", tão cheio de significação. É o mais nobre de todos os atributos do homem.

3. Razão

O animal é meramente uma criatura da natureza; o homem é senhor da natureza. Ele é capaz de refletir sobre si próprio e arrazoar a respeito das causas das coisas. Pense nas invenções maravilhosas que surgiram da mente do homem — o relógio, o microscópio, o vapor, o telégrafo, o rádio, a máquina de somar e outras mais, tão numerosas que é impossível mencionar todas elas. Olhe a civilização construída pelas diversas artes. Considere os livros, a poesia e a música que foram produzidos. Depois adore ao Criador por esse dom maravilhoso da razão! A tragédia da História é que o homem usa esse dom divino para propósitos destrutivos, até mesmo para negar o Criador que o fez um ser pensante.

4. Capacidade para a imortalidade

A existência da árvore da vida no jardim do Éden indica que o homem nunca teria morrido se não tivesse desobedecido a Deus. Cristo veio ao mundo para colocar o alimento da vida ao nosso alcance, para que não pereçamos, mas vivamos para sempre.

5. Domínio sobre a terra

O homem foi designado para ser a imagem de Deus com respeito à soberania. Como ninguém pode ser monarca sem súditos e sem reino, Deus deu-lhe tanto um "império" quanto um "povo". "Deus os abençoou, e lhes disse: 'Sejam férteis e multipliquem-se! Encham e subjuguem a terra! Dominem sobre os peixes do mar, sobre as aves do céu e sobre todos os animais que se movem pela terra' " (Gn. 1.28; cf. Sl 8.5-8). Em virtude dos poderes implícitos do homem, formado à imagem de Deus, todos os seres viventes sobre a terra foram entregues nas mãos dele. Ele deveria ser o representante visível de Deus em relação às criaturas que o rodeavam.

> O homem encheu a terra com as suas produções. É privilégio especial do homem subjugar o poder da natureza à sua própria vontade. Ele, o homem, obrigou o relâmpago a ser seu mensageiro, circundou o Globo, subiu até as nuvens e penetrou as profundezas do mar. Ele

jogou as forças da natureza umas contra as outras, fazendo que os ventos o ajudassem a enfrentar o mar. Se é tão maravilhoso o domínio do homem sobre a natureza externa e inanimada, mais maravilhoso ainda é seu domínio sobre a natureza animada. Veja o falcão treinado derribar a presa aos pés de seu dono e voltar até onde este se encontra, quando os grandes espaços o convidam à liberdade; veja o cão usar sua velocidade a serviço do dono e tomar a presa que não será sua; veja o camelo do deserto transportar o homem através do local em que habita. Todos esses exemplos mostram a capacidade criadora do homem e sua semelhança com Deus, o Criador.

A queda do homem resultou na perda e no desfiguramento da imagem divina. Isso não quer dizer que os poderes mentais e psíquicos (a alma) se extinguiram, mas que a inocência original e a integridade moral nas quais ele foi criado se perderam por causa da desobediência. Portanto, o homem é absolutamente incapaz de salvar-se a si mesmo, e não há esperança de que lhe seja restaurada a imagem divina, a não ser por um ato da graça.

Esse assunto será tratado mais detalhadamente no capítulo seguinte.

5

O pecado

Está escrito que Deus, ao completar a obra da criação, declarou que tudo era "muito bom". Ao observar nosso mundo, mesmo que ligeiramente, chegamos à certeza de que muitas coisas que agora existem não são boas — o mal, a impiedade, a opressão, a luta, a guerra, a morte e o sofrimento. Naturalmente, surge a pergunta: como o mal entrou no mundo? — pergunta esta que deixa perplexos muitos pensadores. A Bíblia oferece a resposta de Deus, além de nos informar o que o pecado realmente é; melhor ainda, apresenta-nos o remédio para o pecado.

ESBOÇO

I. O FATO DO PECADO

Causas pelas quais é negado, mal-interpretado ou atenuado

1. Ateísmo
2. Determinismo
3. Hedonismo

4. Ciência Cristã
5. Evolução

II. A ORIGEM DO PECADO

1. A tentação: sua possibilidade, origem e sutileza
2. A culpa
3. O juízo
    a. Sobre a serpente
    b. Sobre a mulher
    c. Sobre o homem
4. A redenção
    a. Prometida
    b. Prefigurada

III. A NATUREZA DO PECADO

1. O ensino do AT sobre o pecado
    a. Na esfera moral
    b. Na esfera da conduta fraternal
    c. Na esfera da santidade
    d. Na esfera da verdade
    e. Na esfera da sabedoria
2. O ensino do NT na descrição do pecado
    a. Errar o alvo
    b. Dívida
    c. Desordem
    d. Desobediência
    e. Transgressão
    f. Queda

g. Derrota

h. Impiedade

i. Erro

IV. AS CONSEQUÊNCIAS DO PECADO

1. Fraqueza espiritual

    a. Desfiguração da imagem divina

    b. Pecado inerente

    c. Discórdia interna

2. Castigo real

I. O FATO DO PECADO

Não há necessidade de discutir a questão da realidade do pecado; a história e o conhecimento de nossa natureza interior oferecem abundante testemunho desse fato. Muitas teorias, porém, apareceram para negar, interpretar mal ou atenuar a natureza do pecado.

1. Ateísmo. Ao negar Deus, nega também o pecado, porque, estritamente falando, todo *pecado* é contra Deus; e, se não há Deus, não há pecado. O homem pode ser culpado de praticar maldades contra os outros ou pode, por meio dos vícios, investir contra si mesmo, mas todas essas atitudes, em última instância, constituem pecado unicamente contra Deus. Enfim, todo mal praticado é contra Deus, porque o mal é uma violação do direito, e o direito é a lei de Deus. "Pequei contra o céu e contra ti" (Lc 15.18), exclamou o pródigo. Portanto, o homem necessita do perdão fundamentado em uma provisão divina de expiação.

2. Determinismo. Essa é a teoria que afirma ser o livre-arbítrio uma ilusão, e não uma realidade. Imaginamos que somos livres para fazer nossas escolhas, porém nossas opções são realmente ditadas por impulsos internos e circunstâncias que escaparam ao nosso domínio.

A fumaça que sai pela chaminé parece estar livre, porém se esvai por leis inexoráveis. Assim — continua essa teoria —, uma pessoa não pode deixar de atuar da maneira que o faz e, em suma, não deve ser louvada por ser boa nem culpada por ser má. O homem é simplesmente um escravo das circunstâncias.

Contudo, as Escrituras afirmam que, invariavelmente, o homem é livre para escolher entre o bem e o mal — uma liberdade implícita em todos os mandamentos e exortações. Longe de ser vítima da fatalidade e casualidade, declara-se que o homem é o árbitro de seu próprio destino.

Em uma discussão sobre a questão do livre-arbítrio, o doutor Johnson, notável autor e estudioso inglês, declarou: "Cavalheiro, *sabemos* que nossa vontade é livre, e isso é tudo que temos de saber sobre o assunto!". Essa pitada de bom senso excede qualquer avalancha de filosofia!

Uma consequência prática do determinismo é tratar o pecado como se fosse uma enfermidade pela qual o pecador é digno de pena em vez de castigo. Contudo, a voz da consciência que diz: "Eu devo" refuta essa teoria. Há algum tempo, um homicida de 17 anos recusou-se a alegar loucura. Seu crime era indesculpável, conforme ele mesmo declarou, porque sabia que o cometera conscientemente, apesar dos ensinos que recebera dos pais e na Escola Bíblica Dominical. Desse modo, insistiu em que fosse aplicada a pena capital. Recusou enganar-se a si mesmo, embora fosse jovem e estivesse diante da morte.

3. Hedonismo (da palavra grega que significa "prazer"). É a teoria que sustenta que o melhor ou o mais proveitoso que existe na vida é a conquista do prazer e a fuga da dor, de modo que a primeira pergunta que se deve fazer não é: "Isso é correto?", mas: "Trará prazer?". Nem todos os hedonistas têm uma vida de vícios, mas a tendência geral do hedonista é desculpar o pecado e disfarçá-lo, como se fosse uma pílula açucarada, com designações como: é uma fraqueza inofensiva;

um pequeno desvio; uma mania de sentir prazer; o fogo da juventude. Eles desculpam o pecado com expressões como: "Errar é humano"; "O que é natural é belo, e o que é belo é correto".

É sobre essa teoria que se fundamenta o ensino moderno de "autoexpressão". Em linguagem técnica, o homem deve "libertar suas inibições"; em linguagem simples, "ceder à tentação, porque reprimi-la é prejudicial à saúde". Naturalmente, isso muitas vezes representa um intento para justificar a imoralidade. Mas esses mesmos teóricos não concordariam em que essa pessoa desse liberdade a suas inibições de ira, ódio criminoso, inveja, embriaguez ou alguma outra tendência similar.

No âmago dessa teoria, está o desejo de diminuir a gravidade do pecado para ofuscar a linha divisória entre o bem e o mal, o certo e o errado. Representa uma variação moderna da antiga mentira: "Certamente não morrerão!" (Gn 3.4). Muitos descendentes de Adão têm engolido a amarga pílula do pecado, adoçada com a suposta segurança que quer apenas suavizar a situação: "Isto não lhe fará dano algum". O bem é simbolizado pela cor branca, e o pecado, pela cor preta, porém alguns querem misturá-las, ao dar-lhes uma coloração cinzenta e neutra. Contudo, a admoestação divina àqueles que procuram confundir as distinções morais é esta: "Ai dos que chamam ao mal bem e ao bem, mal" (Is 5.20).

4. Ciência Cristã. Essa seita nega a realidade do pecado. Declara que o pecado não é algo positivo, mas simplesmente a ausência do bem. Nega que o pecado tenha existência real e afirma que é apenas um "erro da mente mortal". O homem *pensa* que o pecado é real; por conseguinte, seu pensamento necessita de correção. Mas, depois de examinar o pecado e a ruína que são mais que reais no mundo, parece que esse tal "erro da mente mortal" é tão terrível quanto aquilo que todos conhecem por "pecado"! As Escrituras denunciam o pecado como uma violação positiva da lei de Deus, como uma verdadeira ofensa que merece castigo real num inferno real.

5. Evolução. Essa teoria considera o pecado como herança animalista primitiva do homem. Desse modo, os proponentes dessa teoria deveriam admoestar os homens a abandonar o "velho macaco" ou o "velho tigre", em lugar de exortá-los a deixar o "velho homem" ou o "primeiro" Adão! A teoria da evolução, como já vimos, é antibíblica. Além disso, os animais não pecam; eles vivem segundo sua natureza e não experimentam nenhum sentimento de culpa por seu comportamento. O doutor Leander Keyser comenta: "Se a luta egoísta e sangrenta pela existência no reino animal for o método de progresso que trouxe o homem à existência, por que se deve considerar um mal que o homem continue nessa rota sangrenta?". É certo que o homem tem uma natureza física, porém essa parte inferior de seu ser foi criação de Deus, e o plano de Deus é que essa natureza física esteja sujeita a uma inteligência divinamente iluminada.

II. A ORIGEM DO PECADO

O capítulo 3 de Gênesis oferece os pontos-chave que caracterizam a história espiritual do homem: a tentação, a culpa, o juízo e a redenção.

1. A tentação: sua possibilidade, origem e sutileza

a) A possibilidade da tentação. O capítulo 2 de Gênesis relata a queda do homem e fornece informações acerca de seu primeiro lar, sua inteligência, seu serviço no jardim no Éden, as duas árvores e o primeiro matrimônio. As duas árvores do destino — a árvore do conhecimento do bem e do mal e a árvore da vida — são mencionadas de forma especial. Elas retratam um sermão, pois constantemente dizem a nossos primeiros pais: "Busquem o bem, não o mal, para que tenham vida" (Am 5.14). E não é essa realmente a essência do caminho da vida encontrada ao longo das Escrituras (cf. Dt 30.15)?

Observemos a árvore proibida. Por que foi colocada ali? Para prover um teste pelo qual o homem pudesse, amorosa e livremente, escolher servir a Deus e, dessa maneira, desenvolver seu caráter. O homem sem o livre-arbítrio não passaria de mera máquina.

b) A origem da tentação. "Ora, a serpente era o mais astuto de todos os animais selvagens que o SENHOR Deus tinha feito" (Gn 3.1). É razoável deduzir que a serpente, que naquela época deveria ter sido uma criatura formosa, foi o agente empregado por Satanás, o qual, antes da criação do homem, já tinha sido lançado fora do céu (Ez 28.13-17; Is 14.12-15). Por essa razão, Satanás é descrito como "a antiga serpente chamada Diabo ou Satanás" (Ap 12.9). Satanás geralmente trabalha por meio de agentes. Quando Pedro (embora sem má intenção) procurou dissuadir seu Mestre de sua missão e dever, Jesus mirou-o e disse: "Para trás de mim, Satanás!" (Mt 16.22,23). Nesse caso, Satanás trabalhou por meio de um dos amigos de Jesus; no Éden, empregou a serpente, uma criatura da qual Eva não desconfiava.

c) A sutileza da tentação. A sutileza é mencionada como característica distintiva da serpente (cf. Mt 10.16). Com grande astúcia, ela oferece sugestões que, ao serem aceitas, abrem caminho a desejos e atos pecaminosos. Ela começa falando com a mulher, o vaso mais frágil, que além disso não ouvira diretamente a proibição divina (Gn 2.16,17). A serpente espera até que Eva esteja só. Observe a astúcia em sua aproximação. Ela distorce as palavras de Deus (cf. Gn 3.1 e 2.16,17) e depois finge surpresa por essa distorção. Dessa maneira, ela, astutamente, semeia dúvidas e suspeitas no coração da ingênua mulher e, ao mesmo tempo, insinua que está bem qualificada para ser juiz quanto à justiça de tal proibição. Por meio da pergunta no versículo 1, lança a dúvida tríplice acerca de Deus. 1) Dúvida sobre a bondade de Deus. Ela diz, com efeito: "Foi isto mesmo que Deus disse: 'Não comam de nenhum fruto das árvores do jardim'?". 2) Dúvida sobre a retidão de Deus: "Certamente não morrerão!" (Gn 3.4). Isto é, "isso não foi exatamente o que Deus disse". 3) Dúvida sobre a santidade de Deus. No versículo 5, a serpente diz, efetivamente: "Deus sabe que, no dia em que dele comerem, seus olhos se abrirão, e vocês, como Deus, serão conhecedores do bem e do mal" (Gn 3.5).

2. A culpa

Observemos as evidências de uma consciência culpada. 1) "Os olhos dos dois se abriram, e perceberam que estavam nus" (Gn 3.7). A expressão usada indica esclarecimento miraculoso ou repentino (Gn 21.19; 2Rs 6.17). As palavras da serpente (v. 5) cumpriram-se, porém o conhecimento adquirido foi diferente do que eles esperavam. Em vez de fazê-los semelhantes a Deus, tal conhecimento criou neles um miserável sentimento de culpa que os fez ter medo de Deus. A nudez física reflete uma consciência nua ou culpada. Os distúrbios emocionais refletem-se muitas vezes em nossas feições. Alguns comentaristas sustentam que, antes da queda, Adão e Eva estavam vestidos com uma auréola ou traje de luz, que era um sinal da comunhão com Deus e do domínio do espírito sobre o corpo. Quando pecaram, essa comunhão foi interrompida; o corpo venceu o espírito, e ali começou esse conflito entre a carne e o espírito (Rm 7.14-24) que tem sido a causa de tanta miséria. 2) "Então juntaram folhas de figueira para cobrir-se" (Gn 3.7). Como a nudez física é sinal de uma consciência culpada, assim também procurar cobrir a nudez é um quadro que representa o homem que busca cobrir sua culpa com a indumentária do esquecimento ou o traje das desculpas. Mas somente uma veste feita por Deus pode cobrir o pecado (v. 21). 3) "Ouvindo o homem e sua mulher os passos do SENHOR Deus que andava pelo jardim quando soprava a brisa do dia, esconderam-se da presença do SENHOR Deus entre as árvores do jardim" (Gn 3.8). O instinto do homem culpado é fugir de Deus. Assim como Adão e Eva procuraram esconder-se entre as árvores, da mesma forma as pessoas hoje em dia procuram esconder-se nos prazeres e em outras atividades.

3. O juízo

a) **Sobre a serpente.** "Uma vez que você fez isso, maldita é você entre todos os rebanhos domésticos e entre todos os animais selvagens! Sobre o seu ventre você rastejará, e pó comerá todos os dias da sua vida" (Gn 3.14). Essas palavras implicam que a serpente outrora foi uma criatura formosa e honrada. Depois, porque veio a ser o instrumento da queda do homem, tornou-se maldita e degradada na escala da criação animal. Uma vez que a serpente foi simplesmente o instrumento de Satanás, por que deve ser punida? Porque a vontade de Deus é fazer da maldição da serpente um tipo, uma profecia da maldição sobre o Diabo e sobre todos os poderes do mal. O homem deve reconhecer, pelo castigo da serpente, como a maldição de Deus ferirá todo pecado e maldade; assim, o fato de a serpente arrastar-se no pó faria o homem recordar o dia em que Deus aniquilara, até o pó, o poder do Diabo. Isso é um estímulo para o homem: ele, aquele que é tentado, está em pé, erguido, enquanto a serpente está sob a maldição. Pela graça de Deus, o homem pode ferir-lhe a cabeça — pode vencer o mal (cf. Lc 10.18; Rm 16.20; Ap 12.9; 20.1-3,10).

b) Sobre a mulher. "À mulher, ele declarou: 'Multiplicarei grandemente o seu sofrimento na gravidez; com sofrimento você dará à luz filhos. Seu desejo será para o seu marido, e ele a dominará' " (Gn 3.16). Assim disse certo escritor:

> A presença do pecado tem sido a causa de muito sofrimento, precisamente da forma indicada anteriormente. Não há dúvida de que dar à luz filhos constitui um momento crítico e penoso na vida da mulher. O sentimento de faltas passadas pesa de uma maneira particular sobre ela, e a crueldade e loucura do homem também contribuíram para tornar o processo mais doloroso e perigoso para a mulher que para os animais.

O pecado corrompe todas as relações da vida, especialmente a relação matrimonial. Em muitos países, a mulher é praticamente escrava do homem; a situação de meninas viúvas e meninas mães na Índia é um fato horrível que acontece em cumprimento a essa maldição.

c) **Sobre o homem** (v. 3.17-19). O trabalho para o homem já fora designado (2.15). O castigo consiste no afã, nas decepções e aflições que muitas vezes acompanham o trabalho. A agricultura é particularmente mencionada, pois é um dos empregos humanos mais necessários à sobrevivência. De alguma maneira misteriosa, a terra e a criação em geral participam da maldição e da queda de seu senhor (o homem). No entanto, também estão destinadas a participar de sua redenção, conforme Romanos 8.19-23. Em Isaías 11.1-9 e 65.17-25, temos exemplos de versículos que predizem a retirada da maldição da terra durante o Milênio. Além da maldição física que se apossou da terra, também é certo que o capricho e o pecado humanos dificultam de muitas maneiras o trabalho, o que leva a condições de trabalho mais difíceis e mais árduas para o homem.

Observemos a pena de morte. "Porque você é pó, e ao pó voltará" (Gn 3.19). O homem foi criado com a possibilidade de não morrer fisicamente; e, se ele tivesse preservado sua inocência e continuasse a comer da árvore da vida, teria existência física indefinidamente. Ainda que volte a ter comunhão com Deus (e, dessa maneira, vença a morte *espiritual*) por meio do arrependimento e da oração, não obstante ele deve morrer para voltar a seu Criador. Como a morte faz parte da pena do pecado, então a salvação completa deve incluir a ressurreição do corpo (1Co 15.54-57). No entanto, certas pessoas, como Enoque, terão o privilégio de escapar da morte física (Gn 5.24; 1Co 15.51).

4. A redenção

Os três primeiros capítulos de Gênesis contêm as três revelações de Deus que em toda a Bíblia figuram em todos os relacionamentos de Deus com o homem: o Criador, que trouxe tudo à existência (cap. 1); o Deus da Aliança, que estabelece um relacionamento pessoal com o homem (cap. 2); o Redentor, que faz provisão para a restauração do homem (cap. 3).

a) **Prometida** (cf. Gn 3.15). 1) A serpente procurou fazer aliança com Eva contra Deus, mas Deus porá fim a essa aliança: "Porei inimizade entre você e a mulher, entre a sua descendência e o descendente dela". Em outras palavras, haverá uma luta constante entre o homem e o poder maligno que causou sua queda. 2) Qual será o resultado desse conflito? Primeiro, a vitória da humanidade, por meio do representante do homem, a semente da mulher: "Este [o descendente da mulher] lhe ferirá a cabeça" (Gn 3.15). Cristo, o descendente da mulher, veio ao mundo para esmagar o poder do Diabo (Mt 1.23,25; Lc 1.31-35,76; Is 7.14; Gl 4.4; Rm 16.20; Cl 2.15; Hb 2.14,15; 1Jo 3.8; 5.5; Ap 12.7,8,17; 20.1-3,10). 3) A vitória, porém, não será sem sofrimento: "E você [a serpente] lhe ferirá o calcanhar" (Gn 3.15). No Calvário, a serpente feriu o calcanhar do descendente da mulher, mas esse ferimento trouxe a cura para a humanidade (cf. Is 53.3,4,12; Dn 9.26; Mt 4.1-10; Lc 22.39-44,53; Jo 12.31-33; 14.30,31; Hb 2.18; 5.7; Ap 2.10).

b) **Prefigurada** (v. 21). Deus matou um animal, uma criatura inocente, para poder vestir aqueles que se sentiam nus diante dele por causa do pecado. Do mesmo modo, o Pai entregou seu Filho, o inocente, à morte, a fim de prover uma cobertura expiatória para a alma do homem.

III. A NATUREZA DO PECADO

O que é pecado? A Bíblia usa uma variedade de termos para expressar o mal de ordem moral, os quais nos explicam algo sobre sua natureza. Um estudo desses termos nos originais em hebraico e grego proporcionará a definição bíblica do pecado.

1. O ensino do AT sobre o pecado

As diferentes palavras hebraicas descrevem o pecado operando nas seguintes esferas:[1]

a) **Na esfera moral.** Aqui, as palavras usadas para expressar o pecado são as seguintes:

1. A palavra mais comumente usada para pecado significa "errar o alvo". Reúne as seguintes ideias: 1) Errar o alvo, como um arqueiro que atira, mas erra; do mesmo modo, o pecador erra o alvo final da vida. 2) Errar o caminho, como um viajante que se desvia do caminho certo. 3) Estar em falta ao ser pesado na balança de Deus.

Em Gênesis 4.7, em que a palavra é mencionada pela primeira vez, o pecado é personificado como uma besta feroz pronta para lançar-se sobre quem lhe der oportunidade.

2. Outra palavra significa literalmente "tortuosidade", e é muitas vezes traduzida por "perversidade". É, portanto, o contrário de retidão, que significa literalmente o que é reto ou conforme um padrão reto.
3. Outra expressão comum que se traduz por "mal" exprime o pensamento de violência ou infração; ela descreve o homem que infringe ou viola a lei de Deus.

b) Na esfera da conduta fraternal. Aqui, a palavra usada para determinar o pecado significa violência ou conduta injuriosa (Gn 6.11; Ez 7.23; Pv 16.29). Ao excluir a restrição da lei, o homem maltrata e oprime seus semelhantes.

[1] Para outros estudos, v. *Dicionário internacional de teologia do Antigo Testamento*, de R. Laird Harris, Gleason L. Archer Jr. e Bruce K. Waltke (Vida Nova, 1998).

c) Na esfera da santidade. Aqui, as palavras usadas para descrever o pecado implicam que o ofensor já usufruiu de um relacionamento com Deus. Toda a nação israelita foi constituída em "um reino de sacerdotes" (Êx 19.6), e cada membro, considerado como estando em contato com Deus e seu santo tabernáculo. Portanto, cada israelita era santo, isto é, separado para Deus, e toda a atividade e esfera de sua vida estavam reguladas pela lei da santidade. As coisas fora dessa lei eram "profanas" (o contrário de santas), e quem participava delas se tornava "impuro" ou contaminado (Lv 11.24, 27,31,33,39). Se alguém persistisse na profanação, era considerado imundo ou profano (Lv 21.15; Hb 12.16). Se acaso se rebelasse e deliberadamente repudiasse a jurisdição da lei da santidade, era considerado "rebelde" ou "transgressor" (Sl 37.38; 51.13; Is 53.12).

Se seguisse esse último caminho, era julgado como criminoso, e tais eram os publicanos, na opinião dos contemporâneos de nosso Senhor Jesus.

d) Na esfera da verdade. Aqui, as palavras que descrevem o pecado enfatizam seu elemento inútil e fraudulento. Os pecadores falam e tratam com falsidade (Sl 58.3; Is 28.15), enganam e dão falso testemunho (Êx 20.16; Sl 119.128; Pv 19.5,9). Tal atitude é vaidade (Sl 12.2; 24.4; 41.6), isto é, vazia e sem valor.

O primeiro pecador foi um mentiroso (Jo 8.44); ele começou com uma mentira (Gn 3.4), e todo pecado contém algum elemento de engano (Hb 3.13).

e) Na esfera da sabedoria. Os homens portam-se impiamente porque não pensam ou não querem pensar de modo correto; não dirigem sua vida de acordo com a vontade de Deus, seja por descuido, seja por deliberada ignorância.

1. Muitas exortações são dirigidas aos "inexperientes" (Pv 1.4,22; 8.5). Essa palavra descreve o homem natural, que não se desenvolveu, nem na direção do bem, nem do mal; sem princípios fixos, apresenta uma inclinação natural para o mal, que pode ser usada a fim

de seduzi-lo. Faltam-lhe firmeza e fundamento moral; ele ouve, mas esquece, portanto é facilmente conduzido ao pecado (cf. Mt 7.26).

2. Muitas vezes, lemos acerca desses "inexperientes" (Pv 7.7; 9.4), isto é, aqueles que por falta de entendimento, mais que por propensão pecaminosa, são vítimas do pecado. Os que não têm sabedoria são conduzidos a expressar juízos precipitados acerca da providência divina e das coisas além de sua compreensão. Desse modo, precipitam-se na impiedade. Tanto essa classe quanto os "que não têm bom senso" são indesculpáveis porque as Escrituras apresentam o Senhor oferecendo gratuitamente — sim, rogando-lhes que aceitem (Pv 8.1-10) — aquilo que os fará sábios para a salvação.

3. A palavra frequentemente traduzida por "tolo" (Pv 15.20) descreve uma pessoa capaz de fazer o bem, mas está presa às coisas da carne e facilmente é conduzida ao pecado por suas inclinações carnais. Não se disciplina nem guia suas tendências de acordo com as leis divinas.

4. O "zombador" (Sl 1.1; Pv 14.6) é o homem ímpio que justifica sua impiedade com argumentos racionais contra a existência ou a realidade de Deus e contra as coisas espirituais em geral. Assim, "zombador" é a palavra do AT equivalente à nossa moderna palavra "infiel", e a expressão "roda dos zombadores" (Sl 1.1) provavelmente se refere à sociedade local dos infiéis.

2. O ensino do NT na descrição do pecado

a) Errar o alvo. Expressa a mesma ideia que a conhecida palavra do AT.

b) Dívida (Mt 6.12). O homem deve (a palavra "deve" vem de dívida) a Deus a observância de seus mandamentos; todo pecado cometido é o mesmo que contrair uma dívida. A única esperança do homem, uma vez que é incapaz de pagá-la, é ser perdoado ou obter a remissão da dívida.

c) **Desordem.** "O pecado é a transgressão da Lei" (literalmente "desordem", 1Jo 3.4). O pecador é um rebelde e um idólatra porque deliberadamente quebra um mandamento, ao escolher sua própria vontade em vez de escolher a vontade de Deus; pior ainda, converte-se em lei para si mesmo e, dessa maneira, faz de si mesmo uma divindade. O pecado nasceu no coração daquele anjo exaltado que disse: "serei", em oposição à vontade de Deus (Is 14.13,14). O anticristo é proeminentemente "o sem-lei" (tradução literal de "perverso"), porque se exalta a si mesmo sobre tudo que é adorado ou que é chamado Deus (2Ts 2.4-9).

O pecado é essencialmente obstinação, e obstinação é essencialmente pecado.

O pecado destronaria Deus, assassinaria Deus. Na cruz do Filho de Deus, estas palavras poderiam ter sido escritas: "O pecado fez isto!".

d) **Desobediência.** Literalmente, "ouvir mal", ouvir com falta de atenção (Hb 2.1). "Portanto, considerem atentamente como vocês estão ouvindo" (Lc 8.18).

e) **Transgressão.** Literalmente, "ir além do limite" (Rm 4.15). Os mandamentos de Deus são cercas, por assim dizer, que impedem o homem de entrar em território perigoso e, dessa maneira, sofrer prejuízo para sua alma.

f) **Queda.** No grego, falta, ou tropeço, ou cair de lado (2Pe 1.10; Ef 1.7), de onde se origina a conhecida expressão "cair em pecado". Pecar é cair de um padrão de conduta.

g) **Derrota.** Esse é o significado literal da palavra "fracasso" em Romanos 11.12. Ao rejeitar Cristo, a nação judaica sofreu uma derrota e perdeu o propósito de Deus.

h) **Impiedade.** Origina-se de uma palavra que significa "sem adoração ou reverência" (Rm 1.18; 2Tm 2.16). O homem ímpio é o que dá pouca ou nenhuma importância a Deus e às coisas sagradas.

Estas não produzem nele nenhum sentimento de temor e reverência. Ele está sem Deus porque não quer saber de Deus.

i) **Erro** (Hb 9.7). Descreve aqueles pecados cometidos como fruto da ignorância e, dessa maneira, diferenciam-se daqueles pecados cometidos presunçosamente, apesar da luz esclarecedora. O homem que, de forma desafiadora, decide praticar o mal incorre em maior grau de culpa que aquele que, em consequência de sua fraqueza, é apanhado em falta.

IV. AS CONSEQUÊNCIAS DO PECADO

O pecado é tanto um ato quanto um estado. Como a rebelião contra a lei de Deus é um *ato* da vontade do homem, também a separação de Deus vem a ser um estado pecaminoso. Segue-se uma dupla consequência: o pecador, por suas más ações, traz o *mal* sobre si mesmo e incorre em *culpa* aos olhos de Deus. Duas coisas, portanto, devem distinguir-se: as más consequências que seguem os atos do pecado e o castigo que virá no juízo. Isso pode ser ilustrado da seguinte maneira: um pai proíbe o filho pequeno de fumar cigarros, levando-o a ver uma dupla consequência: a primeira, fumar o fará sentir-se fisicamente indisposto; a segunda, ele será castigado pela sua desobediência. O menino desobedece e fuma pela primeira vez. As náuseas que lhe sobrevêm representam as más consequências de seu pecado, e o castigo corporal subsequente representa o castigo pela culpa.

Da mesma maneira, as Escrituras descrevem dois efeitos do pecado sobre o culpado: o primeiro é seguido por consequências desastrosas para sua alma; e o segundo trará, da parte de Deus, o decreto declarado de condenação.

1. Fraqueza espiritual

a) **Desfiguração da imagem divina.** O homem não perdeu completamente a imagem divina, porque, apesar de sua posição decaída, é considerado uma criatura à imagem de Deus (Gn 9.6; Tg 3.9) — verdade expressa no provérbio popular: "Há algo de bom no pior dos homens". Maudesley, o grande psiquiatra inglês, sustenta que a majestade intrínseca à mente humana evidencia-se até mesmo na ruína causada pela loucura.

Apesar de não estar inteiramente perdida, a imagem divina no homem encontra-se muito desfigurada. Jesus Cristo veio ao mundo para tornar possível ao homem a recuperação completa da semelhança divina ao ser recriado à imagem de Deus (Cl 3.10).

b) **Pecado inerente.** Ou "pecado original". O efeito da Queda arraigou-se tão profundamente na natureza humana que Adão, como pai da raça, transmitiu a seus descendentes a tendência ou inclinação para pecar (Sl 51.5). Esse impedimento espiritual e moral, sob o qual os homens nascem, é conhecido como pecado original. Os atos pecaminosos que se seguem durante a idade de plena responsabilidade do homem são conhecidos como "pecado atual". Cristo, o segundo Adão, veio ao mundo resgatar-nos de todos os efeitos da Queda (Rm 5.12-21).

Descreve-se essa condição moral da alma de muitas maneiras: todos pecaram (Rm 3.9); todos estão debaixo da maldição (Gl 3.10); o homem natural é estranho às coisas de Deus (1Co 2.14); o coração natural é enganoso e perverso (Jr 17.9); a natureza mental e moral é corrupta (Gn 6.5,12; 8.21; Rm 1.19-31); a mentalidade da carne é inimiga de Deus (Rm 8.7,8); o pecador é escravo do pecado (Rm 6.17; 7.5); ele é controlado pelo príncipe do poder do ar (Ef 2.2); está morto em transgressões e pecados (Ef 2.1); e é merecedor da ira (Ef 2.3).

c) **Discórdia interna.** No princípio, Deus fez o corpo do homem do pó, dotando-o, desse modo, de uma natureza física ou inferior; depois soprou em seu nariz o fôlego da vida, comunicando-lhe assim uma natureza mais elevada, unindo-o a Deus. A harmonia do ser humano, ter o corpo subordinado à alma, era o propósito de Deus. Mas o pecado interrompeu a relação de tal maneira que o homem se encontrou dividido em si mesmo; o "eu" oposto ao "eu" em uma guerra entre a natureza superior e a inferior. Sua natureza inferior, frágil em si mesma, rebelou-se contra a superior e abriu as portas de seu ser ao inimigo. Na intensidade do conflito, o homem exclama: "Miserável homem que eu sou! Quem me libertará do corpo sujeito a esta morte?" (Rm 7.24).

O "Deus da paz" (1Ts 5.23) subjuga os elementos beligerantes da natureza do homem e santifica-o no espírito, alma e corpo. O resultado é a bem-aventurança interna — "justiça, paz e alegria no Espírito Santo" (Rm 14.17).

2. Castigo real

"Porque no dia em que dela comer, certamente você morrerá" (Gn 2.17). "Pois o salário do pecado é a morte" (Rm 6.23).

O homem foi criado para viver eternamente, isto é, não morreria se obedecesse à lei de Deus. Para que pudesse "lançar mão" da imortalidade e da vida eterna, foi colocado sob uma aliança de obras, figurada pelas duas árvores — a árvore do conhecimento do bem e do mal e a árvore da vida. Desse modo, a vida estava condicionada à obediência; enquanto Adão observasse a *lei da vida*, teria direito à *árvore da vida*. Mas ele desobedeceu, quebrou a aliança de vida e, desse modo, ficou separado de Deus, a fonte da vida. Desde esse momento, a morte teve seu início, a qual foi consumada na morte física, com a separação da alma e do corpo. Mas observemos que o castigo incluía mais que morte física; a dissolução física era uma indicação do desagrado de Deus, do fato de que o homem estava sem contato com a fonte da vida. Ainda que Adão tivesse se reconciliado mais tarde com o seu Criador, a morte física continuaria a existir em conformidade com o decreto divino: "Porque no dia em que dela comer, certamente você morrerá". Somente por um ato de redenção e de recriação, o homem teria outra vez direito à árvore da vida que está no meio do paraíso de Deus. Por meio de

Cristo, a justiça é restaurada à alma, que, na ressurreição, reúne-se a um corpo glorificado.

Vemos, portanto, que a morte física veio ao mundo como castigo. Nas Escrituras, sempre que o homem é ameaçado com a morte como castigo pelo pecado, isso significa primeiramente a perda do favor de Deus. Assim, o pecador já está morto "em suas transgressões e pecados" e, no momento da morte física, ele entra no mundo invisível nessa mesma condição. Assim, no grande julgamento, o juiz pronunciará a sentença da segunda morte, que envolve "ira e indignação", "tribulação e angústia" (Rm 2.7-12). De maneira que a morte, como castigo, não é a extinção da personalidade, e sim o meio de separação de Deus. Há três fases nessa morte: morte espiritual, enquanto o homem vive (Ef 2.1; 1Tm 5.6), morte física (Hb 9.27) e a segunda morte ou a eterna (Ap 21.8; Jo 5.28,29; 2Ts 1.9; Mt 25.41).

Por outro lado, quando as Escrituras falam da vida como recompensa pela justiça, isso significa mais que *existência*, pois os ímpios existem no inferno. Vida significa viver em comunhão com Deus e em sua graça — comunhão que a morte não pode interromper nem destruir (Jo 11.25,26). É uma vida que proporciona união consciente com Deus, a fonte da vida. "Esta é a vida eterna: que te conheçam [em experiência e comunhão], o único Deus verdadeiro, e a Jesus Cristo, a quem enviaste" (Jo 17.3). A vida eterna é uma existência *perfeita*; a morte eterna é uma existência *má*, miserável e degradada.

Observemos que a palavra "perdição", usada em relação à sorte dos ímpios (Mt 7.13; Jo 17.12; 2Ts 2.3), não significa extinção. De acordo com o grego, perecer ou ser destruído não significa extinção, e sim *ruína*. Por exemplo, a explicação de que a vasilha de couro velha "rebentará" (Mt 9.17) significa que ela já não serve como vasilha de couro, e não que tenha deixado de existir. Da mesma maneira, o pecador que perece, ou que é destruído, não é reduzido a nada, mas experimenta a ruína no que concerne a desfrutar comunhão com Deus e a vida eterna. O mesmo uso ainda existe hoje: quando dizemos "sua vida está arruinada", não queremos dizer que o homem está morto, e sim que perdeu o verdadeiro alvo ou objetivo da vida.

6

O Senhor Jesus Cristo

"O dia do nascimento de Jesus é celebrado em todo o mundo. O aniversário de sua morte levanta a silhueta de uma cruz no horizonte. Quem é ele?" Com estas palavras, um importante pregador fez uma pergunta de suprema importância e de interesse permanente.

A pergunta foi feita pelo próprio Mestre quando, durante uma crise em seu ministério, perguntou: "Quem os outros dizem que o Filho do homem é?". Ele ouviu a declaração da opinião do povo sem comentar, mas abençoou a resposta que Pedro aprendera com Deus: "Tu és o Cristo, o Filho do Deus vivo" (Mt 16.16).

A pergunta ainda permanece, e os homens até agora tentam responder a ela. Mas a verdadeira resposta deve vir do NT, escrito por homens que conheceram intimamente Jesus e que por ele abandonaram todas as coisas.

ESBOÇO

I. A NATUREZA DE CRISTO

1. Filho de Deus (divindade)

2. A Palavra (preexistência e atividade eternas)
3. Senhor (divindade, exaltação e soberania)
4. Filho do homem (humanidade)
5. Cristo (título oficial e missão)
6. Filho de Davi (linhagem real)
7. Jesus (obra salvadora)

II. OS OFÍCIOS DE CRISTO

1. Profeta
2. Sacerdote
3. Rei

III. A OBRA DE CRISTO

1. Sua morte
    a. Sua importância
    b. Seu significado
2. Sua ressurreição
    a. O fato
    b. A evidência
    c. O significado
3. Sua ascensão
    a. O Cristo celestial
    b. O Cristo exaltado
    c. O Cristo soberano
    d. O Cristo que prepara o caminho
    e. O Cristo intercessor
    f. O Cristo onipresente
    g. Conclusão: os valores da ascensão

I. A NATUREZA DE CRISTO

A pergunta "Quem é o Cristo?" apresenta a melhor resposta na declaração e explicação dos nomes e títulos pelos quais ele é conhecido.

1. Filho de Deus (divindade)

Da mesma forma que "Filho do homem" significa nascido de homem, assim também "Filho de Deus" significa nascido de Deus. Por isso, dizemos que esse título proclama a divindade de Cristo. Jesus nunca é chamado *um* Filho de Deus, como os homens e os anjos, chamados de filhos de Deus (Jó 2.1). Ele é *o* Filho de Deus, em sentido *único*. Jesus, conforme a descrição que dele se fez, mantém um relacionamento com Deus do qual nenhuma outra pessoa do Universo participa.

Para explicar e confirmar essa verdade, consideremos:

a) **A consciência de Cristo.** Qual era o conteúdo do conhecimento de Jesus acerca de si mesmo, isto é, o que Jesus sabia de si mesmo? Lucas, o único escritor que relata um incidente da infância de Jesus, diz-nos que Jesus, com a idade de 12 anos (pelo menos), estava cônscio de duas coisas: a primeira, de ter um relacionamento especial com Deus, a quem ele descreve como seu Pai; a segunda, de ter uma missão especial na terra — realizar "as obras [...] de meu Pai" (Jo 10.25).

Exatamente como e quando esse conhecimento de si mesmo veio a ele, deve permanecer um mistério para nós. Quando pensamos em Deus vindo a nós em forma humana, devemos, de forma reverente, declarar: "É grande o mistério da piedade" (1Tm 3.16). Não obstante tratar-se de mistério, a seguinte ilustração pode ser proveitosa. Ponha uma criancinha diante de um espelho; ela se verá, porém sem se reconhecer. Mas chegará o momento em que há de saber que a imagem refletida representa sua própria pessoa. Em outras palavras, a criança adquiriu a consciência de sua identidade. Não poderia ter sido assim com o Senhor Jesus? Ele sempre foi o Filho de Deus, porém chegou o tempo em que, depois de estudar as Escrituras relacionadas com o Messias de Deus, percebeu, em seu íntimo, que ele, o filho de Maria, não era outro senão o Cristo de Deus. Em vista de o eterno Filho de Deus ter vivido uma vida perfeitamente natural e humana, é razoável pensar que a percepção de sua divindade houvesse surgido dessa maneira.

No rio Jordão, Jesus ouviu a voz do Pai corroborando e confirmando sua percepção íntima (Mt 3.17) e, no deserto, resistiu com êxito à tentativa de Satanás de fazê-lo duvidar de sua filiação ("Se és o Filho de Deus [...]"; Mt 4.3). Mais tarde, em seu ministério, louvou Pedro pelo testemunho divinamente inspirado concernente à sua deidade e a seu caráter messiânico (Mt 16.15-17). Jesus, diante do concílio judaico, poderia ter escapado à morte, se negasse sua filiação ímpar e simplesmente afirmasse que era um dos filhos de Deus, no mesmo sentido em que o são todos os homens; no entanto, quando exigiram que jurasse pelo sumo sacerdote, ele declarou sua consciência de divindade, apesar de saber que isso significaria sua sentença de morte (Mt 26.63-65).

b) As afirmações de Jesus. Ele equiparou-se à atividade divina: "Meu Pai continua trabalhando até hoje, e eu também estou trabalhando" (Jo 5.17); "Eu vim do Pai" (Jo 16.28); "o Pai me enviou" (Jo 20.21). Ele afirmava ter comunhão e conhecimento divinos (Mt 11.27; Jo 17.25). Afirmava revelar a essência do Pai em si mesmo (Jo 14.9-11). Ele assumiu prerrogativas divinas: onipresença (Mt 18.20); poder de perdoar pecados (Mc 2.5-10); poder de ressuscitar os mortos (Jo 6.39,40,54; 11.25; 10.17,18). Proclamou-se juiz e árbitro do destino do homem (Jo 5.22; Mt 25.31-46).

Ele exigia rendição e lealdade que somente Deus, por direito, podia exigir; insistia em uma absoluta rendição da parte de seus seguidores. Eles deveriam estar prontos a cortar os laços mais íntimos e mais queridos, porque qualquer pessoa que amasse mais a seu pai ou sua mãe que a ele não seria digna dele (Mt 10.37; Lc 14.25-33).

Essas veementes afirmações foram feitas por aquele que viveu como o mais humilde dos homens e foram proferidas de modo simples e natural. Por exemplo, Paulo com igual simplicidade diria: "Sou homem e judeu". Para chegar à conclusão de que Cristo era divino, é necessário admitir somente duas coisas: primeira, que Jesus não era um homem mau; segunda, que ele não era demente. Se ele dissesse que era divino, sabendo que não o era, então não poderia ser bom; se ele equivocadamente imaginasse que fosse Deus, então não poderia ser sábio. Contudo, nenhuma pessoa sensata sonharia em negar o caráter perfeito de Jesus ou sua sabedoria superior. Em consequência disso, é inevitável concluir que ele era o que ele próprio disse ser — o Filho de Deus, em sentido único.

c) A autoridade de Cristo. Nos ensinos de Cristo, observa-se a completa ausência de expressões como: "É minha opinião"; "Pode ser"; "Penso que"; "Bem, podemos supor" etc. Um estudioso judeu racionalista admitiu que ele falava com a autoridade do Deus poderoso. O doutor Henry van Dyke assinala que no Sermão do Monte, por exemplo, temos: a preponderante visão de um hebreu crente que posiciona a si mesmo acima da autoridade de sua própria fé; um humilde Mestre que afirma ter autoridade suprema sobre toda a conduta humana; um reformador moral que põe de lado todos os demais fundamentos, dizendo: "Portanto, quem ouve estas minhas palavras e as pratica é como um homem prudente que construiu a sua casa sobre a rocha" (Mt 7.24). Nesse breve registro do discurso de Jesus, repete-se inúmeras vezes a solene frase com a qual ele autentica a verdade: "Digo-lhes a verdade".

d) A impecabilidade de Cristo. Nenhum professor que chame os homens ao arrependimento e à retidão pode evitar algumas referências às suas próprias faltas ou imperfeições. Na verdade, quanto mais santo ele é, mais lamentará e reconhecerá suas próprias limitações. Contudo, nas palavras e nas obras de Jesus há uma ausência completa de conhecimento ou confissão de pecado. Embora possuísse profundo conhecimento do mal, em sua alma não havia a mais leve sombra ou mácula de pecado. Ao contrário, ele, o mais humilde dos homens, desafiou a todos: "Qual de vocês pode me acusar de algum pecado?" (Jo 8.46).

e) **O testemunho dos discípulos.** Jamais algum judeu pensou que Moisés fosse divino; nem o seu discípulo mais entusiasta jamais lhe teria atribuído uma declaração como esta: "Batizando-os em nome do Pai e de *Moisés* e do Espírito Santo" (cf. Mt 28.19). A razão disso é que Moisés jamais falou nem agiu como quem procedesse de Deus e fosse participante de sua natureza. Por outro lado, o NT expõe este milagre: havia um grupo de homens que andava com Jesus, e eles viram todos os aspectos característicos de sua humanidade — eles, no entanto, mais tarde o adoraram como divino, proclamaram-no como o poder para a salvação e invocaram o seu nome em oração. João, que se reclinava ao lado de Jesus, não hesitou em afirmar que Jesus é o eterno Filho de Deus, que criou o Universo (Jo 1.1,3), como também relatou, sem nenhuma hesitação ou desculpa, o ato da adoração de Tomé e sua exclamação: "Senhor meu e Deus meu!" (Jo 20.28). Pedro, que vira seu Mestre comer, beber e dormir, que sabia que ele tinha fome e sede, que o vira chorar — enfim, ele testemunhara todos os aspectos de sua humanidade —, mais tarde, disse aos judeus que Jesus está à direita de Deus; que ele possui a prerrogativa divina de conceder o Espírito Santo (At 2.33,36); que ele é o único caminho para a salvação (At 4.12); que é ele quem perdoa os pecados (At 5.31); e que é o juiz dos mortos (At 10.42). Em sua segunda epístola (3.18), ele o adora, atribuindo-lhe "glória, agora e para sempre!".

Nenhuma prova existe de que Paulo, o apóstolo, tivesse visto Jesus em carne (apesar de tê-lo visto em forma glorificada), mas ele esteve em contato direto com aqueles que o viram. Esse mesmo

Paulo, que jamais perdera a reverência para com Deus, a qual desde sua mocidade estava profundamente arraigada nele, descreve Jesus, contudo, com perfeita serenidade, como "nosso grande Deus e Salvador" (Tt 2.13); apresenta-o como aquele que encarna a plenitude da divindade (Cl 2.9), o criador e sustentador de todas as coisas (Cl 1.17). Assim, seu nome deve ser invocado em oração (1Co 1.2; cf. At 7.59); e seu nome está associado ao do Pai e ao do Espírito Santo na bênção (2Co 13.14).

Desde o princípio, a igreja primitiva considerava e adorava Cristo como divino. No princípio do século II, um oficial romano relatou que os cristãos costumavam reunir-se de madrugada para "cantar um hino de adoração a Cristo, como se fosse a Deus". Um autor pagão escreveu: "Os cristãos ainda estão adorando aquele grande homem que foi crucificado na Palestina".

Até o escárnio dos pagãos serve de testemunho da divindade de Cristo. Em um antigo palácio romano, encontrou-se uma inscrição (que data do século III) na qual se representa uma figura humana, com cabeça de asno, pendurado em uma cruz, e há também um homem em pé em atitude de adoração. Embaixo, lê-se a seguinte inscrição: "Alexamenos adora o seu Deus". O doutor Henry van Dyke comenta:

> Assim, os cânticos e orações dos crentes, as acusações dos perseguidores, o escárnio dos céticos e as pilhérias grosseiras dos escarnecedores, tudo se une para provar, sem sombra de dúvida, que os primitivos cristãos rendiam honra divina ao Senhor Jesus [...]. Não há razão para duvidar de que os primitivos cristãos viram em Cristo uma revelação pessoal de Deus, assim como não pode haver a menor dúvida de que os amigos e seguidores de Abraham Lincoln o tenham considerado um bom e leal cidadão americano da raça branca.

Entretanto, não devemos inferir disso que a igreja primitiva não adorasse Deus Pai, pois sabemos que havia o costume, de modo geral, de orar ao Pai em nome de Jesus e dar-lhe graças pela dádiva do Filho. Mas para eles era tão real a divindade de Cristo e a unidade entre as duas pessoas que lhes era muito natural invocar o nome de Jesus. Foi a firme lealdade deles ao ensino do AT acerca da unidade de Deus, combinada com a firme crença na divindade de Cristo, que os conduziu a formular a doutrina da Trindade.

Embora as seguintes palavras do credo niceno (século IV) tenham sido, como ainda são, recitadas por muitos de uma maneira formalista, não obstante expressam fielmente a sincera convicção da igreja primitiva:

> Cremos em um Deus, Pai todo-poderoso, criador do céu e da terra, de todas as coisas visíveis e invisíveis; e em um Senhor, Jesus Cristo, o unigênito Filho de Deus, gerado pelo Pai antes de todos os séculos, Luz da Luz, Deus verdadeiro do Deus verdadeiro, gerado, não feito, de uma só substância com o Pai, pelo qual todas as coisas foram feitas; o qual, por nós, homens, e por nossa salvação, desceu dos céus, foi feito carne por meio do Espírito Santo e da Virgem Maria e tornou-se homem.
>
> Foi crucificado por nós sob o poder de Pôncio Pilatos, padeceu, foi sepultado, ressuscitou ao terceiro dia conforme as Escrituras, subiu aos céus, assentou-se à direita do Pai. Novamente há de vir com glória para julgar os vivos e os mortos, e seu reino não terá fim.

2. A Palavra (preexistência e atividade eternas)

A palavra do homem é aquela por meio da qual ele se expressa e se comunica com seus semelhantes. Por meio da palavra, ele dá a conhecer seus pensamentos e sentimentos, como também ordena e executa sua vontade. A palavra com que se expressa está impregnada de seu pensamento e de seu caráter. Pela expressão verbal de um homem, até um cego pode conhecê-lo perfeitamente. Embora seja possível ver uma pessoa e dela se tenha informações, não é possível conhecê-la bem enquanto ela não falar. A palavra do homem é a expressão de seu caráter.

Da mesma maneira, a "palavra de Deus" é o veículo mediante o qual Deus se comunica com os outros seres, e é o meio pelo qual Deus expressa seu poder, sua inteligência e sua vontade. Cristo é a Palavra, ou o Verbo, porque, por meio dele, Deus revelou sua atividade, sua vontade e propósito e, por meio dele, também tem contato com o mundo. Expressamo-nos por meio de palavras; o eterno Deus se expressa a si mesmo por meio do seu Filho, o qual é "a expressão exata do seu ser" (Hb 1.3). Cristo é a Palavra de Deus, porque revela Deus e o demonstra em pessoa. Ele não somente *traz* a mensagem de Deus — ele *é* a mensagem de Deus.

Considere a necessidade de tal revelador. Procure compreender a extensão do Universo com seus imensuráveis milhões de corpos celestes, cobrindo distâncias que deixam estupefata a mente humana; imagine as infinitas extensões do espaço além do Universo material; a seguir, procure compreender a grandeza daquele que é o autor de tudo isso. Considere, por outro lado, a insignificância do homem. Calcula-se que se todas as pessoas neste mundo medissem 1,80 m de altura, tivessem 45 cm de largura e 30 cm de espessura, os mais de 6 bilhões de pessoas que aqui habitam caberiam em uma caixa com menos de um quilômetro cúbico. Deus — quão poderoso e vasto ele é! O homem — quão infinitesimal ele é! Além disso, Deus é Espírito, portanto não pode ser compreendido pela visão nem pelos demais sentidos naturais. Surge a grande pergunta: como o homem pode ter comunhão com um Deus como esse? Como pode sequer ter a mínima ideia de sua natureza e caráter?

É certo que Deus se revelou pela palavra profética, por meio de sonhos, de visões e de manifestações temporais. Contudo, o homem anelava por uma resposta mais clara à seguinte pergunta: como Deus é? Para responder a essa pergunta, surgiu o evento mais significativo da História — "Aquele que é a Palavra tornou-se carne" (Jo 1.14). A Palavra eterna de Deus assumiu a natureza humana e tornou-se homem, a fim de revelar o eterno Deus por meio de uma personalidade humana. "Há muito tempo Deus falou muitas vezes e de várias maneiras aos nossos antepassados por meio dos profetas, mas nestes últimos dias *falou*-nos por meio do *Filho*" (Hb 1.1,2; grifos do autor). De modo que à pergunta "Como é Deus?", o cristão responde: Deus é como Cristo, porque Cristo é a Palavra — a ideia que Deus tem de si mesmo. Isto é, ele é "a expressão exata do seu ser" (Hb 1.3), "a imagem do Deus invisível" (Cl 1.15).

3. Senhor (divindade, exaltação e soberania)

Uma ligeira consulta a uma concordância bíblica revelará o fato de que "Senhor" é um dos títulos mais comuns dados a Jesus. Esse título indica a sua divindade, exaltação e soberania.

a) Divindade. O título "Senhor", ao ser usado como prefixo antes de um nome, transmitia, tanto a judeus quanto a gentios, a ideia de divindade. A palavra "Senhor", no grego *Kurios*, era equivalente a "Jeová" na tradução grega do AT; portanto, para os judeus "o Senhor Jesus" era claramente uma atribuição de divindade. Quando o imperador dos romanos se referia a si mesmo como "Senhor César", exigindo que seus súditos dissessem "César é Senhor", os gentios entendiam que o imperador estava reivindicando ser uma divindade. Os cristãos entendiam o termo da mesma maneira e, portanto, preferiam sofrer a perseguição a atribuir a um homem um título que pertencia somente àquele que é verdadeiramente divino. Somente àquele a quem Deus exaltara, eles renderiam adoração e lhe atribuiriam senhorio.

b) Exaltação. Na *eternidade*, Cristo possui o título "Filho de Deus" em virtude da sua relação com Deus (Fp 2.9); na *História*, ele *ganhou* o título "Senhor" por haver morrido e ressuscitado para a salvação dos homens (At 2.36; 10.36; Rm 14.9). Ele sempre foi divino por natureza; chegou a ser Senhor por merecimento. Por exemplo, se um jovem nascido na família de um multimilionário não aceitar herdar aquilo pelo qual outras pessoas tenham trabalhado, mas possuir unicamente o que ganhou por seus próprios esforços, ele, portanto, renuncia voluntariamente a seus privilégios, toma o lugar de um trabalhador comum e, por meio de seu trabalho, conquista para si um lugar de honra e riqueza. Igualmente, o Filho de Deus, apesar de ser por natureza igual a Deus, voluntariamente sujeitou-se às limitações humanas, porém sem pecado; portanto, tomou sobre si a natureza humana, fez-se servo do homem e, por fim, morreu na cruz para redenção da humanidade. Cristo, como recompensa, foi exaltado e passou a ter domínio sobre todas as criaturas — uma recompensa apropriada, pois que melhor credencial poderia alguém ter para exercer senhorio sobre os homens, visto que os amara e se entregara a si mesmo por eles (Ap 1.5)? Esse direito já foi reconhecido por milhões de pessoas, e a cruz tornou-se um degrau pelo qual Jesus alcançou a soberania sobre o coração dos homens.

c) **Soberania.** No Egito, Deus revelou-se a Israel como Redentor e Salvador; no Sinai, como Senhor e Rei. As duas coisas se justapõem porque ele, que se tornou Salvador deles, tinha o direito de ser seu soberano. É por isso que os Dez Mandamentos iniciam com a declaração: "Eu sou o SENHOR, o teu Deus, que te tirou do Egito, da terra da escravidão" (Êx 20.2). Em outras palavras, "Eu, o Senhor, que os redimi, tenho o direito de governar sobre vocês".

O mesmo aconteceu com Cristo e seu povo. Os cristãos primitivos reconheceram instintivamente — como todos os verdadeiros discípulos — que aquele que os redimiu do pecado e da destruição tem o direito de ser o Senhor da vida deles. Comprados por bom preço, não pertencem a si mesmos (1Co 6.20), mas sim a quem morreu e ressuscitou por eles (2Co 5.15). Portanto, o título "Senhor", aplicado a Jesus pelos seus seguidores, significa: "Aquele que por sua morte ganhou o lugar de soberania em meu coração, e a quem me sinto compelido a adorar e servir com todas as minhas forças".

O paralítico que foi curado, ao ser repreendido por levar sua cama no dia de sábado, respondeu: "O homem que me curou me disse: 'Pegue a sua maca e ande'" (Jo 5.11). Ele soube, instintivamente, com a lógica do coração, que Jesus, quem lhe devolvera a saúde, possuía o direito de dizer-lhe como usar essa saúde. Se Jesus é o nosso Salvador, deve ser também o nosso Senhor.

4. Filho do homem (humanidade)

a) **Quem?** De acordo com o hebraico, a expressão "filho de" denota relação e participação. Por exemplo, "os súditos do Reino" (Mt 8.12) são aqueles que hão de participar de suas verdades e bênçãos. "Filhos da ressurreição" (Lc 20.36) são aqueles que participam da vida ressuscitada. Um "homem de paz" (Lc 10.6) é alguém que possui caráter pacífico. Um filho da perdição (Jo 17.12) é alguém destinado a sofrer a ruína e a condenação. Portanto, "Filho do homem" significa principalmente aquele que participa da natureza humana e das qualidades humanas. Dessa maneira, "Filho do homem" vem a ser uma designação enfática para o homem e seus atributos característicos de fragilidade e impotência (Nm 23.19; Jó 16.21; 25.6). Nesse sentido, o título é aplicado oitenta vezes a Ezequiel, como uma recordação de sua fragilidade e mortalidade e como um incentivo à humildade no cumprimento de sua vocação profética.

No que diz respeito a Cristo, "Filho do homem" designa-o como participante da natureza e das qualidades humanas, sujeito às fraquezas humanas. No entanto, ao mesmo tempo, esse título diz respeito à divindade, porque, se uma pessoa, de forma enfática, declarar: "Sou filho do homem", a resposta seria: "Grande novidade! Todos sabem disso". Contudo, a expressão nos lábios de Jesus significa uma pessoa celestial que se havia identificado definitivamente com a humanidade como seu representante e Salvador. Observemos também que ele é *o* — e não *um* — Filho do homem.

O título diz respeito à sua vida terrena (Mc 2.10; 2.28; Mt 8.20; Lc 19.10), com seus sofrimentos a favor da humanidade (Mc 8.31) e com sua exaltação e domínio sobre a humanidade (Mt 25.31; 26.24; cf . Dn 7.14).

Jesus, ao referir-se a si mesmo como "Filho do homem", desejava expressar a seguinte mensagem: "Eu, o Filho de Deus, sou homem, no que diz respeito à fragilidade, ao sofrimento e, até mesmo, à morte. Todavia, ainda estou em contato com o céu, de onde vim, e mantenho um relacionamento tal com Deus que posso perdoar os pecados (Mt 9.6); como também sou superior aos regulamentos religiosos que somente têm significado temporal e nacional (Mt 12.8). Essa natureza humana não cessará após eu passar pelos últimos períodos de sofrimento e morte, os quais devo suportar para a salvação do homem e para consumar a minha obra. Porque subirei e a levarei comigo ao céu, de onde voltarei para reinar sobre aqueles cuja natureza tomei sobre mim".

A humanidade do Filho de Deus era real, e não fictícia. Ele, conforme a descrição, realmente padeceu fome, sede, cansaço, dor e esteve sujeito, em geral, às fragilidades da natureza humana, porém sem pecado.

b) Como? Por qual ato, ou meio, o Filho de Deus veio a ser Filho do homem? Que milagre pôde trazer ao mundo "o segundo homem, dos céus" (1Co 15.47)? A resposta é que o Filho de Deus veio ao mundo como Filho do homem e foi concebido no ventre de Maria pelo Espírito Santo, e não por um pai humano.

A qualidade da vida inteira de Jesus está em conformidade com seu nascimento e como foi concebido. Ele, que veio por meio de um nascimento *virginal*, viveu uma vida *virginal* (inteiramente sem pecado) — e essa última característica é um milagre tão grande quanto o primeiro. Ele que, miraculosamente, nasceu, viveu, ressuscitou dentre os mortos e ascendeu aos céus.

A *doutrina* da encarnação fundamenta-se no *fato* do nascimento virginal (Jo 1.14). A declaração a seguir sobre essa doutrina é do estudioso Martin J. Scott:

A *encarnação*, como todos os cristãos sabem, significa que Deus (que é o Filho de Deus) se fez homem. Isso não quer dizer que Deus se tornou homem, nem que Deus cessou de ser Deus e começou a ser homem; mas que, permanecendo Deus, ele assumiu ou tomou uma natureza nova, a saber, a humana, unindo essa natureza divina no ser ou na pessoa — Jesus Cristo, verdadeiramente Deus e verdadeiramente homem.

Na festa das bodas de Caná, a água transformou-se em vinho pela vontade de Jesus Cristo, o Senhor da criação (Jo 2.1-11). Tal processo não se deu quando Deus se fez homem, pois em Caná a água deixou de ser água quando se tornou vinho, mas Deus continuou sendo Deus quando se fez homem.

Um exemplo que nos poderá ajudar a compreender em que sentido Deus se fez homem, mas, ainda assim, não ilustra de maneira perfeita a questão, é aquele de um rei que por sua própria vontade se fizera mendigo. Se um rei poderoso deixasse seu trono e o luxo da corte para vestir os trapos de um mendigo, viver com mendigos, compartilhar seus sofrimentos etc., e isso para poder melhorar-lhes as condições de vida, diríamos que o rei se fez mendigo, porém ele continuaria sendo verdadeiramente rei. Seria correto dizer que o que o mendigo sofreu era o sofrimento de um rei; que, quando o mendigo expiava uma culpa, era o rei que a expiava etc.

Visto que Jesus Cristo é Deus e homem, é evidente que Deus, de alguma maneira, é homem também. Agora, como é que Deus é homem? Está claro que ele nem sempre foi homem, porque o homem não é eterno, mas Deus o é. Ele, portanto, em um momento específico fez-se homem e tomou a natureza humana. Que queremos dizer com a expressão "tomar a natureza humana"? Queremos dizer que o Filho de Deus, permanecendo Deus, tomou outra natureza, a saber, a de homem, e a uniu de tal maneira com a sua que constituiu uma pessoa, Jesus Cristo.

A encarnação, portanto, significa que o Filho de Deus, o verdadeiro Deus desde toda a eternidade, no curso do tempo também se fez verdadeiro homem, em uma pessoa, Jesus Cristo, constituída de duas naturezas, a humana e a divina. Naturalmente, há nisso um mistério. Não podemos compreendê-lo, assim como tampouco podemos conceber a própria Trindade.

Há mistérios em toda parte. Não podemos compreender como a erva e a água, que alimentam o gado, transformam-se em carne e sangue. Uma análise química do leite não demonstra que ele contém algum ingrediente do sangue, entretanto o leite materno se transforma em sangue e carne da criança. Nem a própria mãe sabe como seu corpo produz o leite que dá a seu filho.

Nenhum dentre todos os sábios do mundo pode explicar a ligação existente entre o pensamento e a expressão desse pensamento, ou seja, as palavras. Não devemos, pois, estranhar se não pudermos compreender a encarnação de Cristo. Cremos nela porque aquele que a revelou é o próprio Deus, que não pode enganar nem ser enganado.

c) **Por que** o Filho de Deus se fez Filho do homem, ou quais foram os propósitos da encarnação?

1. Como já observamos, o Filho de Deus veio ao mundo para ser o revelador de Deus. Ele afirmou que suas obras e suas palavras eram guiadas por Deus (Jo 5.19,20; 10.38); sua própria obra evangelizadora foi uma revelação do coração do Pai celestial, e aqueles que criticaram sua obra entre os pecadores demonstraram, assim, sua falta de harmonia com o Espírito do céu (Lc 15.1-7).

2. Ele tomou sobre si nossa natureza humana para glorificá-la e, dessa maneira, adaptá-la a um destino celestial. Por conseguinte, formou um modelo celestial, por assim dizer, pelo qual a natureza humana poderia ser feita à semelhança divina. Ele, o Filho de Deus, se fez Filho do homem, para que os filhos dos homens pudessem ser feitos filhos de Deus (Jo 1.12) e um dia serem semelhantes a ele (1Jo 3.2); até os corpos dos homens serão "semelhantes ao seu corpo glorioso" (Fp 3.21). "O primeiro homem [Adão] era do pó da terra; o segundo homem, dos céus" (1Co 15.47); e, assim, "como tivemos a imagem do homem terreno (cp. com Gn 5.3), teremos também a imagem do homem celestial" (v. 49), porque "o último Adão" tornou-se "espírito vivificante" (v. 45).

3. Contudo, o obstáculo a impedir a perfeição da humanidade era o pecado — o qual, a princípio, privou Adão da glória da justiça

original. Para resgatar-nos da culpa do pecado e de seu poder, o Filho de Deus morreu como sacrifício expiatório.

5. Cristo (título oficial e missão)

a) **A profecia.** "Cristo" é a forma grega da palavra hebraica "Messias", que literalmente significa "o Ungido". A palavra é sugerida pelo costume de ungir com óleo, o símbolo da consagração divina para servir. Apesar de os sacerdotes e, às vezes, os profetas serem ungidos com óleo quando consagrados a seus ofícios, o título "ungido" era particularmente aplicado aos reis de Israel que reinavam como representantes de Deus (2Sm 1.14). Em alguns casos, o símbolo da unção era seguido pela realidade espiritual, de maneira que a pessoa vinha a ser, em sentido vital, o ungido do Senhor (1Sm 10.1,6; 16.13).

Saul foi um fracassado, porém Davi, que o sucedeu, foi "um homem segundo o seu [de Deus] coração" (1Sm 13.14), um rei que, em sua vida, considerava a vontade de Deus suprema e que se julgava representante de Deus. Contudo, a grande maioria dos reis se apartou do ideal divino e conduziu o povo à idolatria; até alguns dos reis mais piedosos se corromperam nesse aspecto. Os profetas, com esse pano de fundo tenebroso, expuseram a promessa da vinda de um rei da casa de Davi, um rei ainda maior do que Davi. Sobre ele, repousaria o Espírito do Senhor com um poder jamais visto (Is 11.1-3; 61.1). Apesar de Filho de Davi, ele também seria o Filho de Deus e receberia os nomes divinos (Is 9.6,7; Jr 23.6). Seu Reino, distinto do reino de Davi, seria eterno, e todas as nações estariam sob seu domínio. Esse era *o* ungido, ou o Messias, ou o Cristo, e sobre ele concentravam-se as esperanças de Israel.

b) **O cumprimento.** O testemunho constante do NT é que Jesus se declarou o Messias, ou o Cristo, aquele que fora prometido no AT.

Assim como o presidente deste país é primeiro eleito e depois toma posse do governo publicamente, da mesma maneira Jesus Cristo foi eternamente eleito para ser o Messias e Cristo e depois foi empossado publicamente em seu ofício messiânico no rio Jordão. Assim como Samuel ungiu primeiro Saul e depois explicou o significado da unção (1Sm 10.1), da mesma maneira Deus Pai ungiu seu Filho com o Espírito de poder e sussurrou em seu ouvido o significado da sua unção: "Tu és o meu Filho amado; em ti me agrado" (Mc 1.11). Em outras palavras: "Tu és o Filho de Deus, cuja vinda foi predita pelos profetas, e agora te doto de autoridade e poder para a tua missão e te envio com minha bênção".

As pessoas entre as quais Jesus teria de ministrar esperavam a vinda do Messias, mas infelizmente suas esperanças eram acalentadas por uma aspiração política. Esperavam um "homem forte", que fosse uma combinação de soldado e estadista. Seria Jesus esse tipo de Messias? O Espírito o conduziu ao deserto para debater a questão com Satanás que, astuciosamente, sugeriu-lhe que adotasse um programa popular e, dessa maneira, tomasse o caminho mais fácil e curto para o poder. "Concede-lhes seus anseios materiais", sugeriu o tentador (cf. Mt 4.3,4 e Jo 6.14,15,26), "deslumbra-os ao saltar do pináculo do templo (e logicamente ficarás em bons termos com o sacerdócio), faze-te o campeão do povo e conduze-o à guerra" (cf. Mt 4.8,9 e Ap 13.2,4).

Jesus sabia que Satanás estava advogando a política popular, que era inspirada por seu próprio espírito egoísta e violento. Não havia a menor dúvida de que esse curso de ação conduziria ao derramamento de sangue e à ruína. Não! Jesus seguiria a direção de seu Pai e confiaria somente nas armas espirituais para conquistar o coração dos homens, ainda que esse caminho conduzisse à falta de compreensão, ao sofrimento e à morte! No deserto, Jesus escolheu a cruz, e escolheu-a porque era parte do programa de Deus para sua vida.

O Mestre nunca se desviou dessa escolha, apesar de ser muitas vezes tentado a abandonar o caminho da cruz (v., p. ex., Mt 16.22).

Jesus escrupulosamente conservou-se fora de embaraços em relação à situação política contemporânea. Às vezes, proibia os que ele curava de espalhar sua fama, para que seu ministério não fosse mal-interpretado como uma agitação popular contra Roma (Mt 12.15,16; cf. Lc 23.5). Nessas ocasiões, seu êxito tornou-se uma acusação contra ele. Recusou-se deliberadamente a encabeçar um movimento popular (Jo 6.15). Proibia a proclamação pública de seu caráter messiânico e também o testemunho de sua transfiguração para que não suscitassem esperanças falsas entre o povo (Mt 16.20; 17.9). Com sabedoria infinita, escapou a uma hábil armadilha que o desacreditaria diante do povo, pois seria considerado "traidor da nação", ou o envolveria em dificuldades com o governo romano (Mt 22.15-21). Em tudo isso, o Senhor Jesus cumpriu a profecia de Isaías, a saber, que o ungido de Deus seria o proclamador da verdade divina, e não um violento agitador; tampouco seria alguém que buscasse seu próprio bem ou que incitasse a população (Mt 12.16-21), como faziam alguns dos falsos messias que o precederam e outros que surgiram posteriormente (Jo 10.8; At 5.36; 21.38). Ele evitou fielmente os métodos carnais e seguiu os espirituais, de maneira que Pilatos, representante de Roma, pôde testificar: "Não encontro motivo para acusar este homem" (Lc 23.4).

Observamos que Jesus começou seu ministério entre um povo que tinha a verdadeira esperança de um Messias, apresentando, porém, um conceito errôneo sobre sua pessoa e obra. Para usar uma ilustração caseira: o rótulo era certo, mas o conteúdo da garrafa não condizia com o rótulo. Sabendo disso, Jesus não se proclamou no princípio como Messias (Mt 16.20), porque sabia que isso seria um sinal de rebelião contra Roma. Ele de preferência falava do Reino, descrevendo seus ideais e sua natureza espiritual e esperando inspirar no povo uma fome por esse Reino espiritual, que, por sua vez, o conduziria a desejar um Messias espiritual. Seus esforços nesse sentido não foram inteiramente infrutíferos, pois João, o apóstolo, nos diz (cap. 1) que desde o princípio houve um grupo espiritual que o reconhecia como Cristo. Além disso, de tempos em tempos ele se revelava aos indivíduos que estavam preparados espiritualmente (Jo 4.25,26; 9.35-37).

No entanto, a nação em geral não entendia a relação entre o ministério espiritual e o pensamento do Messias. Admitia abertamente que ele era um Mestre capaz, um grande pregador e ainda um profeta (Mt 16.13,14), mas certamente não alguém que pudesse encabeçar um programa econômico, militar e político — aquilo que julgava que o Messias deveria fazer.

No entanto, por que culpar o povo por tal expectativa? Em verdade, Deus prometera restabelecer um reino terrestre (Zc 14.9-21; Am 9.11-15; Jr 23.6-8). Certamente, mas, antes desse evento, deveria operar-se uma purificação moral e uma regeneração espiritual da nação (Ez 36.25-27; cf. Jo 3.1-3). Tanto João Batista quanto Jesus esclareceram que a nação, na condição em que se encontrava, não estava preparada para participar desse Reino. Daí a exortação: "Arrependam-se, pois o Reino dos céus está próximo" (Mt 3.2). Mas, enquanto as palavras "Reino dos céus" comoviam profundamente o povo, as palavras "arrependam-se" não lhe causavam boa impressão. Tanto os chefes (Mt 21.31,32) quanto o povo (Lc 13.1-3; 19.41-44) se recusaram a obedecer às condições do Reino e, por conseguinte, perderam os privilégios do Reino (Mt 21.43).

Contudo, Deus, onisciente, previra o fracasso de Israel (Is 6.9,10; 53.1; Jo 12.37-40); e Deus, todo-poderoso, o dirigira para a execução de um plano que fora mantido em segredo até aquele momento. O plano era o seguinte: a rejeição por parte de Israel daria a Deus a oportunidade de tomar um povo escolhido entre os gentios (Rm 11.11; At 15.13,14; Rm 9.25,26), que, juntamente com os crentes judeus, constituiriam um grupo conhecido como a Igreja (Ef 3.4-6). Jesus mesmo deu a seus discípulos um vislumbre desse período (a época da Igreja) que sucederia entre suas vindas, a primeira e a segunda, chamando essas revelações de "mistérios" porque não foram reveladas aos profetas do AT (Mt 13.11-17).

Certa ocasião, a inabalável fé demonstrada por um centurião gentio contrastada com a falta de fé em muitos israelitas descreveu, graças à sua inspirada visão, o espetáculo de gentios de todas as terras entrando no Reino que Israel havia rejeitado (Mt 8.10-12).

A crise prevista no deserto chegara, e Jesus se preparou para dar as tristes notícias a seus discípulos. Começou com muito tato a fortalecer-lhes a fé com o testemunho divinamente inspirado acerca de seu caráter messiânico, testemunho dado pelo apóstolo Pedro, o líder deles. Depois, fez uma surpreendente predição (Mt 16.18,19), que é possível ser parafraseada da seguinte maneira: "A congregação de Israel [ou "igreja", At 7.38] rejeitou-me como seu Messias, e seus chefes realmente vão excomungar-me, eu que sou a verdadeira pedra angular da nação [Mt 21.42]. Mas nem assim fracassará o plano de Deus, porque eu estabelecerei outra congregação ["igreja"], composta de homens como tu, Pedro [1Pe 2.4-9], que crerão na minha divindade e caráter messiânico. Tu serás dirigente e ministro dessa congregação, e teu será o privilégio de abrir-lhe as portas com a chave da verdade do evangelho, e tu e teus irmãos adminis-trareis os seus negócios".

Cristo, portanto, fez um anúncio que os discípulos não compreenderam inteiramente, a não ser depois de sua ressurreição (Lc 24.25-48), isto é, que a cruz era parte do programa de Deus para o Messias. "Desde aquele momento Jesus começou a explicar aos seus discípulos que era necessário que ele fosse para Jerusalém e sofresse muitas coisas nas mãos dos líderes religiosos, dos chefes dos sacerdotes e dos mestres da lei, e fosse morto e ressuscitasse no terceiro dia" (Mt 16.21).

No devido tempo, a horrenda profecia foi cumprida. Jesus poderia ter escapado à morte, negando sua divindade; poderia ter sido absolvido se negasse que era rei; ele, porém, persistiu em seu testemunho e morreu numa cruz que levava a inscrição: "ESTE É JESUS, O REI DOS JUDEUS" (Mt 27.37).

Entretanto, o Messias sofredor (Is 53.7-9) ressurgiu dentre os mortos (Is 53.10,11) e, como Daniel havia previsto, ascendeu à direita de Deus (Dn 7.14; Mt 28.18), de onde virá para julgar os vivos e os mortos.

Depois desse exame dos ensinos do AT e NT, temos elementos para declarar a definição completa do título "Messias", a saber, aquele a quem Deus autorizou para salvar Israel e as nações do pecado e da morte, e para governar sobre eles como Senhor e Mestre. Pensadores judeus compreendem que essa afirmação implica divindade, se bem que para eles isso constitui um escândalo. Claude Montefiore, notável estudioso judeu, disse:

> Se eu pudesse crer que Jesus era Deus [i.e., divino], então obviamente ele seria meu Mestre. Porque o meu Mestre — o Mestre do judeu moderno — é, e só pode ser, Deus.

6. Filho de Davi (linhagem real)

Esse título é equivalente a "Messias", pois uma qualidade importante do Messias era sua descendência davídica.

a) A profecia. Como recompensa por sua fidelidade, foi prometida uma dinastia perpétua a Davi (2Sm 7.16), e foi dada uma soberania eterna sobre Israel à sua casa. Esta foi a aliança davídica ou a do trono. Data desse tempo a esperança de que, acontecesse o que acontecesse à nação, no tempo assinalado por Deus apareceria um rei pertencente ao trono e à linhagem de Davi. Em tempos de aflição, os profetas relembravam ao povo essa promessa, dizendo-lhe que a redenção de Israel, como também das nações, estava ligada à vinda de um grande Rei da casa de Davi (Jr 30.9; 23.5; Ez 34.23; Is 55.3,4; Sl 89.34-37).

Observemos particularmente Isaías 11.1, que pode ser traduzido da seguinte forma: "Um ramo surgirá do tronco de Jessé [pai de Davi], e das suas raízes brotará um renovo". Em Isaías 10.33,34, a Assíria, a cruel opressora de Israel, é comparada a um cedro cujo tronco nunca faz brotar renovos, mas apodrece lentamente. Uma vez cortada, essa árvore não tem futuro. Assim, descreve-se a sorte da Assíria, que desapareceu do palco da História muito tempo atrás. A casa de Davi, por outro lado, é comparada a uma árvore que terá novo crescimento do tronco deixado no solo. A profecia de Isaías é a seguinte: a nação judaica será quase destruída, e a casa de Davi cessará como casa real — será cortada junto à raiz. Entretanto, desse tronco sairá um renovo; das raízes desse tronco sairá um ramo — o Rei-Messias.

b) O cumprimento. Judá foi levado ao cativeiro, e desse cativeiro voltou sem rei, sem independência, para ficar subjugado, sucessivamente, pela Pérsia, Grécia, Egito, Síria e, depois de um breve período de independência, por Roma. Durante esses séculos de sujeição aos gentios, houve tempo de desalento, quando o povo voltava seu pensamento às glórias passadas do reino de Davi e exclamava como o salmista: "Ó Senhor, onde está o teu antigo amor, que com fidelidade juraste a Davi?" (Sl 89.49). Os judeus nunca perderam a esperança. Reunidos ao redor do fogo da profecia messiânica, eles fortaleciam o coração e esperavam pacientemente pelo Filho de Davi.

Não foram desapontados. Séculos depois de a casa de Davi haver cessado, um anjo apareceu a uma jovem judia e disse: "Você ficará grávida e dará à luz um filho, e lhe porá o nome de Jesus. Ele será grande e será chamado Filho do Altíssimo. O Senhor Deus lhe dará o trono de seu pai Davi, e ele reinará para sempre sobre o povo de Jacó; seu Reino jamais terá fim" (Lc 1.31-33; cp. com Is 9.6,7).

Assim, um libertador se levantou na casa de Davi. Numa época em que a casa de Davi parecia estar reduzida a seu estado mais decadente e quando os herdeiros vivos eram apenas um humilde carpinteiro e uma simples donzela, então, por miraculosa ação de Deus, o ramo brotou do tronco e cresceu, tornando-se uma poderosa árvore que tem provido proteção para um sem-número de povos e nações.

A substância da aliança davídica, conforme interpretada pelos inspirados profetas, é a seguinte: Deus desceria para salvar seu povo, no tempo em que haveria na terra um descendente da família de Davi, pelo qual o Senhor resgataria e posteriormente governaria o seu povo. O fato de Jesus ser esse Filho de Davi manifesta-se tanto pelo anúncio feito em seu nascimento e por suas genealogias (Mt 1 e Lc 3) quanto por ele ter aceitado esse título quando lhe foi atribuído (Mt 9.27; 20.30,31; 21.1-11) e pelo testemunho dos escritores do NT (At 13.23; Rm 1.3; 2Tm 2.8; Ap 5.5; 22.16).

No entanto, o título "Filho de Davi" não era uma descrição completa do Messias, porque acentuava principalmente sua descendência humana. Por isso, o povo, ao ignorar as Escrituras que falavam da natureza divina de Cristo, esperava um Messias humano que seria um segundo Davi. Em certa ocasião, Jesus procurou elevar os pensamentos dos chefes sobre esse conceito incompleto (Mt 22.42-46). "'O que vocês pensam a respeito do Cristo? De quem ele é filho?'. 'É filho de Davi', responderam eles" (Mt 22.42-46). Depois, Jesus, citando o salmo 110, perguntou: "O próprio Davi o chama 'Senhor'. Como pode, então, ser ele seu filho?" (Mc 12.37). Como pode o Senhor de Davi ser filho de Davi? — foi a pergunta que confundiu os fariseus. A resposta naturalmente é esta: o Messias é *tanto* Senhor *quanto* filho de Davi. Pelo milagre do nascimento virginal, Jesus nasceu de Deus e também de Maria. Portanto, ele era o Filho de Deus e o Filho do homem. Como Filho de Deus, ele é Senhor de Davi; como filho de Maria, ele é filho de Davi.

O AT registra duas grandes verdades messiânicas. Alguns trechos declaram que o Senhor mesmo virá do céu para resgatar seu povo (Is 40.10; 42.13; Sl 98.9); outros esclarecem que, da família de Davi, se levantaria um libertador. Essas duas vindas completam-se na aparição da pequena criança em Belém, a cidade de Davi. Foi assim que o Filho do Altíssimo nasceu como o filho de Davi (Lc 1.32).

Observemos como em Isaías 9.6,7 combinam-se a natureza divina e a descendência davídica do Rei vindouro. O título mencionado aqui — "Pai Eterno"— foi mal-interpretado por alguns, pois, com base nesse título, deduzem não haver Trindade, afirmando erroneamente que Jesus é o Pai, e que o Pai é Jesus.

Um conhecimento da linguagem do AT evitaria esse erro. Naqueles dias, um regente que governasse sábia e justamente era descrito como um "pai" para seu povo. Por isso, o Senhor, ao falar por meio de Isaías, diz, acerca de um oficial: "Ele será um pai para os habitantes de Jerusalém e para os moradores de Judá. Porei sobre os ombros dele a chave do reino de Davi" (Is 22.21,22). Observe a semelhança com Isaías 9.6,7 e compare com Apocalipse 3.7. Esse título foi aplicado a Davi, conforme se vê na aclamação do povo na entrada triunfal de Jesus em Jerusalém: "Bendito é o Reino vindouro de nosso *pai* Davi!" (Mc 11.10; grifo do autor). Eles não queriam dizer que Davi era ancestral deles, pois nem todos descendiam da família desse rei e, naturalmente, não o chamariam de Pai celestial. Davi é descrito como "pai" porque, como era o rei segundo o coração de Deus, foi o verdadeiro fundador do reino israelita (uma vez que Saul malogrou nesse intento), pois ampliou suas fronteiras de 9.600 para 96.000 quilômetros quadrados. De igual maneira, muitas vezes as pessoas referem-se a George Washington como o "Pai dos Estados Unidos da América".

O "pai" Davi era humano e morreu; seu reino foi terreno e, com o tempo, desintegrou-se. Mas, de acordo com Isaías 9.6,7, o descendente de Davi, o Rei-Messias, seria divino, e seu reino, eterno. Davi foi um "pai" temporário para seu povo; o Messias é o Pai *eterno* (imortal, divino, imutável), para todo o povo — assim destinado por Deus, o Pai (Sl 2.6-8; Lc 22.29).

7. Jesus (obra salvadora)

O AT ensina que Deus mesmo é a Fonte da salvação: ele é o Salvador e Libertador de Israel. "A salvação vem do Senhor." Ele livrou seu povo da servidão do Egito, e, daquele tempo em diante,

Israel soube por experiência que ele era o Salvador (Sl 106.21; Is 43.3,11; 45.15,22; Jr 14.8).

Deus, porém, atua por meio de seus agentes; portanto, lemos que ele salvou Israel por intermédio do misterioso "anjo da sua presença" (Is 63.9). Às vezes, instrumentos humanos foram usados; Moisés foi enviado para libertar Israel da servidão; de tempos em tempos, juízes foram levantados para socorrer Israel.

"Mas, quando chegou a plenitude do tempo, Deus enviou seu Filho, nascido de mulher, nascido debaixo da Lei, a fim de redimir os que estavam sob a Lei, para que recebêssemos a adoção de filhos" (Gl 4.4,5). Ao entrar no mundo, deu-se ao redentor o expressivo nome que descrevia sua missão suprema: "Você deverá dar-lhe o nome de Jesus, porque ele salvará o seu povo dos seus pecados" (Mt 1.21).

Os primeiros pregadores do evangelho não precisaram explicar aos judeus o significado do nome "Salvador"; eles já tinham aprendido a lição por sua própria história (At 3.26; 13.23). Os judeus entenderam que a mensagem do evangelho significava que, assim como Deus enviara Moisés para libertar Israel da escravidão do Egito, da mesma forma ele tinha enviado Jesus para resgatar o povo de seus pecados. Eles entenderam a mensagem, mas recusaram-se a crer.

Crucificado, Cristo cumpriu a missão indicada pelo seu nome, Jesus, pois salvar o povo de seus pecados implica expiação, e expiação implica morte. Como em sua morte, assim também durante sua vida ele viveu à altura de seu nome. Foi sempre o Salvador. Em toda a terra, muitos podiam testificar: "Eu estava preso pelo pecado, mas Jesus me libertou". Maria Madalena podia dizer: "Ele me libertou de sete demônios". Aquele que outrora fora paralítico também podia testificar: "Ele perdoou os meus pecados".

II. OS OFÍCIOS DE CRISTO

Na época do AT, havia três classes de mediadores entre Deus e seu povo: o profeta, o sacerdote e o rei. Cristo, como o perfeito mediador (1Tm 2.5), reúne em si mesmo os três ofícios: Jesus é o Cristo-Profeta, que ilumina as nações; o Cristo-Sacerdote, que se ofereceu como sacrifício pelas nações; e o Cristo-Rei, que reina sobre as nações.

1. Profeta

O profeta do AT era o representante ou agente de Deus na terra, que revelava sua vontade com relação ao presente e ao futuro. O testemunho dos profetas dizia que o Messias seria um profeta para iluminar Israel e as nações (Is 42.1; cf. Rm 15.8). Os Evangelhos também apresentam Jesus da mesma forma, como profeta (Mc 6.15; Jo 4.19; 6.14; 9.17; Mc 6.4; 1.27).

a) **Como profeta, Jesus pregou a salvação.** Os profetas de Israel exerciam seu ministério mais importante em tempos de crise, quando os governadores e demais estadistas e sacerdotes estavam confusos e impotentes para atuar. Era essa a hora em que o profeta entrava em ação e, com autoridade divina, mostrava o caminho para sair das dificuldades, dizendo: "Este é o caminho; siga-o" (Is 30.21).

O Senhor Jesus apareceu em um tempo quando a nação judaica se encontrava em um estado de inquietação causado pelo anelo de libertação nacional. A pregação de Cristo obrigou a nação a escolher, quanto à espécie de libertação: ou guerra com Roma ou paz com Deus. Eles escolheram mal e sofreram a desastrosa consequência, a destruição nacional (Lc 19.41-44; cf. Mt 26.52). Como seus antepassados desobedientes e rebeldes que, certa vez, tentaram em vão forçar seu caminho para Canaã (Nm 14.40-45), assim também os judeus, em 68 d.C., tentaram pela força conquistar sua libertação de Roma. A rebelião foi reprimida com sangue; Jerusalém e o templo foram destruídos, e o judeu errante começou sua dolorosa diáspora ao longo dos séculos.

O Senhor Jesus mostrou o caminho de escape do poder e da culpa do pecado não somente à nação, mas também ao indivíduo.

Aqueles que perguntaram "Que farei para ser salvo?" receberam instruções precisas, que sempre incluíam a ordem para segui-lo. Ele não somente mostrou o caminho da salvação por sua morte na cruz, mas também o abriu.

b) **Como profeta, Jesus anunciou o Reino.** Todos os profetas falaram de um tempo quando toda a humanidade estaria sob o domínio da lei de Deus — uma condição descrita como "o Reino de Deus". Esse era um dos temas principais da pregação de nosso Senhor: "Arrependam-se, pois o Reino dos céus [ou de Deus] está próximo" (Mt 4.17). Ele ampliou esse tema ao descrever a natureza do Reino, o estado e a qualidade de seus membros, as condições de ingresso nele, a história espiritual do Reino após a sua ascensão (Mt 13) e a maneira de seu estabelecimento na terra.

c) **Como profeta, Jesus predisse o futuro.** A profecia fundamenta-se no princípio de que a História não prossegue descontrola-damente, pois é controlada por Deus, que conhece o fim desde o princípio. Ele revelou o curso da História a seus profetas, capacitando-os, dessa maneira, a predizer o futuro. Como profeta, Cristo previu o triunfo de sua causa e de seu Reino mediante as mudanças da história humana (Mt 24 e 25).

O Cristo glorificado continua seu ministério profético por meio de seu corpo, a Igreja, à qual prometeu inspiração (Jo 14.26; 16.13), como também lhe concedeu o dom de profecia (1Co 12.10). Isso não significa que os cristãos devam acrescentar algo às Escrituras, que são uma revelação "de uma vez por todas" (Jd 3); mas, pela inspiração do Espírito, apresentarão mensagens de edificação, exortação e consolação (1Co 14.3), todas elas fundamentadas na Palavra.

2. Sacerdote

Sacerdote, no sentido bíblico, é uma pessoa divinamente consagrada para representar o homem diante de Deus e para oferecer sacrifícios que assegurarão o favor divino. "Todo sumo sacerdote é constituído para apresentar ofertas e sacrifícios, e por isso era necessário que também este tivesse algo a oferecer" (Hb 8.3). No Calvário, Cristo, o sacerdote, ofereceu-se a si mesmo, o sacrifício que asseguraria o perdão do homem e sua aceitação diante de Deus. Sua vida anterior a esse acontecimento foi uma preparação para sua obra sacerdotal. O Filho eterno participou de nossa natureza (Hb 2.14-16) e de nossas experiências porque não podia, de nenhuma outra maneira, representar o homem diante de Deus nem oferecer sacrifícios. Não podia socorrer a humanidade tentada sem saber por experiência o que era a tentação. Um sacerdote, portanto, devia ter a natureza humana. Um anjo, por exemplo, não podia ser sacerdote dos homens.

Veja o capítulo 16 de Levítico e os capítulos 8 a 10 de Hebreus. O sumo sacerdote de Israel era consagrado para representar o homem diante de Deus e para oferecer sacrifícios que assegurariam o perdão e a aceitação de Israel. Uma vez por ano, o sumo sacerdote fazia expiação por Israel; em um sentido típico, ele era o salvador deles, aquele que aparecia ante a presença de Deus para obter o perdão. As vítimas dos sacrifícios daquele dia eram imoladas no pátio exterior do templo; Cristo, da mesma maneira, foi crucificado aqui na terra. Depois, o sangue era levado ao Santo dos Santos e aspergido na presença de Deus; da mesma maneira, Jesus ascendeu ao céu "para agora se apresentar diante de Deus em nosso favor" (Hb 9.24). O fato de Deus aceitar o sangue de Cristo nos dá a certeza da aceitação de todos os que confiam em seu sacrifício.

Apesar de Cristo haver oferecido um sacrifício perfeito "de uma vez por todas", sua obra sacerdotal ainda continua. Ele vive para aplicar os méritos e o poder de sua obra expiatória perante Deus, a favor dos pecadores. O mesmo que morreu pelos homens agora vive para eles, para salvá-los e para interceder por eles. Quando oramos "em nome de Jesus", estamos pleiteando a obra expiatória de Cristo como a base da nossa aceitação, porque somente por ela temos a certeza de ser aceitos "gratuitamente no Amado" (Ef 1.6).

3. Rei

O Cristo-Sacerdote é também o Cristo-Rei. O plano de Deus para o governante perfeito foi o de que ambos os ofícios fossem investidos na mesma pessoa. Por isso, Melquisedeque, por ser tanto rei de Salém quanto sacerdote do Deus Altíssimo, veio a ser um tipo do rei perfeito de Deus, o Messias (Gn 14.18,19; Hb 7.1-3). Houve um período na história do povo hebreu quando esse ideal quase se realizou. Mais ou menos um século e meio antes do nascimento de Cristo, o país foi governado por uma sucessão de sumos sacerdotes que também eram governantes civis; o governante do país era tanto sacerdote quanto rei. Na Idade Média, o papa também reivindicou ter poder tanto espiritual quanto temporal sobre a Europa e tentou exercê-lo. Ele pretendia governar como representante de Cristo, segundo afirmava, tanto sobre a Igreja quanto sobre as nações. O doutor H. B. Swete escreveu: "As duas experiências, a judaica e a cristã, fracassaram; e, até onde se pode julgar por esses exemplos, nem os interesses temporais nem os espirituais dos homens são promovidos quando confiados ao mesmo representante. A dupla tarefa é grande demais para ser desempenhada por um só homem".

Contudo, os escritores inspirados falaram sobre a vinda de alguém que era digno de exercer essa dupla função. Esse era o Messias esperado, um governante e sacerdote segundo a ordem de Melquisedeque (Sl 110.1-4), um "sacerdote no trono" (Zc 6.13). Este é o Cristo glorificado (cp. Sl 110.1 com Hb 10.13).

O Messias, de acordo com as profecias do AT, seria um grande rei da casa de Davi que governaria Israel e as nações e, por meio do seu reino, seria anunciado o período áureo de justiça, paz e prosperidade (Is 11.1-9; Sl 72).

Jesus afirmou que ele era esse rei. Na presença de Pilatos, testificou que nasceu para ser rei; explicou que o seu reino não era deste mundo, isto é, não seria um reino fundado por força humana, nem seria governado de acordo com os ideais humanos (Jo 18.36). Jesus, antes de sua morte, predisse sua vinda com poder e majestade para julgar as nações (Mt 25.31). Mesmo pendurado na cruz, ele parecia rei e falava como rei, de modo que o ladrão moribundo percebeu esse fato e exclamou: "Jesus, lembra-te de mim quando entrares no teu Reino" (Lc 23.42). Ele compreendeu que a morte introduziria Jesus em seu Reino celestial.

Jesus, depois de sua ressurreição, declarou: "Foi-me dada toda a autoridade nos céus e na terra" (Mt 28.18). Depois de sua ascensão, ele foi coroado e entronizado com o Pai (Ap 3.21; cf. Ef 1.20-22). Isso significa que, diante de Deus, Jesus é Rei; ele não é somente Cabeça da Igreja, mas também Senhor de todo o mundo e Mestre dos homens. A terra e tudo o que nela há é dele. Somente dele são o poder e a glória desses resplandecentes reinos que Satanás, o tentador, havia muito tempo, mostrou-lhe do cume da montanha. Ele é Cristo, o Rei, Senhor do mundo, possuidor de suas riquezas e Mestre dos homens.

Do ponto de vista divino, tudo isso é fato consumado; mas nem todos os homens reconhecem o governo de Cristo. Apesar de Cristo ter sido ungido Rei de Israel (At 2.30), "os seus" (Jo 1.11) recusaram-lhe a soberania (Jo 19.15), e as nações seguem seu próprio caminho sem tomar conhecimento de seu governo.

Essa situação foi prevista e predita por Cristo na parábola das minas (Lc 19.12-25). Naqueles dias, quando um governante nacional herdava um reino, o costume determinava que ele primeiramente fosse a Roma a fim de recebê-lo do imperador. Depois disso, estava livre para regressar e assumir o governo. Assim, Cristo compara a si mesmo a certo nobre que foi a um país longínquo para receber um reino e depois regressou. Jesus veio do céu à terra, ganhou exaltação e soberania por sua morte expiatória pelos homens e depois ascendeu ao trono do Pai para receber a coroa e o seu governo. "Mas os seus súditos o odiavam e por isso enviaram uma delegação para lhe dizer: 'Não queremos que este homem seja nosso rei' " (Lc 19.14). Israel igualmente rejeitou Jesus como rei. O nobre da parábola, por saber que estaria ausente por algum tempo, confiou a seus servos certas tarefas; Cristo, da mesma maneira, ao prever que haveria de transcorrer um período de tempo entre sua primeira e segunda vindas, incumbiu seus servos da tarefa de proclamar seu Reino e ganhar membros para ele, batizando-os em nome do Pai, do Filho e do Espírito Santo. Finalmente, o nobre, após receber o reino, regressou à sua terra, recompensou seus servos, afirmou sua soberania e puniu os inimigos. Da mesma forma, Cristo regressará ao mundo e recompensará seus servos, afirmará sua soberania sobre o mundo e punirá os ímpios. Esse é o tema central do livro de Apocalipse (Ap 11.15; 12.10; 19.16).

Nessa ocasião, ele se assentará no trono de Davi e continuará de lá o Reino do Filho de Davi, um período de mil anos em que a terra toda desfrutará de um reino áureo de paz e abundância. Toda esfera de atividade humana estará sob o domínio de Cristo; a impiedade será suprimida com vara de ferro; Satanás será preso, e a terra ficará cheia do conhecimento e da glória de Deus, "como as águas cobrem o mar" (Is 11.9).

III. A OBRA DE CRISTO

Cristo realizou muitas obras, porém *a* obra suprema que ele consumou foi a de morrer pelos pecados do mundo (Mt 1.21; Jo 1.29). Essa obra expiatória abrange sua morte, ressurreição e ascensão. Não apenas ele devia morrer por nós, mas também viver por nós. Não somente ele devia ressuscitar por nós, mas também ascender para interceder por nós diante de Deus (Rm 8.34; 4.25; 5.10).

1. Sua morte

a) Sua importância. O evento mais importante e a doutrina central do NT resumem-se nas seguintes palavras: "Cristo morreu [o evento] pelos nossos pecados [a doutrina]" (1Co 15.3). A morte expiatória de Cristo é o fato que caracteriza a religião cristã. Martinho Lutero declarou que a doutrina cristã distingue-se de qualquer outra e, em especial, daquela que apenas parece ser cristã, pelo fato de ela ser a doutrina da cruz. Todas as batalhas da Reforma travaram-se em torno da interpretação correta da cruz. O ensino dos reformadores era este: quem compreende perfeitamente a cruz compreende Cristo e a Bíblia!

Essa característica singular dos Evangelhos é que faz do cristianismo *a* religião; pois *o* problema da humanidade é o problema do pecado, e a religião que apresenta uma perfeita provisão para o resgate do poder e da culpa do pecado tem um propósito divino. Jesus é o autor da "salvação eterna" (Hb 5.9), isto é, da salvação final. Tudo quanto a salvação possa significar é assegurado por ele.

b) Seu significado. Havia um relacionamento verdadeiro entre o homem e seu Criador. Algo sucedeu que interrompeu esse relacionamento. Não somente o homem está distante de Deus e seu caráter foi maculado, mas também existe um obstáculo tão grande no caminho que o homem não pode removê-lo por seus próprios esforços. Esse obstáculo é o pecado, ou melhor, a culpa, que significa o pecado que Deus credita ao pecador.

O homem não pode remover esse obstáculo, e a libertação terá de vir da parte de Deus. Para isso, Deus teria de tomar a iniciativa de salvar o homem, o que é testificado pelas Escrituras. Ele enviou seu Filho do céu à terra para remover esse obstáculo do pecado e, dessa maneira, tornou possível a reconciliação dos homens com Deus. Ao morrer por nossos pecados, Jesus removeu a barreira; suportou o que deveríamos ter suportado; realizou por nós o que estávamos impossibilitados de fazer por nós mesmos. Ele fez tudo isso porque era a vontade do Pai. Essa é a essência da expiação de Cristo.

Levando-se em conta a importância suprema desse assunto, ele será abordado mais pormenorizadamente em outro capítulo à parte.

2. Sua ressurreição

a) O fato. A ressurreição de Cristo é *o* milagre do cristianismo. Uma vez que se estabelece a realidade desse evento, torna-se desnecessário procurar provar os demais milagres dos Evangelhos. Ademais, esse é o milagre que sustenta a fé cristã ou a derruba, em razão de o cristianismo ser uma religião histórica que baseia seus ensinos em eventos definidos que ocorreram na Palestina há mais de dois mil anos. Esses eventos são o nascimento e o ministério de Jesus Cristo, culminando em sua morte, sepultamento e ressurreição. Dentre eles, a ressurreição é a pedra angular, pois, se Cristo não tivesse ressuscitado, não seria o que ele próprio afirmou ser e sua morte não seria expiatória. Se Cristo não houvesse ressuscitado, os cristãos teriam sido enganados durante séculos, os pregadores estariam proclamando um erro e os fiéis teriam sido enganados por uma falsa esperança de salvação. Mas graças a Deus que, em vez de dúvida, podemos, após a exposição dessa doutrina, exclamar: "Mas de fato Cristo ressuscitou dentre os mortos, sendo ele as primícias dentre aqueles que dormiram" (1Co 15.20).

b) A evidência. "Vocês, cristãos, vivem na fragrância de um túmulo vazio", disse um cético francês. O fato é que aqueles que foram embalsamar o corpo de Jesus na memorável manhã da ressurreição encontraram seu túmulo vazio. Isso nunca foi nem pode ser explicado, a não ser pela ressurreição de Jesus! Quão facilmente os judeus poderiam ter refutado o testemunho dos primeiros pregadores se tivessem exibido o corpo do nosso Senhor! Mas não o fizeram — porque não o puderam fazer!

Como explicar a própria existência e origem da igreja cristã, que certamente teria permanecido sepultada junto com seu Senhor se ele não tivesse ressuscitado? A igreja viva e radiante do dia de Pentecoste não nasceu de um dirigente morto!

Que faremos com o testemunho daqueles que viram Jesus depois de sua ressurreição, muitos dos quais o tocaram, falaram e comeram com ele? Com as centenas de pessoas que, conforme Paulo afirmou, estavam vivas naqueles dias, muitas das quais apresentam seu testemunho inspirado no NT?

Como receberemos o testemunho de homens demasiado honestos e sinceros para pregar uma mensagem propositadamente falsa, homens que tudo sacrificaram por essa mensagem?

Como explicaremos a conversão de Paulo de Tarso, o perseguidor do cristianismo, que se tornou um de seus maiores apóstolos e missionários, a não ser pelo fato de ele realmente ter visto Jesus no caminho de Damasco?

Há somente uma resposta satisfatória a essas perguntas: *Cristo ressuscitou*!

Muitas tentativas já foram feitas para invalidar esse fato. Os chefes dos judeus asseveraram que os discípulos de Jesus haviam roubado seu corpo. Mas isso não explica como um pequeno grupo de discípulos tímidos e desanimados pôde reunir coragem suficiente para arrebatar dos endurecidos soldados romanos o corpo de seu Mestre, cuja morte significava para eles o fracasso completo de suas esperanças!

Os estudiosos modernos também apresentam estas explicações: 1) "Os discípulos simplesmente tiveram uma visão." Então perguntamos: como centenas de pessoas podiam ter a mesma visão e imaginar, a um só tempo, que realmente viam Cristo? 2) "Jesus realmente não morreu, ele simplesmente desmaiou e ainda estava vivo quando o tiraram da cruz." A isso objetamos: então um Jesus pálido e exausto, decaído e abatido podia persuadir os discípulos, cheios de dúvidas, e sobretudo um Tomé, de que ele era o Senhor da vida que ressuscitara?

Essas explicações são tão inconsistentes que por si mesmas se refutam. Novamente afirmamos: *Cristo ressuscitou*! De Wette, teólogo liberal, afirmou que "a ressurreição de Jesus Cristo é um fato tão bem comprovado quanto o fato histórico do assassinato de Júlio César".

c) O significado. A ressurreição significa que Jesus é tudo quanto ele afirmou ser: Filho de Deus, Salvador e Senhor (Rm 1.4). A resposta do mundo às afirmações de Jesus foi a cruz; a resposta de Deus, entretanto, foi a ressurreição.

A ressurreição significa que a morte expiatória de Cristo foi uma realidade e que o homem pode encontrar o perdão dos seus pecados e, assim, ter paz com Deus (Rm 4.25). Ela é realmente a consumação da morte expiatória de Cristo. Como sabemos que não foi uma morte comum e que realmente ela tira o pecado? Porque *ele ressuscitou*!

A ressurreição significa que temos um sumo sacerdote no céu que se compadece de nós, que viveu a nossa vida, que conhece nossas tristezas e fraquezas e que é poderoso para nos dar poder para diariamente vivermos a vida de Cristo. Jesus, que morreu por nós, agora vive por nós (Rm 8.34; Hb 7.25). Significa que podemos saber que há uma vida vindoura. Uma objeção comum a essa verdade é: "Mas ninguém jamais voltou para falar-nos do outro mundo". No entanto, alguém voltou — e esse alguém é Jesus Cristo! "Se um homem morrer, tornará a viver?" A essa pergunta antiga a ciência somente pode dizer: "Não sei". A filosofia apenas diz: "Deve haver uma vida futura". Contudo, o cristianismo afirma: "Porque ele vive, nós também viveremos; porque ele ressuscitou dos mortos, também todos ressuscitaremos!".

A ressurreição de Cristo não somente constitui a prova da imortalidade, mas também a certeza da imortalidade pessoal (1Ts 4.14; 2Co 4.14; Jo 14.19). Isso significa que há certeza de juízo futuro. Como disse o inspirado apóstolo, Deus "estabeleceu um dia em que há de julgar o mundo com justiça, por meio do homem que designou. E deu provas disso a todos, ressuscitando-o dentre os mortos" (At 17.31).

Tão certo como Jesus ressuscitou dos mortos para ser o juiz dos homens, assim os homens ressuscitarão também da morte para serem julgados por ele.

3. Sua ascensão

Os Evangelhos, o livro dos Atos dos Apóstolos e as cartas do NT dão testemunho da ascensão de Cristo. Qual o significado desse fato histórico? Quais as doutrinas que nele se fundamentam? Quais seus valores práticos?

A ascensão ensina o que nosso Mestre é para nós.

a) **O Cristo celestial.** Jesus deixou o mundo porque havia chegado o tempo de regressar ao Pai. Sua partida foi uma "subida", assim como sua entrada ao mundo havia sido uma "descida". Ele, que desceu, agora subiu para onde estava antes. Assim como sua entrada no mundo foi sobrenatural, também o foi sua partida.

Consideremos como se deu sua partida. Suas aparições e desaparições depois da ressurreição foram instantâneas; a ascensão foi, no entanto, gradual — "eles olhavam" (At 1.9). Não foi seguida por novas aparições, nas quais o Senhor surgiu em pessoa para comer e beber com eles; as aparições desse tipo terminaram com sua ascensão. Sua retirada da vida terrena, que pertence aos homens deste lado da sepultura, foi de uma vez por todas. Dessa hora em diante, os discípulos não deveriam pensar nele como o "Cristo encarnado", isto é, o que vive uma vida terrena, e sim como o Cristo glorificado, o que vive uma vida celestial na presença de Deus e tem contato com eles por meio do Espírito Santo. Antes da ascensão, o Mestre aparecia, desaparecia e reaparecia de tempos em tempos para fazer que, paulatinamente, os discípulos perdessem a necessidade de um contato visual e terreno com ele, a fim de acostumá-los a uma comunhão espiritual e invisível com ele.

Desse modo, a ascensão vem a ser a linha divisória entre dois períodos da vida de Cristo: do nascimento até a ressurreição, ele é o Cristo da história humana, aquele que viveu uma vida humana perfeita sob condições terrenas; desde a ascensão, ele é o Cristo da experiência espiritual, que vive no céu e tem contato com os homens por meio do Espírito Santo.

b) O Cristo exaltado. Certa passagem afirma que Cristo "subiu" (Ef 4.8-10), e outra diz que foi "elevado aos céus" (At 1.2). A primeira representa Cristo entrando na presença do Pai por sua própria vontade e direito, e a segunda acentua a ação do Pai pela qual ele foi exaltado em recompensa por sua obediência até a morte.

Sua lenta ascensão diante dos olhares dos discípulos trouxe-lhes a compreensão de que Jesus estava deixando sua vida terrena e os fez testemunhas oculares de sua partida. Mas, uma vez fora do alcance de sua vista, a jornada foi consumada por um ato da vontade. O doutor Swete comenta esse fato:

> Naquele momento, toda a glória de Deus brilhou em seu derredor, e ele estava no céu. A cena não lhe era inteiramente nova; na profundidade de seu conhecimento divino, o Filho do homem guardava lembranças das glórias que, em sua vida anterior à encarnação, desfrutava com o Pai "antes que o mundo existisse" (Jo 17.5). Contudo, a alma humana de Cristo, até o momento da ascensão, não experimentara a plena visão de Deus que transbordou sobre ele ao ser elevado aos céus. Esse foi o alvo de sua vida humana, a alegria que lhe estava proposta (Hb 12.2), o qual foi alcançado no momento da ascensão.

Foi em vista de sua ascensão e exaltação que Cristo declarou: "Foi-me dada toda a autoridade nos céus e na terra" (Mt 28.18; cf. Ef 1.20-23; 1Pe 3.22; Fp 2.9-11; Ap 5.12). Citemos mais uma vez o doutor Swete:

> Nada se faz nesse grandioso mundo desconhecido, que chamamos de céus, sem sua iniciativa, direção e autoridade determinante. Processos incompreensíveis de nossa mente realizam-se no outro lado do véu, por meios divinos igualmente incompreensíveis. Basta que a Igreja compreenda que tudo que se opera ali é feito pela autoridade de seu Senhor.

c) O Cristo soberano. Cristo ascendeu a um lugar de autoridade sobre todas as criaturas. "O cabeça de todo homem é Cristo"

(1Co 11.3), "o Cabeça de todo poder e autoridade" (Cl 2.10); todas as autoridades do mundo invisível, assim como as do mundo dos homens, estão sob seu domínio (1Pe 3.22; Rm 14.9; Fp 2.10, 11). Ele possui essa soberania universal para ser exercida para o bem da Igreja, que é seu corpo; Deus "colocou todas as coisas debaixo de seus pés e o designou cabeça de todas as coisas para a igreja" (Ef 1.22). Em um sentido muito especial, portanto, Cristo é o Cabeça da Igreja. Essa autoridade se manifesta de duas maneiras:

1. Pela autoridade exercida por ele sobre os membros da Igreja. Paulo usou a relação matrimonial como ilustração da relação entre Cristo e a Igreja (Ef 5.22-33). Como a Igreja vive em sujeição a Cristo, assim também a mulher deve estar sujeita a seu marido; como Cristo amou a Igreja e a si mesmo se entregou por ela, assim também o marido deve exercer sua autoridade no espírito de amor e autossacrifício. A obediência da Igreja a Cristo é uma submissão voluntária; a esposa, da mesma maneira, deve ser obediente não só por questão de consciência, mas por amor e reverência.

   Para os cristãos, o matrimônio tornou-se um "mistério" (uma verdade com significado divino), porque revela a união espiritual entre Cristo e sua Igreja; "autoridade da parte de Cristo, subordinação da parte da Igreja, amor de ambos os lados — amor retribuindo amor, para ser coroado pela plenitude da alegria, quando essa união for consumada na vinda do Senhor" (Swete).

   Uma característica proeminente da igreja primitiva era a atitude de amorosa submissão a Cristo. "Jesus é Senhor" não era somente a declaração do credo, mas também uma regra de vida.

2. O Cristo assunto aos céus não é somente o poder que dirige e governa a Igreja, mas também a fonte de sua vida e poder. O que a videira é para o ramo, o que a cabeça é para o corpo, assim é o Cristo vivo para sua Igreja. Apesar de estar no céu,

o Cabeça da Igreja, Cristo, está na mais íntima união com seu corpo na terra, e o Espírito Santo é o vínculo entre eles (Ef 4.15,16; Cl 2.19).

d) **O Cristo que prepara o caminho.** A separação entre Cristo e sua Igreja na terra, separação ocasionada pela ascensão, não é permanente. Ele subiu como precursor, para preparar o caminho para aqueles que o seguem. Sua promessa foi: "e, onde estou, o meu servo também estará" (Jo 12.26). O termo "precursor" é primeiramente aplicado a João Batista, aquele que prepararia o caminho de Cristo (Lc 1.76). Como João preparou o caminho para Cristo, assim também o Cristo ressurreto prepara o caminho para a Igreja. Essa esperança é comparada a uma "âncora da alma, firme e segura, a qual adentra o santuário interior, por trás do véu, onde Jesus, que nos precedeu, entrou em nosso lugar" (Hb 6.19,20). Ainda que agitada pelas ondas das provações e das adversidades, a alma do crente fiel não pode naufragar enquanto sua esperança estiver firmemente segura nas realidades celestiais. Em sentido espiritual, a Igreja já está seguindo o Cristo glorificado; e "com ele nos fez assentar nos lugares celestiais em Cristo Jesus" (Ef 2.6). Por meio do Espírito Santo, os crentes, espiritualmente, no coração, já seguem seu Senhor ressuscitado. Entretanto, haverá uma ascensão literal como a ascensão de Cristo (1Ts 4.17; 1Co 15.52). Essa esperança dos crentes não é uma ilusão, porque eles já sentem o poder de atração do Cristo glorificado (1Pe 1.8). Com essa esperança, Jesus confortou seus discípulos antes de sua partida (Jo 14.1-3). "Consolem-se uns aos outros com essas palavras" (1Ts 4.18).

e) **O Cristo intercessor.** Em virtude de ter assumido nossa natureza e ter morrido por nossos pecados, Jesus é o mediador entre Deus e os homens (1Tm 2.5). Mas o mediador é também um intercessor, e a intercessão é mais que mediação. Um mediador pode reunir duas partes e depois deixá-las a si mesmas para que resolvam suas dificuldades; um intercessor, porém, diz alguma coisa a favor da pessoa pela qual se interessa. A intercessão é um ministério importante do Cristo que ascendeu aos céus (Rm 8.34). A intercessão forma o apogeu das suas atividades salvadoras. Ele morreu por nós, ressuscitou por nós, ascendeu por nós e intercede por nós (Rm 8.34). Nossa esperança não está em um Cristo morto, mas em um Cristo que vive; e não somente em um Cristo que vive, mas que vive e reina com Deus. O sacerdócio de Cristo é eterno, portanto sua intercessão é permanente.

> "Portanto, ele é capaz de salvar definitivamente" (Hb 7.25; "salvar perfeitamente" [*ARC*]) em toda causa cuja defesa ele pleiteia, assegurando, desse modo, àqueles que se chegam a Deus, por sua mediação, a completa restauração ao favor e à bênção divinos. Realmente, esse é todo o propósito de sua vida no céu, pois ele vive sempre para interceder pelos seus. Enquanto o mundo existir, não pode haver interrupção de sua obra intercessora [...] porque a intercessão do Cristo que ascendeu aos céus não é apenas uma oração, mas uma *vida*. O NT não o apresenta como um suplicante constantemente presente perante o Pai, de braços estendidos e aos prantos, coberto em lágrimas, rogando por nossa causa diante de Deus como se fora um Deus relutante, mas o apresenta como um Sacerdote-Rei entronizado, pedindo o que deseja a um Pai que sempre o ouve e concede sua petição" (Swete).

Quais são as principais petições de Cristo em seu ministério intercessor? A oração do capítulo 17 de João sugere a resposta.

Semelhante ao ofício de mediador é o de advogado (no grego, "paracleto"; 1Jo 2.1). Advogado ou paracleto é aquele que é chamado a ajudar uma pessoa angustiada ou necessitada, para confortá-la ou dar-lhe conselho e proteção. Esse foi o relacionamento do Senhor com seus discípulos durante os dias de sua carne. Mas o Cristo que ascendeu aos céus também está interessado no problema do pecado. Como mediador, ele obtém acesso à presença de Deus para nós; como intercessor, ele apresenta nossas petições perante Deus; como advogado, ele enfrenta as acusações feitas contra nós pelo "acusador dos nossos irmãos" (Ap 12.10), na questão do pecado. Para os verdadeiros cristãos, uma vida habitual de pecado não é admissível (1Jo 3.6); atos isolados de pecado, porém, podem acontecer aos melhores cristãos, e essas ocasiões exigem a atuação de Cristo como advogado. Em 1João 2.1,2, estão expostas três considerações que dão força à sua intercessão: primeiro, ele está "junto ao Pai", na presença de Deus; segundo, ele é "o Justo" e, portanto, pode ser a expiação por nós; terceiro, ele é "propiciação pelos nossos pecados", isto é, um sacrifício que assegura o favor de Deus, pois efetua a expiação pelo pecado.

f) **O Cristo onipresente** (Jo 14.12). Enquanto estava na terra, Cristo necessariamente limitava-se a estar em um lugar de cada vez e, desse modo, não podia estar em contato com todos seus discípulos o tempo todo. Mas, ao ascender ao lugar de onde procede a força motriz do Universo, foi-lhe possível enviar seu poder e sua personalidade divina o tempo todo, a todo lugar e a todos os seus discípulos. A ascensão ao trono de Deus deu-lhe não somente onipotência (Mt 28.18), mas também onipresença, cumprindo-se assim a promessa: "Pois onde se reunirem dois ou três em meu nome, ali eu estou no meio deles" (Mt 18.20).

g) **Conclusão: os valores da ascensão.** Quais são os valores práticos da doutrina da ascensão? 1) O reconhecimento do Cristo glorificado, a quem esperamos ver brevemente, é um incentivo à santidade (Cl 3.1-4). O olhar para cima vencerá a ação das coisas do mundo. 2) O conhecimento da ascensão proporciona um conceito correto da Igreja. A crença em um Cristo meramente humano levaria o povo a considerar a Igreja uma sociedade meramente humana, realmente útil para os propósitos filantrópicos e morais, porém destituída de poder e autoridade sobrenaturais. Por outro lado, um conhecimento do Cristo que ascendeu aos céus resultará no reconhecimento da Igreja como um organismo, um organismo sobrenatural cuja vida divina emana da cabeça — o Cristo ressuscitado. 3) O reconhecimento do Cristo glorificado produzirá uma atitude correta para com o mundo e as coisas do mundo. "A nossa cidadania, porém, está nos céus, de onde esperamos ansiosamente o Salvador, o Senhor Jesus Cristo" (Fp 3.20). 4) A fé no Cristo que ascendeu aos céus inspira um profundo sentimento de responsabilidade pessoal. Tal fé subentende o reconhecimento de que, naquele dia, teremos de prestar contas a ele mesmo (Rm 14.7-9; 2Co 5.9,10). O senso de responsabilidade para com um Mestre que está nos céus atua como um freio contra o pecado e serve de incentivo para a retidão (Ef 6.9). 5) Junto com a fé no Cristo ressurreto, temos a bendita e alegre esperança de seu regresso: "E se eu for e lhes preparar lugar, voltarei e os levarei para mim, para que vocês estejam onde eu estiver" (Jo 14.3).

7

A expiação

"Sobre a vida que não vivi;
Sobre a morte que não morri;
Sobre a morte de outro, a vida de outro,
Minha alma arrisco eternamente."

ESBOÇO

I. A EXPIAÇÃO NO ANTIGO TESTAMENTO

1. A origem do sacrifício
   a. Ordenado no céu
   b. Instituído na terra
2. A natureza do sacrifício
3. A eficácia do sacrifício
   a. Os sacrifícios do AT eram bons
   b. O sacrifício único do NT é melhor

II. A EXPIAÇÃO NO NOVO TESTAMENTO

1. A expiação
2. A necessidade da expiação
   a. A santidade de Deus
   b. A pecabilidade do homem
   c. A ira
   d. A expiação
3. A natureza da expiação
   a. Expiação
   b. Propiciação
   c. Substituição
   d. Redenção
   e. Reconciliação
4. A eficácia da expiação
   a. Perdão da transgressão
   b. Libertação do pecado
   c. Libertação da morte
   d. O dom da vida eterna
   e. A vida vitoriosa

I. A EXPIAÇÃO NO ANTIGO TESTAMENTO

Por que gastar tempo e espaço para descrever os sacrifícios do AT? Pela simples razão de que temos a chave para o significado da morte de Cristo na palavra "sacrifício". Muitas teorias modernas têm surgido para explicar essa morte, mas qualquer explicação que deixe de fora o elemento da expiação é antibíblica, porque nada é mais assinalado no NT do que o uso de termos sacrificiais para expor a morte de Cristo. Descrevê-lo como "o Cordeiro de Deus", dizer que seu sangue purifica o pecado e compra a redenção, ensinar que ele morreu por nossos pecados — tudo isso é o mesmo que dizer que a morte de Jesus foi um verdadeiro sacrifício pelo pecado.

Como a morte de Jesus é descrita em linguagem que lembra os sacrifícios do AT, um conhecimento dos termos sacrificiais será de grande benefício para sua interpretação. Porque os sacrifícios (além de proverem um ritual de adoração para os israelitas) eram sinais ("tipos") proféticos que apontavam para o sacrifício perfeito. Por conseguinte, um claro entendimento do sinal conduzirá a um melhor conhecimento daquele que foi sacrificado. Esses sacrifícios não somente eram proféticos em relação a Cristo, mas também serviam para preparar o povo de Deus para a dispensação maior que seria introduzida com a vinda de Cristo. Quando os primeiros pregadores do evangelho declararam que Jesus era o Cordeiro de Deus cujo sangue comprara a redenção dos pecados, não precisaram definir esses termos para os seus compatriotas, pois estavam familiarizados com eles.

Nós, entretanto, que vivemos milhares de anos depois desses eventos e que não fomos educados no ritual mosaico, necessitamos estudar a cartilha, por assim dizer, pela qual Israel aprendeu a soletrar a grande mensagem: redenção, mediante o sacrifício expiatório. Tal é a justificativa para esta seção sobre a origem, história, natureza e eficácia do sacrifício do AT.

1. A origem do sacrifício

a) Ordenado no céu. A expiação não foi um pensamento de última hora da parte de Deus. A queda do homem não apanhou Deus de surpresa, a ponto de necessitar tomar rápidas providências para remediá-la. Antes da criação do mundo, Deus, que conhece o fim desde o princípio, proveu um meio para a redenção do homem. Como uma máquina é concebida na mente do inventor antes de ser construída, assim a expiação estava na mente e no propósito de Deus antes de seu cumprimento. Essa verdade é afirmada pelas

Escrituras. Jesus é descrito como "Cordeiro que foi morto desde a criação do mundo" (Ap 13.8). O cordeiro pascal era *preordenado* vários dias antes de ser sacrificado (Êx 12.3,6); assim também Cristo, o Cordeiro "sem mancha e sem defeito, conhecido antes da criação do mundo, revelado nestes últimos tempos em favor de vocês" (1Pe 1.19,20). Ele comprou para o homem a vida eterna, que Deus "prometeu antes dos tempos eternos" (Tt 1.2). Decretou-se "antes da criação do mundo" (Ef 1.4) que haveria um grupo de pessoas santificadas por esse sacrifício. Pedro disse aos judeus que, apesar de em ignorância, terem crucificado Cristo "com a ajuda de homens perversos", sem dúvida haviam cumprido o plano eterno de Deus, pois Cristo "lhes foi entregue por propósito determinado e pré-conhecimento de Deus" (At 2.23).

É evidente, portanto, que o cristianismo não é uma religião nova que começou há dois mil anos, mas sim a manifestação histórica de um propósito eterno.

b) Instituído na terra. Como centenas de anos haveriam de passar antes da consumação do sacrifício, o que o homem pecador deveria fazer? Desde o princípio, Deus ordenou uma instituição que prefigurasse o sacrifício e que fosse também um meio de graça para os arrependidos e crentes. Referimo-nos ao sacrifício de animais, uma das mais antigas instituições humanas.

A primeira menção de um animal imolado ocorre no capítulo 3 de Gênesis. Depois que pecaram, nossos primeiros pais se tornaram conscientes da nudez física — o que era uma indicação exterior da nudez da consciência. Seus esforços para se cobrir exteriormente com folhas e interiormente com desculpas foram vãos. Lemos, depois, que o Senhor Deus tomou peles de animais e os cobriu. Apesar de o relato não declarar em palavras que tal providência fosse um sacrifício, sem dúvida, quando se medita no significado espiritual do ato, não se pode evitar a conclusão de que temos aqui uma revelação de Deus, o redentor, fazendo provisão para redimir o homem. Vemos uma criatura inocente morrer para que o culpado seja coberto; esse é o propósito principal do sacrifício — uma cobertura divinamente provida para uma consciência culpada. O primeiro livro da Bíblia descreve uma vítima inocente morrendo pelo culpado, e o último livro da Bíblia fala do Cordeiro sem mancha, imolado, para livrar os culpados de seus pecados (Ap 5.6-10).

2. A natureza do sacrifício

Essa instituição primeira do sacrifício muito provavelmente explica por que a adoração sacrificial tem sido praticada em todas as épocas e em todos os países. Embora sejam perversões do modelo original, os sacrifícios pagãos fundamentam-se em duas ideias essenciais: adoração e expiação. 1) O homem reconhece que está debaixo do poder de uma divindade que tem certos direitos sobre ele. Como reconhecimento desses direitos e sinal de sua submissão, ele oferece uma dádiva ou um sacrifício. 2) Entretanto, com frequência torna-se consciente de que o pecado perturba o relacionamento; assim, instintivamente reconhece que o mesmo Deus que o fez tem o direito de destruí-lo, a não ser que algo seja feito para restaurar o relacionamento interrompido. Uma das crenças mais profundas e firmes da Antiguidade era que a imolação de uma vítima e o derramamento de seu sangue afastariam a ira divina e assegurariam o favor de Deus. Mas como aprenderam isso? Paulo afirma que houve um tempo quando conheciam Deus (Rm 1.21). Assim como o homem decaído leva as marcas da origem divina, também os sacrifícios pagãos apresentam algumas marcas da primeira revelação divina.

Depois da confusão de línguas (Gn 11.1-9), os descendentes de Noé espalharam-se por toda parte, levando com eles o verdadeiro conhecimento de Deus, pois até aquela época não havia registro de idolatria. O que ocorreu no transcurso do tempo é brevemente descrito em Romanos 1.19-32. As nações se afastaram da adoração pura de Deus e logo perderam de vista sua gloriosa divindade. O resultado foi a cegueira espiritual. Em lugar de ver Deus por meio dos corpos celestes, os homens começaram a adorar esses corpos como divindades; em vez de ver o Criador por meio das árvores e dos animais, começaram a adorá-los como deuses; em vez de reconhecer que o homem foi feito à imagem de Deus, começaram a fazer um deus à imagem do homem. Desse modo, a cegueira espiritual conduziu à idolatria. A idolatria não era meramente uma questão intelectual; a adoração da natureza, a base da maioria das religiões pagãs, conduziu o homem a endeusar suas próprias cobiças, e o resultado foi a corrupção moral.

Contudo, apesar dessa perversão, havia na adoração do homem leves indícios que indicavam ter existido um tempo quando ele entendia melhor as coisas. Por trás das idolatrias do Egito, Índia e China, descobre-se uma crença em um Deus verdadeiro, o Espírito eterno que fez todas as coisas.

Quando a treva espiritual cobriu as nações, como a corrupção moral cobrira o mundo antediluviano, Deus começou tudo de novo com Abraão, assim como fizera previamente com Noé. O plano de Deus era tornar Abraão o pai de uma nação que restauraria ao mundo a luz do conhecimento e a glória de Deus. No monte Sinai, Israel foi separado das nações, para tornar-se uma "nação santa". Para dirigi-los na vida de santidade, Deus lhes deu um código de leis que governaria a vida moral, nacional e religiosa. Entre essas leis, estavam as do sacrifício (Lv 1—7), que ensinavam à nação a maneira correta de aproximar-se de Deus e adorá-lo. As nações tinham uma adoração deturpada; Deus restaurou em Israel a adoração pura.

Os sacrifícios mosaicos eram meios pelos quais os israelitas rendiam ao seu Criador a primeira obrigação do homem, a saber, a adoração. Tais sacrifícios eram oferecidos com o objetivo de alcançar comunhão com Deus e remover todos os obstáculos que impediam essa comunhão. Por exemplo, se o israelita pecasse e, dessa maneira, perturbasse a relação entre ele e Deus, traria uma oferta pelo pecado: o sacrifício de expiação. Ou, se tivesse ofendido ao seu próximo, traria uma oferta pela culpa: o sacrifício de restituição (Lv 6.1-7). Depois que estava em paz com Deus e com os homens e desejava consagrar-se novamente, oferecia uma oferta queimada (holocausto): o sacrifício de adoração (Lv 1). Assim, ficava pronto para desfrutar de uma feliz comunhão com Deus, que o perdoara e o aceitara; portanto, ele apresentava uma oferta de paz: o sacrifício de comunhão (Lv 3).

O propósito desses sacrifícios cruentos cumpre-se em Cristo, o sacrifício perfeito. Sua morte é descrita como morte pelo pecado, como o ato de tornar-se pecado (2Co 5.21). Deus ofertou a alma de Cristo pela culpa do pecado (essa é a tradução literal de Is 53.10); ele pagou a dívida que não podíamos pagar, como também apagou o passado que não podíamos desfazer. Cristo é a nossa oferta queimada (holocausto), porque sua morte é considerada um ato de perfeito oferecimento próprio (Hb 9.15; Ef 5.2). Ele é a nossa oferta de paz, porque ele mesmo descreveu sua morte como um meio para nos tornar participantes da vida divina, ter comunhão com ela (Jo 6.53,56; cf. Lv 7.15,20).

3. A eficácia do sacrifício

Até que ponto os sacrifícios do AT foram eficazes? Asseguravam realmente perdão e pureza? Que benefícios eles asseguravam para o ofertante? Essas perguntas são realmente importantes, porque, ao comparar e contrastar os sacrifícios levíticos com o sacrifício de Cristo, poderemos compreender melhor a eficácia e finalidade do último.

Esse tema é tratado na carta aos Hebreus. O escritor dirige-se a um grupo de cristãos hebreus, os quais, desanimados pela perseguição, são tentados a voltar ao judaísmo e aos sacrifícios do templo. As realidades nas quais eles criam são invisíveis, ao passo que o templo e seu ritual parecem tangíveis e reais. A fim de evitar que tomassem tal decisão, o escritor faz a comparação entre a antiga e a nova alianças, mostrando que a nova é perfeita e eterna e, portanto, melhor que a antiga, imperfeita e temporária. Voltar ao templo, como também ao seu sacerdócio e sacrifício, seria o mesmo que desprezar a substância e preferir as trevas, trocar o perfeito pela imperfeição. O argumento é o seguinte: a antiga aliança era boa, se considerarmos sua finalidade e o propósito para o qual foi constituída; mas a nova aliança é melhor.

a) **Os sacrifícios do AT eram bons.** Se não fossem, não teriam sido divinamente ordenados. Eles eram bons, pois cumpriam determinado propósito incluído no plano divino, isto é, atuavam como um meio de graça, para que aqueles do povo de Deus que haviam pecado contra ele pudessem voltar ao estado de graça, ser reconciliados com ele e desfrutar da comunhão com ele. Quando o israelita havia fielmente cumprido as condições, então podia descansar sob a promessa: "O sacerdote fará propiciação pelo pecado do líder, e este será perdoado" (Lv 4.26).

Quando um israelita esclarecido trazia oferta, ele tinha consciência de duas coisas: primeira, que o arrependimento em si não era o suficiente; era indispensável uma transação visível que indicasse a remoção do pecado (Hb 9.22); segunda, ele aprendia com os profetas que o ritual sem a correta disposição interna do coração também era mera formalidade sem valor. O ato do sacrifício deveria ser a expressão externa dos sacrifícios internos de louvor, oração, justiça e obediência — sacrifícios do coração quebrantado e contrito (cf. Sl 26.6; 50.12-14; 4.5; 51.16; Pv 21.3; Am 5.21-24; Mq 6.6-8; Is 1.11-17). "O Senhor detesta o sacrifício [oferta de sangue] dos ímpios, mas a oração do justo o agrada", declarou Salomão (Pv 15.8). Os escritores inspirados externaram claramente o fato de que as "emoções ritualistas desacompanhadas de emoções de justiça eram devoções inaceitáveis".

b) **O sacrifício único do NT é melhor.** Embora reconhecessem a divina ordenação de sacrifícios de animais, os israelitas esclarecidos certamente compreendiam que esses animais não podiam ser o meio perfeito de expiação.

1. Havia grande disparidade entre uma criatura irracional e irresponsável e o homem feito à imagem de Deus. Era evidente que o animal não constituía sacrifício inteligente e voluntário. Não havia nenhuma comunhão entre o ofertante e a vítima. Era evidente que o sacrifício do animal não podia comparar-se em valor à alma humana, nem exercer qualquer poder espiritual sobre o interior do ser humano. Nada havia no sangue da criatura irracional que efetuasse a redenção espiritual da alma, a qual somente seria possível pela oferta de uma vida humana perfeita. O escritor verdadeiramente inspirado externou o que certamente foi a conclusão a que chegaram muitos crentes do AT, quando disse: "pois é impossível que o sangue de touros e bodes tire pecados" (Hb 10.4).

Quando muito, os sacrifícios eram apenas meios temporários e imperfeitos de cobrir o pecado até que viesse uma redenção mais perfeita. A Lei levou o povo à convicção dos pecados (Rm 3.20), e os sacrifícios tornavam inoperantes esses pecados de forma que não pudessem provocar a ira divina.

2. Os sacrifícios de animais são descritos como "ordenanças exteriores", isto é, ritos que removiam as contaminações do corpo e expiavam atos externos do pecado (Hb 9.10), mas que, em si mesmos, não possuíam nenhuma virtude espiritual. "O sangue de bodes e touros [...] santificam, de forma que se tornam exteriormente puros" (Hb 9.13), isto é, faziam expiação pelas contaminações que excluíam um israelita da comunhão na congregação de Israel. Por exemplo, se a pessoa se contaminasse fisicamente, seria considerada impura e cortada da congregação de Israel até que se purificasse e oferecesse sacrifício (Lv 5.1-6); ou, se lesasse materialmente seu próximo, estaria sob condenação até que trouxesse uma

oferta pelo pecado (Lv 6.1-7). No primeiro caso, o sacrifício purificava a contaminação exterior, mas não limpava a alma; no segundo, o sacrifício fazia expiação pelo ato externo, mas não mudava o coração. Davi reconheceu que estava preso por uma depravação da qual os sacrifícios de animais não o podiam libertar (Sl 51.16; cf. 1Sm 3.14) e orou a Deus pedindo a renovação espiritual que os sacrifícios não podiam proporcionar (Sl 51.6-10).

3. A repetição dos sacrifícios de animais denuncia a sua imperfeição; eles não podiam aperfeiçoar o adorador (Hb 10.1,2), isto é, não podiam dar-lhe uma posição ou relação perfeita com Deus, sobre a qual pudesse edificar a estrutura de seu caráter. E não podia experimentar "uma vez por todas" (Hb 10.10) uma transformação espiritual que seria o início de uma nova vida.

4. Os sacrifícios de animais eram oferecidos por sacerdotes imperfeitos; a imperfeição de seu ministério era indicada pelo fato de que não podiam entrar a qualquer hora no Santo dos Santos, e, portanto, não podiam conduzir o adorador diretamente à presença divina. "Dessa forma, o Espírito Santo estava mostrando que ainda não havia sido manifestado o caminho para o Santo dos Santos enquanto permanecia o primeiro tabernáculo" (Hb 9.8). O sacerdote não dispunha de nenhum sacrifício pelo qual pudesse conduzir o povo a uma experiência espiritual com Deus e, assim, tornar a consciência do adorador "perfeitamente limpa" (Hb 9.9).

O israelita espiritual, ao ser interpelado a respeito de suas esperanças de redenção, diria, à luz do mesmo discernimento que o fez perceber a imperfeição dos sacrifícios de animais, que a solução definitiva era aguardada no futuro e que a perfeita redenção estava, de alguma maneira, ligada à ordem perfeita que se inauguraria com a vinda do Messias. Em verdade, essa revelação foi concedida a Jeremias. O profeta desanimara de crer que o povo seria capaz de guardar a Lei, pois o pecado dele fora escrito "com estilete de ferro" (Jr 17.1), seu coração era "mais enganoso que qualquer outra coisa e sua doença é incurável" (Jr 17.9). Não podiam mudar o coração, como também o etíope não podia "mudar a sua pele" (Jr 13.23); tão calejados estavam e tão depravados eram que os próprios sacrifícios não lhes podiam valer (Jr 6.20). Na realidade, haviam-se esquecido do propósito primordial desses sacrifícios. Do ponto de vista humano, o povo não oferecia nenhuma esperança, mas Deus confortou Jeremias com a promessa da vinda de um tempo quando, sob uma nova aliança, o coração do povo seria transformado, quando haveria a perfeita remissão dos pecados (Jr 31.31-34). "Porque eu lhes perdoarei a maldade e não me lembrarei mais dos seus pecados" (v. 34). Em Hebreus 10.17,18, encontramos a inspirada interpretação dessas últimas palavras em que se concretizaria uma redenção perfeita mediante um sacrifício perfeito que dava a entender que os sacrifícios de animais haviam de desaparecer (cf. Hb 10.6-10). Por meio desse sacrifício, o homem desfruta de uma experiência "uma vez por todas", a qual lhe dá uma aceitação perfeita perante Deus. O que não foi possível conseguir pelos sacrifícios da Lei, obteve-se pelo perfeito sacrifício de Cristo. "Dia após dia, todo sacerdote apresenta-se e exerce os seus deveres religiosos; repetidamente oferece os mesmos sacrifícios, que nunca podem remover os pecados. Mas quando este sacerdote acabou de oferecer, para sempre, um único sacrifício pelos pecados, assentou-se à direita de Deus" (Hb 10.11,12).

5. Resta uma questão a ser considerada. É certo que havia pessoas verdadeiramente justificadas antes da obra expiatória de Cristo. Abraão foi justificado pela fé (Rm 4.23) e entrou no Reino de Deus (Mt 8.11; Lc 16.22); Moisés foi glorificado (Lc 9.30,31); e Enoque e Elias foram arrebatados. Sem dúvida, muitas pessoas santas em Israel alcançaram a estatura espiritual desses homens dignos. Por saberem que

os sacrifícios de animais eram insuficientes e que o único sacrifício perfeito era o de Cristo, então em que base foram salvos esses santos do AT?

Foram salvos por antecipação do futuro sacrifício realizado. A prova dessa verdade encontra-se em Hebreus 9.15 (cf. tb. Rm 3.25), que ensina que a morte de Cristo era, em certo sentido, retroativa e retrospectiva, isto é, que tinha uma eficácia em relação ao passado.

Hebreus 9.15 sugere o seguinte pensamento: a antiga aliança era impotente para prover uma redenção perfeita. Cristo completou essa aliança e inaugurou a nova aliança com a sua morte, a qual efetuou o "resgate pelas transgressões cometidas sob a primeira aliança". Isso significa que Deus, ao justificar os crentes do AT, assim o fez em antecipação da obra de Cristo, "a crédito", por assim dizer. Cristo pagou o preço total na cruz e apagou a dívida. Deus deu aos santos do AT uma posição que a antiga aliança não podia comprar, mas fez isso tendo em vista uma aliança vindoura que podia efetuar essa compra.

Se perguntassem aos crentes do AT se durante a sua vida desfrutaram dos mesmos privilégios que aqueles que vivem sob o NT, a resposta seria negativa. Não havia nenhum dom permanente do Espírito Santo (Jo 7.39) que acompanhasse seu arrependimento e fé; não desfrutavam da plena verdade sobre a imortalidade revelada por Cristo (2Tm 1.10) e, de modo geral, eram limitados pelas imperfeições da dispensação na qual viviam. O melhor que se pode dizer é que apenas saborearam algo das boas-novas vindouras.

II. A EXPIAÇÃO NO NOVO TESTAMENTO

1. A expiação

A expiação que fora preordenada desde a eternidade e prefigurada tipicamente no ritual do AT cumpriu-se historicamente na crucificação de Jesus, quando se consumou o divino propósito redentor:

"Está consumado!". Os escritores dos Evangelhos descreveram os sofrimentos e a morte de Cristo em muitos pormenores, algo que não se observa nas narrativas de outros eventos das profecias do AT, o que indica a grande importância do evento.

Alguns escritores da escola "liberal" defendem a teoria de que a morte de Cristo foi acidente e tragédia. Segundo eles, ele iniciara seu ministério com grande esperança de sucesso, mas depois viu-se envolvido em certas circunstâncias que ocasionaram sua destruição imprevista, à qual não pôde escapar. Mas o que dizem os Evangelhos a respeito disso? Segundo seu testemunho, Jesus sabia desde o princípio que o sofrimento e a morte faziam parte de seu destino divinamente ordenado. Em sua declaração de que o Filho do homem deveria sofrer, a palavra "deveria" indica a vocação divina, e não a fatalidade imprevista e inevitável.

Jesus, em seu batismo, ouviu as palavras: "Este é o meu Filho amado, em quem me agrado" (Mt 3.17). Essas palavras são extraídas de duas profecias: a primeira declara a filiação do Messias e sua divindade (Sl 2.7), e a segunda descreve o ministério do Messias como o servo do Senhor (Is 42.1). O servo mencionado em Isaías 42.1 é o servo sofredor de Isaías 53. A conclusão à qual chegamos é que, mesmo na hora de seu batismo, Jesus estava ciente do fato de que sofrimento e morte faziam parte de sua vocação. A rejeição das ofertas de Satanás no deserto implicava um desfecho trágico de sua obra, pois ele escolheu o caminho árduo da rejeição em vez do fácil e popular. O próprio fato de o Santo estar no meio do povo (Lc 3.21) que se batizava, como também de submeter-se ao mesmo batismo, foi um ato de identificação com a humanidade pecaminosa, a fim de levar os pecados desse mesmo povo. O servo do Senhor, segundo Isaías 53, seria "contado entre os transgressores" (v. 12). O batismo de Jesus pode ser considerado como "o grande ato de amorosa comunhão com a nossa miséria", pois nessa hora ele se identifica com os pecadores e, por conseguinte, em certo sentido, sua obra de expiação tem início.

O Senhor, durante seu ministério, referiu-se muitas vezes à sua morte em linguagem velada e figurada (Mt 5.10-12; 23.37; Mc 2.19; 3.6,20-30; 9.12,13), mas, em Cesareia de Filipe, ele claramente disse aos discípulos que deveria sofrer e morrer. Daquele tempo em diante, ele procurou esclarecê-los sobre o fato de que teria de sofrer, para que, sendo avisados, não naufragassem em sua fé ante o choque da crucificação (Mc 8.31; 9.31; 10.32). Ele também lhes explicou o significado de sua morte. Não a deveriam considerar tragédia imprevista e infeliz à qual ele teria que se resignar, e sim como morte cujo propósito era fazer expiação. O Filho do homem veio para "dar a sua vida em resgate por muitos".

Na última ceia, Jesus deu instruções acerca da futura comemoração de sua morte, como o supremo ato de seu ministério. Ele ordenou um rito que comemoraria a redenção da humanidade, assim como a Páscoa comemorava a redenção de Israel do Egito.

Seus discípulos, que ainda estavam sob a influência de ideias judaicas acerca do Messias e do Reino, não podiam compreender a necessidade de sua morte e apenas com dificuldade podiam aceitar o fato. Mas, após a ressurreição e a ascensão, eles o entenderam e a partir de então sempre afirmaram que a morte de Cristo fora divinamente ordenada como o meio da expiação. O testemunho constante deles era que Cristo morreu por nossos pecados "uma vez por todas" e "para sempre".

2. A necessidade da expiação

A necessidade da expiação é consequência de dois fatos: a santidade de Deus e a pecabilidade do homem. A reação da santidade de Deus contra a pecabilidade do homem é conhecida como sua ira, a qual pode ser evitada mediante a expiação. Portanto, os pontos-chave de nosso estudo serão: santidade, pecabilidade, ira e expiação.

a) A santidade de Deus. Deus é santo por natureza, o que significa que ele é justo em caráter e conduta. Esses atributos de seu caráter manifestam-se em sua maneira de lidar com sua criação. "Ele ama a justiça e a retidão" (Sl 33.5). "A retidão e a justiça são os alicerces do teu trono" (Sl 89.14).

Deus constituiu o homem e o mundo segundo leis específicas, leis que formam o próprio fundamento da personalidade humana, escritas no coração e na natureza do homem antes de terem sido escritas em pedras (Rm 2.14,15). Essas leis unem o homem ao seu Criador pelos laços de relação pessoal e constituem a base da responsabilidade humana. Assim foi dito da humanidade em geral: "Pois nele vivemos, nos movemos e existimos" (At 17.28). O pecado perturba a relação expressa nesse versículo, e, por fim, o pecador que não se arrepende será privado eternamente da presença de Deus. Essa é "a segunda morte".

Em muitas ocasiões, essa relação foi reafirmada, ampliada e interpretada sob outro sistema chamado aliança. Por exemplo, no Sinai, Deus reafirmou as condições sob as quais podia ter comunhão com o homem (a lei moral) e, depois, estabeleceu uma série de regulamentos pelos quais Israel poderia observar essas condições na esfera da vida nacional e religiosa.

Guardar a aliança significa estar em relação com Deus, ou estar na graça, pois aquele que é justo pode ter comunhão somente com aqueles que andam na justiça. "Duas pessoas andarão juntas se não estiverem de acordo?" (Am 3.3). Estar de acordo com Deus significa vida. As Escrituras, do princípio ao fim, declaram esta verdade: a obediência e a vida andam juntas (Gn 2.17; Ap 22.14).

b) A pecabilidade do homem. Essa relação foi abalada pelo pecado, um distúrbio no relacionamento pessoal entre Deus e o homem. Desrespeitar a constituição, por assim dizer, é uma ação que afeta Deus e os homens, da mesma forma que a infidelidade viola o pacto matrimonial sob o qual vivem o homem e sua mulher (Jr 3.20). "Os seus pecados esconderam de vocês o rosto dele, e por isso ele não os ouvirá" (Is 59.2).

A função da expiação é fazer reparação pela violação da lei de Deus e reatar a comunhão interrompida entre Deus e o homem.

c) **A ira.** O pecado é essencialmente um ataque contra a honra e a santidade de Deus. Ele é rebelião contra Deus, pois pelo pecado deliberado o homem prefere a sua própria vontade em lugar da vontade de Deus e, por algum tempo, torna-se "autônomo". Mas, se Deus permitisse que sua honra fosse atacada, então ele deixaria de ser Deus. Sua honra pede a destruição daquele que lhe resiste; sua justiça exige a satisfação da violação da Lei; e sua santidade reage contra o pecado, reação reconhecida como a manifestação de sua ira.

Contudo, essa reação divina não é automática; nem sempre ela entra em ação instantaneamente, como acontece quando a mão toca o fogo. A ira de Deus é governada por considerações pessoais; ele é tardio em destruir a obra de suas mãos. Ele insta com o homem, pois espera ser gracioso. Ele adia o juízo na esperança de que sua bondade conduza o homem ao arrependimento (Rm 2.4; 2Pe 3.9). Mas os homens interpretam mal as demoras divinas e zombam da ideia de juízo. "Quando os crimes não são castigados logo, o coração do homem se enche de planos para fazer o mal" (Ec 8.11).

No entanto, embora demore, a retribuição final virá, pois num mundo governado por leis haverá um ajuste de contas. "Não se deixem enganar: de Deus não se zomba. Pois o que o homem semear, isso também colherá" (Gl 6.7). Essa verdade foi demonstrada no Calvário, onde Deus declarou "a sua justiça. Em sua tolerância, havia deixado impunes os pecados anteriormente cometidos" (Rm 3.25). Um estudioso traduziu essa passagem da seguinte forma: "Isso foi para demonstrar a justiça de Deus em vista do fato de que os pecados previamente cometidos, durante o tempo da tolerância de Deus, foram ignorados". Outro parafraseia a passagem desta forma: "Ele suspendeu o juízo sobre os pecados daquele período anterior, o período de sua paciência, tendo em vista a revelação de sua justiça sob esta dispensação, quando ele, o justo juiz, absolverá o pecador que afirma sua fé em Jesus". Parece que Deus, em séculos passados, não levou em conta os pecados das nações; e os homens continuaram no pecado, aparentemente sem colher suas consequências. Daí a pergunta: "Então Deus não toma conhecimento do pecado?". Mas a crucificação revelou o caráter horrendo do pecado, além de demonstrar vividamente o terrível castigo sobre ele. A cruz de Cristo declara que Deus nunca foi, não é e nunca poderá ser indiferente ao pecado dos homens. Conforme comenta um estudioso:

> Deus deu provas de sua ira contra o pecado quando ocasionalmente castigou Israel e as nações gentílicas. Mas ele não infligiu a *plena* penalidade, caso contrário a raça humana teria perecido. Em grande parte, ele "passou por cima" dos pecados dos homens. Parece injusto o rei que deixa de punir um crime ou mesmo que adia a punição. Na opinião de alguns, Deus perdeu prestígio por causa de sua tolerância, que eles interpretam como um meio de escapar à punição divina. Deus destinou Cristo para morrer a fim de demonstrar sua justiça em vista da tolerância dos pecados passados, tolerância que parece ofuscar a justiça.

d) A expiação. O homem quebra as leis de Deus e viola os princípios da justiça. O conhecimento desses atos está registrado em sua memória, e sua consciência o acusa. Que se pode fazer para remediar o passado e ter segurança quanto ao futuro? Existe alguma expiação pela violação da Lei? Para essa pergunta, existem três respostas:

1. Alguns afirmam que a expiação não é possível e que a vida é governada por uma lei inexorável, a qual punirá com precisão matemática todas as violações. O que o homem semear, fatalmente, isso mesmo ele colherá. O pecado permanece. Assim, o pecador nunca pode escapar do passado. Seu futuro está vinculado a ele, e não existe redenção para ele. Esse ponto de vista é expresso em um conhecido poema:

A Mão escreve; e tendo escrito, segue em frente:
Nem toda a tua devoção ou sabedoria
A farão cancelar meia linha,
Nem todo o teu pranto apagará uma só palavra.[1]

Essa teoria torna o homem um escravo de suas circunstâncias; não há nada que possa fazer quanto a seu destino. Se os proponentes dessa teoria reconhecem Deus, este, para eles, está escravizado às suas próprias leis, incapaz de prover um meio de escape para os pecadores.

2. No outro extremo, há aqueles que ensinam que a expiação é desnecessária. Deus é tão bom que não punirá o pecador, e tão gracioso que não exigirá a satisfação pela violação da Lei. Por conseguinte, a expiação torna-se desnecessária e supõe-se que Deus perdoará todos.

Certa vez, um médico disse a uma cliente que lhe falara sobre o evangelho: "Eu não preciso de expiação. Quando erro, peço simplesmente a Deus que me desculpe, e isso basta". Depois de certo tempo, a cliente voltou ao médico e disse-lhe: "Doutor, agora estou bem. Sinto muito haver ficado doente e prometo-lhe que me esforçarei para nunca mais adoecer". Assim, ela insinuou que não havia nenhuma necessidade de considerar todos os aspectos relacionados à doença nem de pagar a conta! Cremos que o médico compreendeu a lição, isto é, que o mero arrependimento não salda a dívida, nem repara os estragos causados pelo pecado.

3. O NT ensina que a expiação é tanto necessária quanto também possível; possível porque Deus é gracioso, bem como justo; necessária, porque Deus é justo, bem como gracioso.

Os dois erros anteriormente tratados são exageros de duas verdades sobre o caráter de Deus. O primeiro exagera sua justiça,

[1] Poema de Omar Khayyam (1044-1123).

excluindo sua graça. O segundo exagera sua graça, excluindo sua justiça. A expiação faz justiça a ambos os aspectos de seu caráter, pois Deus, na morte de Cristo, age de modo justo, como também gracioso. Ao tratar do pecado, ele precisa mostrar sua graça, pois não deseja a morte do pecador; mas, ao perdoar o pecado, precisa revelar sua justiça, pois a própria estabilidade do Universo depende da soberania de Deus.

Na expiação, Deus faz justiça a seu caráter ao ser gracioso. Sua justiça clamou pelo castigo do pecador, mas sua graça proveu um plano para o perdão. Ele ao mesmo tempo faz justiça a seu caráter por ser um Deus justo e reto. Deus não faria justiça a si mesmo se manifestasse compaixão para com os pecadores tornando o pecado uma coisa leve, ao ignorar sua trágica realidade. Poderíamos, portanto, pensar que Deus seria indiferente ou indulgente quanto ao pecado.

O castigo do pecado foi pago no Calvário, e a lei divina foi honrada. Dessa maneira, Deus pôde ser gracioso sem ser injusto, e justo sem ser inclemente.

3. A natureza da expiação

"Cristo morreu" expressa o fato histórico da crucificação; "pelos nossos pecados" interpreta o fato. Em que sentido Jesus morreu pelos nossos pecados? Como se explica esse fato no NT? A resposta encontra-se nas seguintes palavras-chave aplicadas à morte de Cristo: expiação, propiciação, substituição, redenção e reconciliação.

a) **Expiação.** A palavra "expiação", no hebraico, significa literalmente "cobrir" e comumente é traduzida pelas seguintes palavras: fazer expiação, purificar, quitar, reconciliar, fazer reconciliação, pacificar, ser misericordioso, adiar e perdoar.

A expiação, no original, inclui a ideia de cobrir tanto os pecados (Sl 78.38; 79.9; Lv 5.18) quanto o pecador (Lv 4.20). Expiar o pecado é ocultá-lo da vista de Deus de modo que o pecado perca o poder de provocar a ira divina. Citamos aqui o doutor Alfred Cave:

> A ideia expressa pelo original hebraico da palavra traduzida por "expiar" é *cobrir* e *cobertura*, não no sentido de torná-lo invisível a Deus, mas no sentido de ocupar sua vista com outra coisa, de neutralizar o pecado, para, por assim dizer, desarmá-lo, tornando-o incapaz de provocar a justa ira de Deus. Expiar o pecado [...] significava colocar, por assim dizer, um véu tão atraente sobre o pecado, de modo que o véu, e não o pecado, passasse a ser visível; pôr lado a lado com o pecado algo tão atraente que cativasse completamente a atenção. A mesma figura que o NT usa quando menciona as vestes novas (de justiça), o AT usa ao falar da "expiação". Quando se fazia expiação debaixo da Lei, era como se o olho divino, que se acendera pela presença do pecado e da impureza, fosse aquietado pela vestidura posta ao seu redor; ou, para usar uma figura muito mais moderna, porém igualmente apropriada, era como se o pecador, exposto a uma descarga elétrica da ira divina, fosse repentinamente envolto em uma manta e isolado. A exposição significa cobrir de tal maneira o pecador, que seu pecado passa a ficar invisível ou inexistente, no sentido de já não estar mais entre ele e seu Criador. Usaremos as seguintes palavras de um teólogo alemão: "Quando as almas pecaminosas se aproximavam do altar de Deus, onde habita sua santidade, a natureza pecaminosa das almas estava entre elas e Deus, e a expiação tinha o propósito de cobrir seus pecados, de cancelar as acusações contra elas".

Quando o sangue era aplicado ao altar pelo sacerdote, o israelita sentia a segurança de que a promessa feita a seus antecessores se faria real para ele: "Quando eu vir o sangue, passarei adiante" (Êx 12.13).

Quais eram os efeitos da expiação ou da cobertura? O pecado era apagado (Jr 18.23; Is 43.25; 44.22), removido (Is 6.7), perdoado (Sl 32.1; Sl 78.38), atirado nas profundezas do mar (Mq 7.19), lançado para trás de Deus (Is 38.17). Todos esses termos ensinam que o pecado é coberto de modo que seus efeitos sejam removidos, afastados da vista, invalidados, desfeitos. Deus já não o vê, e o pecado não exerce mais influência sobre ele.

A morte de Cristo foi uma morte expiatória, porque seu propósito era apagar o pecado (Hb 2.17; 9.14,26,28; 10.12-14). Foi uma morte sacrificial ou uma morte que tinha relação com o pecado. Qual era essa relação? "Ele mesmo levou em seu corpo os nossos pecados sobre o madeiro" (1Pe 2.24). "Deus tornou pecado por nós aquele que não tinha pecado, para que nele nos tornássemos justiça de Deus" (2Co 5.21). Expiar o pecado significa levá-lo embora, de modo que ele é afastado do transgressor, o qual é considerado, desse modo, justificado de toda injustiça, purificado de toda contaminação e santificado para pertencer ao povo de Deus. Uma palavra hebraica usada para descrever a purificação significa literalmente "quitar o pecado". Pela morte expiatória de Cristo, os pecadores são purificados do pecado e logo se tornam participantes da natureza de Cristo. Eles morrem para o pecado a fim de viver para Cristo.

b) Propiciação. Crê-se que a palavra propiciação tem sua origem na palavra latina *prope*, que significa "perto de". Assim, a palavra significa juntar, tornar favorável ou efetuar reconciliação. Um sacrifício de propiciação traz o homem para perto de Deus, reconcilia-o com Deus, fazendo expiação por suas transgressões, ganhando a graça e o favor divinos. Deus, em sua misericórdia, aceita o dom propiciatório e restaura o pecador a seu amor. Esse também é o sentido da palavra grega, conforme usada no NT. Propiciar é aplacar a ira de um Deus santo pela oferta de um sacrifício expiatório. Descreve-se Cristo como essa propiciação (Rm 3.25; 1Jo 2.2; 4.10). O pecado mantém o homem distanciado de Deus, mas Cristo lidou com o pecado, a favor do homem, de tal forma que seu poder separador foi anulado. Portanto, agora o homem pode "achegar-se" a Deus "em seu nome". O acesso a Deus, o mais sublime dos privilégios, foi comprado por grande preço: o sangue de Cristo. Assim escreve o doutor James Denney:

> Como no antigo tabernáculo todo objeto usado na adoração tinha de ser aspergido com o sangue expiatório, assim também todas as partes da adoração cristã, todas as nossas aproximações a Deus devem descansar conscientemente sobre a expiação. Deve-se sentir que esse é um privilégio

> de inestimável valor, permeado com o sentimento da paixão de Cristo e com o amor com que ele nos amou quando sofreu por nossos pecados, de uma vez por todas, o justo pelos injustos, para chegarmos a Deus.

A palavra "propiciação", em Romanos 3.25, é o mesmo termo utilizado para traduzir a palavra grega para lugar de expiação (*hilasterion*), traduzida em Hebreus 9.5 por "propiciatório" (*ARC*) ou "tampa da arca" (NVI). Em hebraico, "lugar de expiação" significa literalmente "cobrir", e tanto em grego quanto em hebraico a palavra transmite a ideia de sacrifício expiatório. Refere-se à arca da aliança (Êx 25.10-22), composta de duas partes: primeira, a arca, representando o trono do justo governante de Israel, contendo as tábuas da Lei como a expressão de sua justa vontade; segunda, a coberta, ou tampa, também conhecida como "propiciatório", coroada com figuras de querubins. Transmitem-se duas lições importantes com essa peça de mobiliário: 1) As tábuas da Lei ensinavam que Deus era um Deus justo que não passaria por cima do pecado e que devia executar seus decretos e castigar os ímpios. Como uma nação pecaminosa poderia viver ante sua face? A tampa, que cobria a Lei, era o lugar onde, uma vez por ano, aspergia-se o sangue para fazer expiação pelos pecados do povo. 2) Era o lugar onde o pecado era coberto, e isso servia para ensinar que Deus, que é justo, pode, por causa de um sacrifício expiatório, perdoar perfeitamente o pecado. Por meio do sangue expiatório, aquilo que é um trono de juízo se converte em trono de graça.

A arca e a tampa ilustram o problema resolvido pela expiação. O problema e sua solução são declarados em Romanos 3.25,26, em que lemos: "Deus o ofereceu como sacrifício para propiciação [um sacrifício expiatório] mediante a fé, pelo seu sangue, demonstrando a sua justiça. Em sua tolerância [demonstrar que a aparente demora em executar o juízo não significa que Deus ignorou o pecado], havia deixado impunes os pecados anteriormente cometidos; mas, no presente [sua maneira de fazer justos os pecadores], demonstrou a sua justiça, a fim de ser justo [infligir o devido castigo pelo pecado] e justificador [remover o castigo pelo pecado] daquele que tem fé em Jesus". Como pode Deus realmente infligir o castigo do pecado e, ao mesmo tempo, cancelar esse castigo? Na pessoa de seu Filho, Deus mesmo sofreu o castigo e, dessa maneira, abriu o caminho para o perdão do culpado. Sua Lei foi honrada, e o pecador, salvo. O pecado foi expiado, e Deus, propiciado. Os homens, portanto, podem entender como Deus pode ser justo e castigar, ser misericordioso e perdoar; mas a maneira de Deus ser justo, no ato de justificar o *culpado*, é para eles um enigma. O Calvário resolve o problema.

É preciso enfatizar o fato de que a propiciação foi uma verdadeira transação, porque alguns ensinam que a expiação foi simplesmente uma demonstração do amor de Deus e de Cristo, com a intenção de mover o pecador ao arrependimento. Este certamente é um dos efeitos da expiação (1Jo 3.16), mas não engloba tudo que a expiação representa. Por exemplo, poderíamos pular dentro de um rio e afogar-nos à vista de um simples ser humano para convencê-lo de nosso amor por ele; mas esse ato não pagaria o aluguel da casa nem a conta do fornecedor que, por ventura, ele devesse! A obra expiatória de Cristo foi uma verdadeira transação que removeu um verdadeiro obstáculo entre nós e Deus e pagou a dívida que não podíamos pagar.

c) **Substituição.** Os sacrifícios do AT eram substitutivos por natureza, pois, no altar, realizavam algo para o israelita que este não podia fazer por si mesmo. O altar representava Deus; o sacerdote representava o pecador; a vítima era o substituto do israelita que seria aceita em seu favor.

Da mesma forma, Cristo, na cruz, fez por nós o que não podíamos fazer por nós mesmos, e, qualquer que seja a nossa necessidade, somos aceitos por causa dele. Se oferecemos a Deus nosso arrependimento, gratidão ou consagração, fazemos isso "em seu nome", pois ele é o sacrifício por meio do qual chegamos a Deus, o Pai.

O pensamento de substituição é importante nos sacrifícios do AT, em que se considera o sangue da vítima como uma coberta ou como expiação pela alma do ofertante. No capítulo em que os sacrifícios do AT alcançam seu maior significado (Is 53), lemos: "Certamente ele tomou sobre si as nossas enfermidades e sobre si levou as nossas doenças; contudo nós o consideramos castigado por Deus, por Deus atingido e afligido. Mas ele foi transpassado por causa das nossas transgressões, foi esmagado por causa de nossas iniquidades; o castigo que nos trouxe paz estava sobre ele, e pelas suas feridas fomos curados" (v. 4,5). Todas essas expressões apresentam o servo de Deus como sofrendo o castigo que devia cair sobre outros, a fim de justificar muitos e levar as iniquidades deles.

Cristo, como o Filho de Deus, pôde oferecer um sacrifício de valor eterno e infinito. Ao assumir a natureza humana, pôde identificar-se com o gênero humano e, assim, sofrer o castigo que era nosso, a fim de que pudéssemos nos livrar. Isso explica o clamor: "Meu Deus! Meu Deus! Por que me abandonaste?". Ele que, por natureza, era sem pecado e que nunca cometera um pecado sequer em sua vida, fez-se pecador (ou tomou o lugar do pecador). Nas palavras de Paulo: "Deus tornou pecado por nós aquele que não tinha pecado" (2Co 5.21). Nas palavras de Pedro: "Ele mesmo levou em seu corpo os nossos pecados sobre o madeiro" (1Pe 2.24).

d) Redenção. A palavra "redimir", tanto no AT quanto no NT, significa tornar a comprar por um preço; livrar da servidão por um preço; comprar no mercado e retirar do mercado. O Senhor Jesus é nosso Redentor, e sua obra expiatória é descrita como uma redenção (Mt 20.28; Ap 5.9; 14.3,4; Gl 3.13; 4.5; Tt 2.14; 1Pe 1.18).

A mais interessante ilustração de redenção se encontra no AT, na lei sobre a redenção de um parente (Lv 25.47-49). Segundo essa lei, um homem que houvesse vendido sua propriedade, caso houvesse vendido a si mesmo como escravo, por causa de alguma dívida, podia recuperar tanto sua terra quanto sua liberdade, em qualquer tempo, desde que fosse redimido por um homem que possuísse as seguintes qualidades: primeira, deveria ser parente do homem; segunda, deveria estar disposto a redimi-lo ou comprá-lo novamente; terceira, deveria ter com que pagar o preço em questão. O Senhor Jesus Cristo reuniu em si essas três qualidades: fez-se nosso parente, assumiu nossa natureza; estava disposto a dar tudo para redimir-nos (2Co 8.9); e, sendo divino, pôde pagar o preço, seu sangue precioso.

O fato da redenção destaca o alto preço da salvação e, por conseguinte, deve ser grandemente considerado. Quando certos crentes em Corinto se descuidaram de sua maneira de viver, Paulo os admoestou: "Acaso não sabem que o corpo de vocês é santuário do Espírito Santo que habita em vocês, que lhes foi dado por Deus, e que vocês não são de si mesmos? Vocês foram comprados por alto preço. Portanto, glorifiquem a Deus com o seu próprio corpo" (1Co 6.19,20).

Certa vez, Jesus disse: "Pois, que adianta ao homem ganhar o mundo inteiro e perder a sua alma? Ou, o que o homem poderia dar em troca de sua alma?" (Mc 8.36,37). Com isso, ele quis dizer que a alma, a verdadeira vida do homem, podia perder-se ou arruinar-se; perdendo-se, não podia haver compensação por ela, porque não havia meios de tornar a comprá-la. Os homens ricos poderão jactar-se de suas riquezas e nelas confiar, porém o poder delas é limitado. O salmista disse: "Homem algum pode redimir seu irmão ou pagar a Deus o preço de sua vida, pois o resgate de uma vida não tem preço. Não há pagamento que o livre para que viva para sempre e não sofra decomposição" (Sl 49.7-9). Mas, uma vez que as almas de multidões já foram confiscadas, por assim dizer, por viverem no pecado e não podem ser redimidas por meios humanos, o que é possível fazer por elas? O Filho do homem veio ao mundo "dar a sua vida em resgate [ou para redenção] por muitos" (Mt 20.28). O supremo objetivo de sua vinda ao mundo foi dar a vida como o preço de resgate para que aqueles cuja alma foi confiscada pudessem recuperá-la. A vida (espiritual) de muitos, que foi confiscada, é libertada pela rendição da vida de Cristo.

Pedro disse a seus leitores que eles foram resgatados de sua "maneira vazia de viver", que, por tradição (pela rotina ou costumes), receberam de seus pais (1Pe 1.18).

A palavra "vazia" significa aquilo que não satisfaz. A vida, antes de entrar em contato com a morte de Cristo, é inútil e vazia; é o mesmo que andar às apalpadelas, procurando uma coisa que nunca poderá ser encontrada. Apesar de todos os esforços, a pessoa não logra descobrir a realidade: não tem fruto permanente. "Que adianta tudo isso?", indagam muitas pessoas. Cristo nos redimiu dessa servidão. Quando o poder da morte expiatória de Cristo alcança a vida de alguém, essa vida desfruta de grande satisfação. Não está mais escravizada às tradições de ancestrais nem limitada à rotina ou aos costumes estabelecidos. Antes, as ações do cristão surgem de uma nova vida que veio a existir pelo poder da morte de Cristo. A morte de Cristo, uma morte pelo pecado, liberta e recria a alma.

e) **Reconciliação.** "Tudo isso provém de Deus, que nos reconciliou consigo mesmo por meio de Cristo e nos deu o ministério da reconciliação, ou seja, que Deus em Cristo estava reconciliando consigo o mundo, não levando em conta os pecados dos homens, e nos confiou a mensagem da reconciliação" (2Co 5.18,19). "Quando éramos inimigos de Deus fomos reconciliados com ele mediante a morte de seu Filho" (Rm 5.10). "Antes vocês estavam separados de Deus e, na mente de vocês, eram inimigos por causa do mau procedimento de vocês" (Cl 1.21).

Muitas vezes, a expiação é mal-entendida e, por conseguinte, mal-interpretada. Alguns imaginam que a expiação significa que Deus estava irado com o pecador e que se afastou, mal-humorado, até que sua ira se aplacasse, quando seu Filho se ofereceu para pagar a pena. Em outras palavras, pensam eles, Deus teve de ser reconciliado com o pecador. Essa ideia, entretanto, é uma caricatura da verdadeira doutrina. Ao longo das Escrituras, vemos que é Deus, a parte ofendida, quem toma a iniciativa em prover expiação para o homem. Foi Deus quem vestiu nossos primeiros pais; é o Senhor quem ordena os sacrifícios expiatórios; foi Deus Pai quem enviou e deu seu Filho em sacrifício pela humanidade. O próprio Deus é o autor da redenção do homem. Ainda que sua majestade tenha sido ofendida pelo pecado do homem, sua santidade naturalmente deve reagir contra o pecado. Contudo, ele não deseja que o pecador pereça (Ez 33.11), e sim que se arrependa e seja salvo. Paulo não disse que Deus foi reconciliado com o homem, mas sim que Deus fez algo a fim de reconciliar o homem com ele.

Esse ato de reconciliação é uma obra consumada, uma obra realizada em benefício dos homens, de maneira que, para Deus, o mundo inteiro está reconciliado. Resta somente que o evangelista a proclame e que o indivíduo a receba. A morte de Cristo tornou *possível* a reconciliação de todo o gênero humano com Deus, e cada indivíduo deve torná-la *real*.

Essa, em essência, é a mensagem do evangelho: a morte de Cristo foi uma obra consumada de reconciliação, efetuada independentemente de nós, cujo custo foi inestimável e para a qual os homens, mediante um ministério de reconciliação, são chamados.

4. A eficácia da expiação

Que efeito tem para o homem a obra expiatória de Cristo? O que ela produz em sua experiência?

a) Perdão da transgressão. Por meio de sua obra expiatória, Jesus Cristo pagou a dívida que nós não podíamos saldar e assegurou a remissão dos pecados passados. Assim, o passado pecaminoso para o cristão não é mais aquele peso horrendo que carregava, pois seus pecados foram apagados, carregados e cancelados (Jo 1.29; Ef 1.7; Hb 9.22-28; Ap 1.5). A nova vida teve início, na confiança de que os pecados do passado nunca o encontrarão no juízo (Jo 5.24).

b) Libertação do pecado. Por meio da expiação, o crente é liberto não somente da culpa do pecado, mas também pode ser liberto do poder do pecado. O assunto é tratado em Romanos, capítulos 6 a 8. Paulo antecipa uma objeção que alguns de seus oponentes judeus devem ter suscitado muitas vezes, a saber, que, se a pessoa fosse salva meramente por crer em Jesus, consideraria o pecado de forma leviana, dizendo: "Continuaremos pecando para que a graça aumente?" (Rm 6.1). Paulo repudia tal pensamento e assinala que aquele que verdadeiramente crê em Cristo rompeu com o pecado — rompimento tão decisivo que é descrito como "morte". A fé viva no Salvador crucificado resulta na crucificação da velha natureza pecaminosa. O homem que crê de toda a sua alma (e a verdadeira fé é isso) que Cristo morreu por seus pecados tem tal convicção sobre a condição terrível do pecado que o repudiará com todo o seu ser. A cruz significa a sentença de morte sobre o pecado em sua vida. Mas o tentador está ativo, e a natureza humana é fraca; por isso é necessário vigiar constantemente e crucificar diariamente os impulsos pecaminosos (Rm 6.11). Desse modo, a vitória é garantida. "Pois o pecado não os dominará, porque vocês não estão debaixo da Lei, mas debaixo da graça" (Rm 6.14). Isto é, a Lei significa que algo deve ser feito pelo pecador, que, por não poder pagar a dívida nem cumprir a exigência da Lei, permanece cativo pelo pecado. Por outro lado, graça significa que algo foi feito a favor do pecador — a obra consumada no Calvário. Quando o pecador crê no que foi feito a seu favor, recebe o que foi feito para ele.

Sua fé tem um poderoso aliado na pessoa do Espírito Santo, que habita nele. O Espírito Santo ajuda-o a repudiar as tendências pecaminosas, ajuda-o na oração e dá-lhe a certeza de sua liberdade e vitória, como um filho de Deus (Rm 8). Na verdade, Cristo morreu para remover o obstáculo do pecado, para que o Espírito de Deus possa entrar na vida humana (Gl 3.13,14). O crente, ao ser salvo pela graça de Deus revelada na cruz, experimenta a purificação e vivificação espiritual (Tt 3.5-7). Ao morrer para a antiga vida de pecado, a pessoa nasce de novo, para uma nova vida — nasce da água (experimentando a purificação) e nasce do Espírito (recebendo a vida divina) (Jo 3.5).

c) **Libertação da morte.** A morte tem um significado tanto físico quanto espiritual. No sentido físico, denota a cessação da vida física, em consequência de uma enfermidade, envelhecimento natural ou de causas não naturais, como a violência. É, porém, mais usada no sentido espiritual, isto é, como o castigo imposto por Deus sobre o pecado humano. A palavra expressa a condição espiritual de separação de Deus e do desagrado divino por causa do pecado. Quando o pecador que não se arrepender morrer fora do favor de Deus, permanecerá eternamente separado dele no outro mundo, e essa separação é conhecida como "segunda morte". As palavras "porque no dia em que dela comer, certamente você morrerá" não se teriam cumprido se a morte fosse apenas o ato físico de morrer, pois Adão e Eva continuaram a viver depois daquele dia. Mas o decreto é profundamente certo, se recordarmos que a palavra "morte" implicava todas as consequências penais do pecado — separação de Deus, iniquidade, inclinação para o mal, debilidade física e, finalmente, a morte física e suas consequências.

Quando as Escrituras dizem que Cristo morreu por nossos pecados, querem dizer que Cristo se submeteu não somente à morte física, mas também à morte que significa a pena do pecado. Ele se humilhou a si mesmo no sofrimento da morte "para que, pela graça de Deus, em favor de todos, experimentasse a morte" (Hb 2.9). Por causa de sua natureza e pela disposição divina, ele pôde efetuar esse plano. Não podemos compreender o "como" da questão, porque evidentemente aí nos defrontamos com um grande mistério divino. A verdade, porém, é que aceitamos muitos fatos neste Universo sem entender o "como" de tais fatos. Nenhuma pessoa ajuizada recusa os benefícios da eletricidade somente porque não a entende plenamente ou porque não compreende as leis do seu funcionamento.

Da mesma forma, ninguém precisa recusar os benefícios da expiação pelo fato de não poder, pelo raciocínio, reduzir essa expiação à simplicidade de um problema matemático.

Visto que a morte é a penalidade do pecado e Cristo deu-se a si mesmo pelos nossos pecados, ele pagou esse preço ao morrer por nós. Naquelas poucas horas de sua morte sobre a cruz, de forma densa, todo o horrendo significado da morte e as trevas do castigo estavam presentes, e isso explica a exclamação: "Meu Deus! Meu Deus! Por que me abandonaste?" (Mt 27.46; Mc 15.34). Essas não são palavras de um mártir, porque os mártires são geralmente sustentados pela consciência da presença de Deus; essas palavras são daquele que efetuou um ato que implica a separação divina. Esse ato consumou-se quando ele levou nossos pecados (2Co 5.21).

Embora seja verdade que também os que creem nele tenham de sofrer a morte física (Rm 8.10), mesmo assim para eles o estigma (ou a pena) é tirado da morte, e esta se torna uma porta para outra vida mais ampla. Nesse sentido, Jesus afirmou: "E quem vive e crê em mim, não morrerá eternamente" (Jo 11.26).

d) O dom da vida eterna. Cristo morreu para que nós não perecêssemos (a palavra, no sentido bíblico, significa ruína espiritual), "mas tenha a vida eterna" (Jo 3.14-16; cf. Rm 6.23). A vida eterna significa mais que mera existência; significa vida no favor de Deus e comunhão com ele. O homem morto em transgressões e pecados está fora do favor de Deus; pelo sacrifício de Cristo, o pecado é expiado, e o pecador, restaurado à plena comunhão com Deus. Estar no favor de Deus e em comunhão com ele é ter vida eterna, pois é vida com ele, que é eterno. Alcança-se essa vida agora, porque os crentes estão em comunhão com Deus; a vida eterna é descrita como futura (Tt 1.2; Rm 6.22), porque a vida futura trará perfeita comunhão com Deus: "Eles verão a sua face, e o seu nome estará em suas testas" (Ap 22.4).

e) **A vida vitoriosa.** A cruz é o dínamo que produz essa resposta, que constitui a vida cristã no coração humano. A expressão "eu viverei para ele que morreu por mim" traduz bem o dinamismo da cruz. A vida cristã é a reação da alma ante o amor de Cristo.

A cruz de Cristo inspira o verdadeiro arrependimento, arrependimento para com Deus. O pecado muitas vezes é seguido de remorso, vergonha e ira; mas somente quando houver tristeza por ter ofendido Deus, há o verdadeiro arrependimento. Esse conhecimento interno não se produz por vontade humana, pois a própria natureza do pecado tende a obscurecer a mente e endurecer o coração. O pecador precisa de um motivo poderoso para arrepender-se — algo que o faz ver e sentir que seu pecado ofendeu e injuriou profundamente Deus. A cruz de Cristo fornece esse motivo, pois ela demonstra a natureza horrenda do pecado, pelo fato de ter causado a morte do Filho de Deus. Ela declara o terrível castigo sobre o pecado, mas revela também o amor e a graça de Deus. O que é bem expresso pela afirmação:

> Todos os verdadeiros penitentes são filhos da cruz. O arrependimento não é deles mesmos, mas é a reação para com Deus, produzida na alma desses penitentes pela demonstração do que o pecado representa para o Senhor, como também pelo que o amor dele faz para alcançar e ganhar os pecadores.

Está escrito acerca de certos santos que vieram da grande tribulação: "lavaram as suas vestes e as alvejaram no sangue do Cordeiro" (Ap 7.14). A referência é ao poder santificador da morte de Cristo. Eles resistiram ao pecado e, agora, eram puros. De onde receberam a força para vencer o pecado? O poder do amor de Cristo revelado no Calvário os constrangeu. O poder da cruz, invadindo seu coração, os capacitou a vencer o pecado (cf. Gl 2.20). "Eles o venceram pelo sangue do Cordeiro e pela palavra do testemunho que deram; diante da morte, não amaram a própria vida" (Ap 12.11).

O amor de Deus os constrangeu e ajudou-os a vencer. A pressão sobre eles foi grande, mas, com o sangue do Cordeiro, a razão que os impulsionava, eram invencíveis. "Tendo em vista a cruz sobre a qual Jesus morreu, não puderam trair sua causa pela covardia e não amaram sua vida mais do que ele amou a dele. Eles pertenciam a Cristo, como ele pertencia a eles".

A vida vitoriosa inclui a vitória sobre Satanás. O NT declara que Cristo venceu Satanás por nós (Lc 10.17-20; Jo 12.31,32; 14.30; Cl 2.15; Hb 2.14,15; Ap 12.11). Os crentes têm a *vitória* sobre o Diabo enquanto tiverem o *Vencedor* sobre o Diabo!

8

A salvação

O Senhor Jesus Cristo, pela sua morte expiatória, comprou a salvação para os homens. Como ela é aplicada e recebida pelos homens para que se torne realidade? As verdades relacionadas com a aplicação da salvação agrupam-se sob três títulos: justificação, regeneração e santificação. As verdades relacionadas com a aceitação da salvação, por parte dos homens, agrupam-se sob os seguintes títulos: arrependimento, fé e obediência.

ESBOÇO

I. A NATUREZA DA SALVAÇÃO

1. Três aspectos da salvação
   a. Justificação
   b. Regeneração e adoção
   c. Santificação
2. Salvação: externa e interna
3. Condições da salvação
4. Conversão

II. A JUSTIFICAÇÃO

1. Natureza da justificação: absolvição divina
2. Necessidade da justificação: a condenação do homem
3. A fonte da justificação: a graça
4. O fundamento da justificação: a justiça de Cristo
5. Os meios da justificação: a fé

III. A REGENERAÇÃO

1. Natureza da regeneração
   a. Nascimento
   b. Purificação
   c. Vivificação
   d. Criação
   e. Ressurreição
2. Necessidade de regeneração
3. Os meios da regeneração
4. Os efeitos da regeneração
   a. Posicionais
   b. Espirituais
   c. Práticos

IV. A SANTIFICAÇÃO

1. Natureza da santificação
   a. Separação
   b. Dedicação
   c. Purificação
   d. Consagração
   e. Serviço

2. O tempo da santificação
    a. Posicional e instantânea
    b. Prática e progressiva
3. Meios divinos de santificação
    a. O sangue de Cristo
    b. O Espírito Santo
    c. A Palavra de Deus
4. Ideias errôneas sobre a santificação
    a. Erradicação
    b. Legalismo
    c. Ascetismo
5. O verdadeiro método da santificação
    a. Fé na expiação
    b. Resposta ao Espírito
6. Santificação total
    a. Significado de perfeição
    b. Possibilidades de perfeição

V. A SEGURANÇA DA SALVAÇÃO

1. Calvinismo
2. Arminianismo
3. Uma comparação
4. Equilíbrio bíblico

I. A NATUREZA DA SALVAÇÃO

O assunto desta seção será: O que constitui a salvação ou o "estado de graça"?

1. Três aspectos da salvação

Há três aspectos da salvação, e cada um deles se caracteriza por uma palavra que o define ou o ilustra:

a) **Justificação** é um termo *forense* que nos faz lembrar um tribunal. O homem, culpado e condenado perante Deus, é absolvido e declarado justo — isto é, justificado.

b) **Regeneração** (a experiência subjetiva) **e adoção** (o privilégio objetivo) sugerem uma cena *familiar*. A alma, morta em transgressões e ofensas, precisa de uma nova vida, e esta é concedida por um ato divino de regeneração. A pessoa, por conseguinte, torna-se herdeira de Deus e membro de sua família.

c) **Santificação** sugere uma cena do *templo*, pois esta palavra relaciona-se com o culto a Deus. A pessoa, após harmonizar-se com a lei de Deus e receber uma nova vida, dedica-se, desse momento em diante, ao serviço a Deus. Essa pessoa foi comprada por elevado preço e já não é dona de si mesma; assim, não mais se afasta do templo (figuradamente falando), mas serve a Deus dia e noite (Lc 2.37). Ela é santificada e, por sua própria vontade, entrega-se a Deus.

O homem salvo é aquele cuja vida se harmonizou com Deus e, portanto, foi adotado na família divina, dedicando-se agora a servi-lo. Em outras palavras, sua experiência de salvação, ou seu estado de graça, consiste em justificação, regeneração (e adoção) e santi-ficação. Sendo justificado, ele pertence aos justos; sendo regenerado, ele é filho de Deus; sendo santificado, ele é "santo" (literalmente uma pessoa santa).

Essas bênçãos são simultâneas ou consecutivas? Existe, de fato, uma ordem lógica: o pecador harmoniza-se primeiramente perante a lei de Deus, e sua vida desordenada precisa de transformação. Ele vivia para o pecado e para o mundo e, portanto, precisa separar-se para uma nova vida, para servir a Deus. Ao mesmo tempo, as três experiências são simultâneas, no sentido de que, na prática, não se separam. Nós as separamos para poder estudá-las. As três constituem a plena salvação. À mudança exterior, ou legal — isto é, a justificação — segue-se a mudança subjetiva, a regeneração, e, por sua vez, a esta segue-se a dedicação ao serviço de Deus. Não podemos conceber que a pessoa verdadeiramente justificada não seja regenerada; nem admitimos que a pessoa verdadeiramente regenerada não seja santificada (embora seja possível, na prática, uma pessoa salva, às vezes, violar sua consagração). Não pode haver plena salvação sem essas três experiências, como não pode haver um triângulo sem três lados. Elas representam o tríplice fundamento sobre o qual se estrutura a vida cristã subsequente. A vida cristã, a começar por esses três princípios, progride em direção à perfeição.

Essa tríplice distinção regula a linguagem do NT em seus mínimos detalhes. Apenas para ilustrar esse aspecto:

a) Em relação à *justificação*: Deus é o juiz, e Cristo é o advogado; o pecado é transgressão da lei; a expiação é a satisfação da lei, o pagamento devido; o arrependimento é convicção; a aceitação traz perdão ou remissão dos pecados; o Espírito testifica do perdão; a vida cristã é obediência, e sua perfeição é o cumprimento da lei de justiça.

b) A salvação é também uma *nova vida* em Cristo. Em relação a essa nova vida, Deus é o Pai (aquele que gera), Cristo é o irmão mais velho e a vida; o pecado é obstinação, a escolha da nossa própria vontade em lugar da vontade do chefe da família; expiação é reconciliação; aceitação é adoção; renovação de vida é regeneração, nascer de Deus; a vida cristã significa crucificação e mortificação da velha natureza, que se opõe ao aparecimento da nova natureza, e a perfeição dessa nova vida é o reflexo perfeito da imagem de Cristo, o Filho Unigênito de Deus.

c) A vida cristã é a vida dedicada ao culto e ao serviço de Deus, isto é, a vida santificada. Em relação a essa *vida santificada*, Deus é o santo; Cristo é o sumo sacerdote; o pecado é a impureza; o arrependimento é a consciência dessa impureza; a expiação é o sacrifício expiatório ou substitutivo; a vida cristã é a dedicação sobre o altar (Rm 12.1); a perfeição desse aspecto é a inteira santificação do pecado, a separação para Deus.

Essas três bênçãos da graça foram *providas pela morte expiatória de Cristo*, e as virtudes dessa morte são concedidas ao homem pelo Espírito Santo. Quanto à satisfação das reivindicações da Lei, a expiação proveu o perdão e a justiça para o homem. Ao abolir a barreira existente entre Deus e o homem, ela possibilitou a vida regenerada. Os benefícios do sacrifício para a purificação do pecado são a santificação e a pureza.

Notemos que essas três bênçãos *fluem de nossa união com Cristo*. O crente é um com Cristo, em virtude de sua morte expiatória e de seu Espírito vivificante. Nele nos tornamos justiça de Deus (2Co 5.21); por ele temos perdão dos pecados (Ef 1.7); nele somos novas criaturas, nascidos de novo, com vida nova (2Co 5.17); nele somos santificados (1Co 1.2), e ele torna-se para nós santidade (1Co 1.30). Ele é "a fonte da salvação eterna" (Hb 5.9).

2. Salvação: externa e interna

A salvação é tanto objetiva (externa) quanto subjetiva (interna).

a) A justiça, em primeiro lugar, é mudança de posição, mas é acompanhada por mudança de condições. A justiça é tanto creditada quanto conferida.

b) A adoção refere-se a conferir o privilégio da filiação divina; a regeneração diz respeito à vida interna, que corresponde a nosso chamado e que nos faz "participantes da natureza divina" (2Pe 1.4).

c) A santificação é tanto externa quanto interna. A externa é separação do pecado e dedicação a Deus; a interna é purificação do pecado.

O aspecto externo da graça é provido pela obra expiatória de Cristo; o aspecto interno refere-se à operação do Espírito Santo.

3. Condições da salvação

O que significa a expressão "condições da salvação"? Significa o que Deus exige do homem a quem ele aceita por causa de Cristo e a quem dispensa as bênçãos do evangelho da graça.

As Escrituras apresentam o arrependimento e a fé como condições da salvação; o batismo nas águas é mencionado como símbolo exterior da fé interior do convertido (Mc 1.15; At 22.16; 16.31; 2.38; 3.19).

Abandonar o pecado e buscar Deus são as condições para a salvação, como também os preparativos para ela. Estritamente falando, não há mérito nem no arrependimento nem na fé, pois tudo quanto é necessário para a salvação já foi providenciado a favor do pecador que se arrepende. Pelo arrependimento, o pecador remove os obstáculos que o impedem de receber essa dádiva; pela fé, ele a aceita. Mas, para isso, embora sejam obrigatórios o arrependimento e a fé, mandamentos de Deus, contamos com a influência do Espírito Santo, o Conselheiro. (Observe a expressão: "Então, Deus concedeu arrependimento [...]!"; At 11.18.) A blasfêmia contra o Espírito Santo afasta o único que pode mover o coração e levá-lo ao arrependimento. Por conseguinte, para tal pecado não há perdão.

Qual é a diferença entre arrependimento e fé? A fé é o instrumento pelo qual recebemos a salvação, fato que não se dá com o arrependimento. O arrependimento ocupa-se com o pecado e o remorso, enquanto a fé ocupa-se com a misericórdia de Deus.

Pode haver fé sem arrependimento? Não. Só o pecador que se arrepende sente a necessidade do Salvador e deseja a salvação de sua alma.

Pode haver arrependimento verdadeiro sem fé? Ninguém, no sentido bíblico, poderá arrepender-se sem fé na Palavra de Deus, sem acreditar em suas ameaças de juízo e em suas promessas de salvação.

A fé e o arrependimento são apenas medidas preparatórias para a salvação? Ambos acompanham o crente durante sua vida cristã:

o arrependimento transforma-se em zelo pela purificação da alma; e a fé opera pelo amor e continua a receber as coisas de Deus.

a) Arrependimento. Alguém definiu o arrependimento das seguintes maneiras: "a verdadeira tristeza sobre o pecado, incluindo um esforço sincero para abandoná-lo"; "tristeza piedosa por ter pecado"; "convicção da culpa produzida pelo Espírito Santo ao aplicar a lei divina ao coração"; ou, nas palavras de um garotinho: "sentir tanta tristeza a ponto de deixar o pecado".

Há, segundo as Escrituras, três elementos no arrependimento: intelectual, emocional e prático. Podemos ilustrá-los da seguinte maneira: 1) Um viajante descobre estar viajando no trem errado. Esse reconhecimento corresponde ao elemento intelectual pelo qual a pessoa compreende, mediante a pregação da Palavra, que não está em harmonia com Deus. 2) O viajante fica perturbado com essa descoberta. Talvez, chegue até a alimentar certos receios. Isso ilustra o lado emocional do arrependimento, uma autoacusação e tristeza sincera por ter ofendido Deus (2Co 7.10). 3). Na primeira oportunidade, portanto, o viajante deixa esse trem e embarca no trem certo. Isso ilustra o lado prático do arrependimento, que significa "converter-se", isto é, dar meia-volta e marchar em direção a Deus. Há uma palavra grega traduzida por "arrependimento" que significa literalmente "mudar de ideia ou de propósito". O pecador arrependido propõe-se a mudar de vida e voltar-se para Deus; o resultado prático é que ele produz frutos dignos do arrependimento (Mt 3.8).

O arrependimento honra a Lei como a fé honra o Evangelho. Como, pois, o arrependimento honra a Lei? O homem arrependido lamenta ter-se afastado do santo mandamento, como também lamenta sua impureza pessoal, à luz dessa Lei que aceita e compreende. Ele, pela confissão, admite a justiça da sentença divina. Na correção de sua vida, ele abandona o pecado e faz, de acordo com as circunstâncias, a reparação possível e necessária.

De que maneira o Espírito Santo ajuda a pessoa a arrepender-se? Ele a ajuda ao aplicar a Palavra de Deus à consciência, ao comover o coração e fortalecer o desejo de abandonar o pecado.

b) Fé. Fé, no sentido bíblico, significa crer e confiar. É o assentimento do intelecto com o consentimento da vontade. Quanto ao intelecto, consiste em crer em certas verdades reveladas sobre Deus e Cristo; quanto à vontade, consiste na aceitação dessas verdades como princípios e diretrizes da vida. A fé intelectual não é o suficiente (Tg 2.19; At 8.13,21) para adquirir a salvação. É possível dar seu assentimento intelectual ao evangelho sem, contudo, entregar-se a Cristo. A fé proveniente do coração é essencial (Rm 10.9). A fé intelectual significa reconhecer como verídicos os fatos do evangelho; a fé proveniente do coração significa a pronta dedicação da vida às obrigações implícitas nesses fatos. Fé, no sentido de confiança, implica também o elemento emocional. Por conseguinte, a fé que salva representa um ato que engloba toda a personalidade, envolvendo o intelecto, as emoções e a vontade.

O significado da fé determina-se pela maneira com que se emprega a palavra no original grego. Fé às vezes significa não somente crer em um corpo de doutrinas, mas sim crer em tudo quanto é verdade, como, por exemplo, nas seguintes expressões: "Aquele que antes nos perseguia, agora está anunciando a fé que outrora procurava destruir" (Gl 1.23); "alguns abandonarão a fé" (1Tm 4.1); "a palavra da fé que estamos proclamando" (Rm 10.8); "pela fé de uma vez por todas confiada aos santos" (Jd 3). Essa fé às vezes é denominada "fé objetiva" ou externa. O ato de crer nessas verdades é conhecido como fé subjetiva.

A palavra grega "crer", quando seguida por certas preposições, exprime a ideia de repousar ou apoiar-se sobre um firme fundamento; esse é o sentido da palavra "crer" conforme a encontramos em João 3.16. Seguida por outra preposição, a palavra significa a confiança que faz unir a pessoa ao objeto de sua fé. Portanto, fé é o elo entre a alma e Cristo.

A fé é atividade humana ou divina? O fato de que ao homem é ordenado crer implica capacidade e obrigação de crer. Todos os homens têm a capacidade de depositar sua confiança em alguém e em alguma coisa. Por exemplo: alguns depositam sua fé em riquezas, outros, em homens, e ainda outros, em amigos etc. Quando se deposita a crença na Palavra de Deus, e a confiança está em Deus e em Cristo, isso constitui a fé que salva. Contudo, reconhecemos a graça do Espírito Santo, que ajuda, em cooperação com a Palavra, na produção dessa fé salvadora (cf. Jo 6.44; Rm 10.17; Gl 5.22; Hb 12.2).

O que, portanto, é a fé que salva? Eis algumas definições: "Fé em Cristo é graça salvadora pela qual o recebemos e nele confiamos inteiramente para receber a salvação conforme nos é oferecida no evangelho". É o "ato exclusivamente do pecador que se arrepende, ajudado de modo especial pelo Espírito, e que passa a descansar em Cristo". "É a atitude ou disposição mental, da parte do pecador que se arrepende, por meio da qual, sob a influência da graça divina, a pessoa põe sua confiança em Cristo como seu único e todo-suficiente Salvador." "É a firme confiança em que Cristo morreu pelos *meus* pecados, que ele *me amou* e deu-se a si mesmo por *mim*." "É crer e confiar nos méritos de Cristo, por quem Deus está disposto a mostrar-nos misericórdia." "É a fuga do pecador, que se arrepende, para a misericórdia de Deus em Cristo."

4. Conversão

Conversão, segundo a definição mais simples, é abandonar o pecado e aproximar-se de Deus (At 3.19). O termo é usado tanto para exprimir o período crítico em que o pecador volta aos caminhos da justiça quanto para expressar o arrependimento de alguma transgressão por parte de quem já se encontra nos caminhos da justiça (Mt 18.3; Lc 22.32; Tg 5.20).

A conversão está muito relacionada com o arrependimento e com a fé e, ocasionalmente, representa tanto uma coisa quanto outra, ou ambas, no sentido de englobar todas as atividades pelas quais o homem abandona o pecado e se aproxima de Deus (At 3.19; 11.21; 1Pe 2.25). O Catecismo de Westminster, em resposta à sua própria pergunta, apresenta a seguinte definição adequada de conversão:

O que é arrependimento para a vida?

> Arrependimento para a vida é uma graça salvadora pela qual o pecador, tendo uma verdadeira percepção de seu pecado e compreendendo a misericórdia de Deus em Cristo, enche-se de tristeza e de horror pelos seus pecados, abandona-os e volta-se para Deus, determinado a prestar-lhe nova obediência.

Observe que, segundo essa definição, a conversão envolve toda a personalidade — intelecto, emoções e vontade.

Como se distingue conversão de salvação? A conversão descreve o lado humano da salvação. Para ilustrar, observemos um pecador que, antes desacreditado, não se embriaga mais, não se dedica mais à jogatina, não frequenta mais antros; ele odeia as coisas que antes amava e ama as coisas que antes odiava. Seus amigos dizem: "Ele se converteu e mudou de vida". Essas pessoas descrevem a manifestação exterior, isto é, o lado humano do fato. Mas, do lado divino, diríamos que Deus perdoou o pecado do pecador e lhe deu um novo coração.

No entanto, isso significa que a conversão seja inteiramente uma questão de esforço humano? A conversão, visto que a fé e o arrependimento estão inclusos nela, é uma atividade humana; mas, ao mesmo tempo, é um efeito sobrenatural, pois ela é a *reação* do homem ao poder atrativo da graça de Deus e de sua Palavra. Portanto, a conversão é o resultado da cooperação das atividades divinas e humanas: "Ponham em ação a salvação de vocês com temor e tremor, pois é Deus quem efetua em vocês tanto o querer quanto o realizar, de acordo com a boa vontade dele" (Fp 2.12,13). As passagens de Jeremias 31.18 e

Atos 3.26 referem-se ao lado divino da conversão. Já Atos 3.19; 11.18 e Ezequiel 33.11 referem-se ao lado humano.

O que acontece primeiro, a regeneração ou a conversão? As operações que envolvem a conversão são profundas e de caráter misterioso, por isso não as analisaremos com precisão matemática. Doutor Strong, teólogo, conta o caso de um candidato à ordenação a quem fizeram tal pergunta. Ele respondeu: "Regeneração e conversão são como a bala do canhão e o orifício do cano do canhão — ambos atravessam o cano juntos".

II. A JUSTIFICAÇÃO

1. Natureza da justificação: absolvição divina

A palavra "justificar" é o termo judicial que significa absolver, declarar justo ou pronunciar sentença de aceitação. A ilustração procede das relações legais. O réu está diante de Deus, o justo juiz; mas, em vez de ser condenado, é absolvido.

O substantivo "justificação", ou "justiça", significa o estado de aceitação que só se alcança pela fé. Essa aceitação é dom gratuito de Deus, posto à nossa disposição pela fé em Cristo (Rm 1.17; 3.21,22). É o estado de aceitação no qual o crente permanece (Rm 5.2). O crente, apesar de seu passado pecaminoso e das imperfeições do presente, desfruta de completa e segura posição em relação a Deus. "Justificado" é o veredicto divino, e ninguém pode opor-se a ele (Rm 8.34). Essa doutrina assim se define: "Justificação é um ato da livre graça de Deus pelo qual ele perdoa todos os nossos pecados e, aos seus olhos, somos considerados justos apenas por nos ter sido creditada a justiça de Cristo, a quem se recebe pela fé".

Justificação é primeiramente uma mudança de posição da parte do pecador, que antes era um condenado; mas, agora, foi absolvido. Antes estava sob a condenação divina, mas agora participa da aprovação divina.

Justificação inclui mais que perdão dos pecados e remoção da condenação, pois no ato da justificação Deus coloca o ofensor na posição de justo. O presidente da República pode perdoar o criminoso, mas não pode reintegrá-lo à posição daquele que nunca desrespeitou as leis. Mas Deus pode efetuar essas duas ações! Ele apaga o passado, os pecados e ofensas, e, em seguida, trata o ofensor como se nunca tivesse cometido um pecado sequer! O criminoso perdoado não é considerado ou descrito como bom ou justo, mas Deus, ao perdoar o pecador, declara-o justificado, isto é, justo aos seus olhos. Juiz algum poderia justificar o criminoso, isto é, declará-lo homem justo e bom. Se Deus estivesse sujeito às mesmas limitações e justificasse somente as pessoas *boas*, então não haveria evangelho nenhum a ser anunciado aos pecadores. Paulo assegura-nos que Deus justifica o ímpio. "O milagre do evangelho é que Deus se aproxima dos ímpios, com uma misericórdia absolutamente justa, e os capacita pela fé, a despeito do que são, a entrar em um novo relacionamento com ele, por meio do qual é possível que se tornem bons. O segredo do cristianismo do NT, como também de todos os avivamentos e reformas da Igreja, é justamente este maravilhoso paradoxo: "Deus justifica o ímpio!".

Assim vemos que justificação é primeiramente subtração — o cancelamento dos pecados; e, depois, adição — imputação de justiça.

2. Necessidade da justificação: a condenação do homem

"Mas como pode o mortal ser justo diante de Deus?", perguntou Jó (9.2). "Senhores, que devo fazer para ser salvo?" (At 16.30), interrogou o carcereiro de Filipos. Ambos formularam a maior de todas as perguntas: como o homem pode acertar sua vida perante Deus e ter certeza da aprovação divina?

A resposta a essa interrogação encontra-se no NT, especialmente na epístola aos Romanos, na qual se apresenta, de forma sistemática e detalhada, o plano de salvação. O tema do livro encontra-se em

1.16,17, o qual pode ser parafraseado da seguinte maneira: o evangelho é o poder de Deus para a salvação dos homens, pois o evangelho revela aos pecadores como é possível mudar de posição e de condição, de maneira que eles sejam justos perante Deus.

Uma das frases proeminentes da mesma epístola é: "a justiça de Deus". O inspirado apóstolo descreve a qualidade de justiça que Deus aceita, de forma que o homem que a possui seja considerado perante Deus. Essa é a justiça que resulta da fé em Cristo. Paulo demonstra que todos os homens necessitam dessa justiça de Deus, porque toda a raça pecou. Os gentios estão sob condenação. Os passos de sua degradação foram claros: antes conheceram Deus (1.19,20); como falharam em servi-lo e adorá-lo, sua mente se obscureceu (1.21,22); a cegueira espiritual os conduziu à idolatria (v. 23), e a idolatria os conduziu à corrupção moral (v. 24-31). São indesculpáveis porque têm a revelação de Deus na natureza, como também têm a consciência que aprova ou desaprova seus atos (Rm 1.19,20; 2.14,15). O judeu também está sob condenação. É verdade que ele pertence à nação escolhida e conhece a Lei de Moisés há muitos séculos, mas transgrediu essa Lei em pensamentos, atos e palavras (cap. 2). Paulo, assim, de forma veemente, engloba toda a raça humana nessa condenação: "Sabemos que tudo o que a Lei diz, o diz àqueles que estão debaixo dela, para que toda boca se cale e todo o mundo esteja sob o juízo de Deus. Portanto, ninguém será declarado justo diante dele baseando-se na obediência à Lei, pois é mediante a Lei que nos tornamos plenamente conscientes do pecado" (Rm 3.19,20).

Que "justiça" é essa da qual tanto o homem necessita? A própria palavra significa "retidão", ou estado do que é reto ou justo. A palavra às vezes descreve o caráter de Deus, isento de toda imperfeição e injustiça. Quando aplicada ao homem, significa o estado de ser justo com Deus. Retidão significa "reto", aquilo que se conforma a um padrão ou norma. Por conseguinte, o homem justo é aquele cuja vida se conforma à Lei divina. Mas o que acontecerá se esse homem descobrir que, em vez de ser "reto", é perverso (literalmente "torto") e incapaz de se endireitar? É nesse momento que ele precisa da justificação — a obra exclusiva de Deus.

Paulo declarou que pelas obras da Lei ninguém será justificado. Essa declaração não é uma crítica contra a Lei, santa e perfeita. Significa apenas que a Lei não foi dada com esse propósito, o de *tornar* justo o povo, e sim para suprir a necessidade de uma norma de justiça. A Lei pode ser comparada a uma fita métrica que pode medir o comprimento do pano, sem, contudo, aumentar o comprimento. Podemos compará-la à balança que determina o nosso peso, sem, contudo, aumentar esse peso. "Pois é mediante a Lei que nos tornamos plenamente conscientes do pecado" (Rm 3.20).

"Mas agora se manifestou uma justiça que provém de Deus, independente da Lei" (Rm 3.21). Observe a palavra "agora". Alguém disse que Paulo dividiu todo o tempo em "agora" e "depois". Em outras palavras, a vinda de Cristo operou uma grande mudança nas transações de Deus com os homens. Isso introduziu uma nova dispensação. Durante séculos, os homens pecaram e aprenderam sobre a impossibilidade de aniquilar ou vencer seus pecados. Mas *agora* Deus, clara e abertamente, revelou-lhes o caminho.

Muitos israelitas julgavam haver um meio de serem justificados, sem ser pela obediência à Lei; por duas razões: 1) Perceberam um grande abismo entre as exigências de Deus para com Israel e seu verdadeiro estado espiritual. Israel era injusto, e a salvação não podia proceder dos próprios méritos ou esforços. A salvação deveria proceder de Deus, por intervenção divina. 2) Muitos israelitas reconheceram, por experiência própria, sua incapacidade para obedecer perfeitamente à Lei. Chegaram à conclusão de que devia haver uma justiça passível de ser alcançada, independentemente de suas próprias obras e esforços. Em outras palavras, ansiavam por redenção e graça. Deus assegurou-lhes que tal justiça lhes seria revelada. Paulo (Rm 3.21) fala da justiça de Deus sem a lei, "da qual testemunham a Lei (Gn 3.15; 12.3; Gl 3.6-8) e os Profetas (Jr 23.6;

31.31-34)". Essa justiça incluía tanto o perdão dos pecados quanto a justiça íntima do coração.

Na verdade, Paulo afirma que a justificação pela fé foi o plano original de Deus para a salvação dos homens; e a Lei foi acrescentada para disciplinar os israelitas e fazê-los sentir a necessidade de redenção (Gl 3.19-26). Mas a Lei em si não possuía poder para salvar, como o termômetro não tem poder para baixar a febre que registra. Apenas Deus, o Salvador de seu povo, como também sua graça, seria a única esperança.

Infelizmente, os judeus exaltaram a Lei, imaginando que ela fosse um agente justificador, e elaboraram um plano de salvação baseado no mérito pela obediência a seus preceitos e às tradições que lhes foram acrescentadas. "Porquanto, ignorando a justiça que vem de Deus e procurando estabelecer a sua própria, não se submeteram à justiça de Deus" (Rm 10.3). Eles equivocaram-se quanto ao propósito da Lei. Confiaram nela como meio de salvação espiritual, ignorando a pecabilidade inerente a seu próprio coração, e imaginavam que seriam salvos pela obediência à letra da Lei. Por essa razão, quando Cristo veio, oferecendo-lhes a salvação de seus pecados, julgaram não precisar de um Messias como ele (v. Jo 8.32-34). O pensamento dos judeus era o de estabelecer exigências rígidas pelas quais conseguiriam a vida eterna. Perguntaram: "O que precisamos fazer para realizar as obras que Deus requer?". E não se prontificaram a obedecer à indicação de Jesus: "A obra de Deus é esta: *crer* naquele que ele enviou" (Jo 6.28,29; grifo do autor). Tão ocupados estavam em estabelecer seu próprio sistema de justiça que perderam por completo a oportunidade de serem participantes da justificação divinamente provida para os homens pecadores. Em uma viagem, o trem representa o meio de alcançar determinado destino. Ninguém pensa em morar no trem; antes, preocupa-se tão somente em chegar ao destino. Ao chegar a esse destino, deixa-se o trem. A Lei foi dada a Israel com o propósito de conduzi-lo a um destino, e esse destino é a fé na graça salvadora de Deus. Mas, ao aparecer o Redentor, os judeus, satisfeitos consigo mesmos, fizeram o papel do viajante que, ao chegar ao destino, recusa-se a sair do trem, embora o condutor lhe diga: "Estamos no fim da viagem!". Os judeus recusaram-se a deixar as poltronas do "trem da antiga aliança", muito embora o NT lhes assegurasse que o "fim da Lei é Cristo" e que nele cumpriu-se a antiga aliança (Rm 10.4).

3. A fonte da justificação: a graça

Graça significa, primeiramente, favor, ou a disposição bondosa da parte de Deus. Alguém a definiu como a "bondade genuína e favor não recompensado", ou "favor não merecido". Dessa forma, a graça nunca incorre em dívida. O que Deus concede, concede-o como favor; nunca podemos recompensá-lo ou pagar-lhe. A salvação é sempre apresentada como uma dádiva, um favor não merecido, impossível de ser recompensado; e um benefício legítimo de Deus (Rm 6.23). O serviço cristão, portanto, não é pagamento pela graça de Deus; é apenas o meio pelo qual o crente aproveita para expressar sua devoção e amor a Deus: "Nós amamos porque ele nos amou primeiro" (1Jo 4.19).

A graça é transação de Deus com o homem, absolutamente independente da questão de merecimento. L. S. Chafer escreveu: "Graça não é tratar a pessoa *como* ela merece, nem tratá-la *melhor* do que merece. É tratá-la graciosamente sem a mínima referência a seus méritos. Graça é amor infinito expressando-se em bondade infinita".

Devemos evitar certo mal-entendido. Graça não significa que o pecador é perdoado porque Deus tem um coração tão magnânimo que abranda a penalidade ou desiste de um juízo justo. Sendo Deus o soberano perfeito do Universo, ele não pode tratar indulgentemente o assunto do pecado, pois isso depreciaria sua perfeita santidade e justiça. A graça de Deus aos pecadores revela-se no fato de que ele mesmo, pela *expiação de Cristo*, pagou toda a pena do pecado. Por conseguinte, ele pode *justamente* perdoar o pecado sem levar em conta os merecimentos ou não merecimentos do pecador. Os pecadores são perdoados não porque Deus seja gracioso para desculpar os pecados deles, mas porque existe redenção mediante o sangue de Cristo (Rm 3.24; Ef 1.6). Os pregadores liberais erram nesse ponto, pois pensam que Deus, por sua benignidade, perdoa os pecados. Entretanto, seu perdão fundamenta-se na mais rigorosa justiça: "Ele é fiel e justo para perdoar os nossos pecados" (1Jo 1.9). A graça de Deus revela-se no fato de ele haver provido uma expiação pela qual, ao mesmo tempo, justifica o ímpio e vindica sua santa e imutável Lei.

A graça manifesta-se independentemente das obras ou atividades dos homens. Quando a pessoa está debaixo da Lei, não pode estar debaixo da graça; e quando está debaixo da graça, não pode estar debaixo da Lei. Uma pessoa está "debaixo da Lei" quando tenta assegurar sua salvação ou santificação como recompensa, por fazer boas obras ou observar certas cerimônias. Ela está "debaixo da graça" quando assegura para si a salvação por confiar na obra que Deus fez por ela, e não na obra que ela faz para Deus. As duas esferas são mutuamente exclusivas (Gl 5.4). A Lei diz: "Pague tudo", mas a graça diz: "Tudo está pago". A Lei representa uma obra a fazer, a graça é uma obra consumada. A Lei restringe as ações, a graça transforma a natureza. A Lei condena, a graça justifica. Debaixo da Lei, o indivíduo é servo assalariado; debaixo da graça, ele é filho em alegria de herança ilimitada.

Enraizada no coração humano está a ideia de que o homem deve fazer algo para tornar-se merecedor da salvação. Na igreja primitiva, certos mestres judeus cristãos insistiam em que os convertidos fossem salvos pela fé *e* pela observância da Lei de Moisés. Entre os pagãos, e em alguns setores da Igreja cristã, esse erro tem tomado a forma de autocastigo, observância de ritos, peregrinações e esmolas. A ideia substancial de todos esses esforços é a seguinte: Deus não é bondoso; o homem não é justo; por conseguinte, o homem precisa fazer-se justo a fim de tornar Deus benigno. Esse foi o erro de Lutero, quando, mediante automortificações, esforçava-se para efetuar sua própria salvação. "Oh, quando será que você se tornará piedoso a ponto de ter um Deus benigno?", exclamou certa vez, referindo-se a si próprio. Por fim, Lutero descobriu a grande verdade básica do evangelho: Deus é bondoso; portanto deseja tornar o homem justo. A graça do amoroso Pai, revelada na morte expiatória de Cristo, é um dos elementos que distinguem o cristianismo das demais religiões.

> Salvação é a justiça de Deus creditada ao pecador, não a justiça imperfeita do homem. Salvação é a divina reconciliação, não o regulamento humano. Salvação é o cancelamento de *todos* os pecados, não a eliminação de *alguns* pecados. Salvação é ser libertado da Lei e estar morto para a Lei, não ter prazer na Lei ou obedecer à Lei. Salvação é regeneração divina, não reforma humana. Salvação é ser aceitável a Deus, não tornar-se extremamente bom. Salvação é perfeição em Cristo, não competência de caráter. A salvação, sempre e somente, procede de Deus, nunca do homem (Lewis Sperry Chafer).

Usa-se às vezes a palavra "graça" especificamente para indicar a operação da influência divina (Ef 4.7) e seus efeitos (At 4.33; 11.23; Tg 4.6; 2Co 12.9). As operações desse aspecto da graça são classificadas da seguinte maneira: Graça *preveniente* (literalmente, "que vem antes") é a influência divina que precede a conversão da pessoa, impelindo-a a voltar-se para Deus. É o efeito do favor divino em atrair os homens (Jo 6.44) e convencer os desobedientes (At 7.51). Essa graça às vezes é denominada *eficiente*, tornando-se eficaz em produzir a conversão, quando não encontra resistência (Jo 5.40; At 7.51; 13.46). A graça *efetiva* capacita os homens a viver justamente, a resistir à tentação e a cumprir seu dever. Por isso, pedimos graça ao Senhor para cumprir determinada tarefa.

A graça *habitual* é o efeito da morada do Espírito Santo que resulta em uma vida plena do fruto do Espírito (Gl 5.22,23).

4. O fundamento da justificação: a justiça de Cristo

Como pode Deus tratar o pecador como pessoa justa? Resposta: Deus lhe provê a justiça. Mas será que isso é apenas conceder o título de "bom" e "justo" a quem não o merece? Resposta: o Senhor Jesus Cristo conquistou o título para o pecador, o qual é declarado justo "por meio da redenção que há em Cristo Jesus" (Rm 3.24). Redenção significa completa libertação pelo preço pago.

Cristo conquistou essa justiça por nós, por meio de sua morte expiatória, conforme está escrito: "Deus o ofereceu como sacrifício para propiciação mediante a fé, pelo seu sangue, demonstrando a sua justiça" (Rm 3.25). Propiciação é aquilo que assegura o favor de Deus para com os que não o merecem. Cristo morreu por nós para nos salvar da justa ira de Deus e nos assegurar o seu favor. A morte e a ressurreição de Cristo representam a provisão externa para a salvação do homem, e o termo justificação refere-se ao modo pelo qual os benefícios salvíficos da morte de Cristo são postos à disposição do pecador. Fé é o meio pelo qual o pecador lança mão desses benefícios.

Consideremos a necessidade de justiça. Assim como o corpo necessita de roupa, a alma necessita de caráter. Assim como é necessário apresentar-se decentemente vestido em público, também é necessário que o homem se vista da roupa de um caráter perfeitamente justo para apresentar-se diante de Deus (cf. Ap 3.4; 7.13,14; 19.8). As vestes do pecador estão sujas e rasgadas (Zc 3.1-4); se o pecador se vestisse com sua própria bondade e seus próprios méritos, alegando que suas obras são boas, elas seriam consideradas "trapo imundo" (Is 64.6). A única esperança do homem é adquirir a justiça que Deus aceita — a "justiça de Deus". Visto que o homem, por natureza, está destituído dessa justiça, esta terá de ser provida para ele; e terá de ser uma justiça que lhe seja creditada, e não merecida.

Essa justiça foi comprada pela morte expiatória de Cristo (Is 53.5,11; 2Co 5.21; Rm 4.6; 5.18,19). Sua morte foi um ato perfeito de justiça, porque satisfez a lei de Deus. Foi também um ato perfeito de obediência. Tudo isso foi feito por nós e posto a nosso crédito. "Deus nos aceita como justos somente por nos ter sido creditada a justiça de Cristo", afirma determinada declaração doutrinária.

O ato pelo qual Deus credita essa justiça em nossa conta chama-se imputação. Imputação é atribuir a alguém as consequências do ato de outra pessoa. Por exemplo, as consequências do pecado de Adão foram debitadas na conta de seus descendentes. As consequências do pecado do homem foram debitadas da conta de Cristo, e as consequências da obediência de Cristo foram creditadas na conta do crente. Ele vestiu-se com as vestes do pecado para que pudéssemos nos vestir com seu manto de justiça: "Cristo Jesus [...] se tornou sabedoria de Deus para nós, isto é, justiça [...]" (1Co 1.30). O Senhor torna-se "Nossa Justiça" (Jr 23.6).

Cristo expiou nossa culpa, satisfez a Lei, tanto por obediência quanto por sofrimento, e tornou-se nosso substituto, de maneira que, ao estarmos unidos com ele pela fé, sua morte torna-se nossa morte, sua justiça, nossa justiça, e sua obediência, nossa obediência. Portanto, Deus nos aceita não porque haja alguma bondade em nós, nem por nossas obras imperfeitas (Rm 3.28; Gl 2.16), tampouco por nossos méritos, mas porque nos foi creditada a perfeita e totalmente suficiente justiça de Cristo. Por causa de Cristo, Deus trata o homem culpado, quando este se arrepende e crê, como se fosse justo. Os méritos de Cristo são creditados a ele.

Também surgem as seguintes perguntas na mente investigativa: realmente, a justificação que salva é algo externo e diz respeito à posição legal do pecador, mas não haverá mudança alguma na condição moral? Afeta sua situação, mas não sua conduta? A justiça é creditada, mas será que também é concedida? Na justificação, Cristo somente será por nós, ou agirá também em nós? Em outras palavras, parece que a imputação da justiça desonraria a Lei se não incluísse a certeza de justiça futura.

A resposta é que a fé que justifica é o ato *inicial* da vida cristã, e esse ato inicial, quando a fé for viva, é seguido por uma transformação interna conhecida como regeneração. A fé une o crente com o Cristo vivo; e essa união com o autor da vida resulta em transformação do coração: "Portanto, se alguém está em Cristo, é nova criação. As coisas antigas já passaram; eis que surgiram coisas novas!" (2Co 5.17). A justiça é creditada no ato da justificação e é comunicada na regeneração. O Cristo que é por nós torna-se o Cristo em nós.

A fé pela qual a pessoa é realmente justificada, necessariamente, tem de ser uma fé viva. Uma fé viva produzirá uma vida reta; será uma "fé que *atua* pelo amor" (Gl 5.6; grifo do autor). Do mesmo modo, ao vestir a justiça de Cristo, o crente é exortado a viver uma vida em conformidade com o caráter de Cristo. "O linho fino são os atos justos [literalmente, os atos de justiça] dos santos" (Ap 19.8). A verdadeira salvação requer uma vida de santidade prática. Que julgamento faríamos de uma pessoa que sempre se vestisse de roupas imaculadas, mas nunca lavasse o corpo? Incoerente, diríamos! Mas a pessoa que alega estar vestida da justiça de Cristo e, ao mesmo tempo, vive de modo indigno do chamado cristão não é menos incoerente. Aqueles que se vestem da justiça de Cristo terão cuidado de purificar-se, "assim como ele é puro" (1Jo 3.3).

5. Os meios da justificação: a fé

Visto que a Lei não pode justificá-lo, a única esperança do homem é receber a "justiça que provém de Deus, independente da Lei" (Rm 3.21) — isto, entretanto, não significa injustiça ilegal, tampouco religião que permita o pecado, mas sim uma mudança de posição e condição. Essa é a "justiça de Deus", isto é, a justiça que Deus concede, a qual também é uma dádiva, pois o homem é incapaz de operar a justiça (Ef 2.8-10).

No entanto, uma dádiva tem de ser aceita. Como, portanto, será aceito o dom da justiça? Ou, para usar a linguagem teológica, qual é o instrumento pelo qual é possível se apropriar da justiça de Cristo? A resposta é: pela fé em Jesus Cristo. A fé é a mão, por assim dizer, que recebe o que Deus oferece. As seguintes referências provam que essa fé é a causa instrumental da justificação: Romanos 3.22; 4.11; 9.30; Hebreus 11.7; Filipenses 3.9.

Os méritos de Cristo são comunicados de uma maneira específica, como também seu interesse salvador. Esse meio necessariamente é estabelecido por Deus, e somente ele o distribui. Esse meio é a fé — o princípio único que a graça de Deus usa para restaurar-nos à sua imagem e ao seu favor. A alma — herdeira da miséria, nascida como tal no pecado — precisa de uma transformação radical, tanto por dentro quanto por fora; tanto diante de Deus quanto diante de si própria. A transformação diante de Deus denomina-se justificação; a transformação espiritual interna que se segue chama-se regeneração pelo Espírito Santo. Essa fé é despertada no homem pela influência do Espírito Santo, geralmente em união com a Palavra. A fé lança mão da promessa divina e apropria-se da salvação. Ela conduz a alma ao descanso em Cristo, como Salvador e sacrifício pelos pecados, concede paz à consciência e oferece a esperança consoladora do céu. Sendo essa fé viva e de natureza espiritual, é cheia de gratidão para com Cristo e rica em boas obras de toda espécie.

"Pois vocês são salvos pela graça, por meio da fé, e isto não vem de vocês, é dom de Deus; não por obras, para que ninguém se glorie" (Ef 2.8,9). O homem não tinha nada para oferecer e comprar sua justificação. Deus não podia condescender em aceitar o que o homem oferecia; o homem também não tinha capacidade para cumprir a exigência divina. Assim, Deus graciosamente salvou o homem, e este não pagou coisa alguma por essa salvação — "justificados gratuitamente por sua graça" (Rm 3.24). Essa livre graça é recebida pela fé. Não existe mérito nessa fé, como não cabem elogios ao mendigo que estende a mão para receber uma esmola. Esse método fere a dignidade do homem, mas, perante Deus, o homem decaído não tem mais dignidade; o homem não tem possibilidade de acumular bondade suficiente para adquirir sua salvação: "Portanto, ninguém será declarado justo diante dele baseando-se na obediência à Lei" (Rm 3.20).

A doutrina da justificação pela graça de Deus, mediante a fé, remove dois perigos: primeiro, o orgulho da autojustiça e do auto-esforço; segundo, o medo de que a pessoa seja fraca demais para conseguir a salvação.

Se a fé em si não é meritória, representando apenas a mão que se estende para receber a livre graça de Deus, então o que é que lhe dá poder e que garantia ela oferece à pessoa que recebeu esse dom gratuito de que viverá uma vida de justiça? Importante e poderosa é a fé porque ela une a alma a Cristo, e é justamente nessa união que se descobre o motivo e o poder para a vida de justiça: "Pois os que em Cristo foram batizados, de Cristo se revestiram" (Gl 3.27). "Os que pertencem a Cristo Jesus crucificaram a carne, com as suas paixões e os seus desejos" (Gl 5.24).

A fé não só recebe passivamente, mas também usa de modo ativo aquilo que Deus concede. É assunto próprio do coração (Rm 10.9,10; cp. Mt 15.19 com Pv 4.23), e quem crê com o coração crê também com suas emoções, afeições e desejos em resposta à oferta divina da salvação. Pela fé, Cristo mora no coração (Ef 3.17). A fé opera pelo amor ("o trabalho que resulta da fé"; 1Ts 1.3), isto é, representa um princípio ativo, bem como uma atitude receptiva. A fé, por conseguinte, é um motivo poderoso para a obediência e para todas as boas obras. A fé envolve a vontade e está ligada a todas as boas escolhas e ações, pois "tudo o que não provém da fé é pecado" (Rm 14.23). Ela inclui a escolha e a busca da verdade (2Ts 2.12), como também implica sujeição à justiça de Deus (Rm 10.3).

O que se segue representa o ensino bíblico e diz respeito à relação entre fé e obras. A fé se opõe às obras quando se entende obras como as boas ações que a pessoa faz com o intuito de merecer a salvação (Gl 3.11). Entretanto, uma fé viva produz obras (Tg 2.26), tal qual uma árvore viva produz frutos. A fé é justificada e aprovada pelas obras (Tg 2.18), assim como os frutos indicam o estado de saúde das raízes de uma boa árvore. A fé se aperfeiçoa pelas obras (Tg 2.22), assim como a flor se completa ao desabrochar. Em breves palavras, as obras são o resultado da fé, a prova da fé e a consumação da fé.

Imagina-se que haja contradição entre os ensinos de Paulo e de Tiago. O primeiro, aparentemente, teria ensinado que a pessoa é justificada pela fé, e o último, que é justificada pelas obras (cp. Rm 3.20 com Tg 2.14-26). Contudo, uma compreensão do sentido em que eles empregaram os termos fará rapidamente desvanecer a suposta dificuldade. Paulo recomenda uma fé viva que confia somente no Senhor; e Tiago denuncia uma fé morta e formal que representa apenas um consentimento mental. Paulo rejeita as obras mortas da Lei, ou obras sem fé; e Tiago louva as obras vivas que demonstram a vitalidade da fé. A justificação mencionada por Paulo refere-se ao início da vida cristã; já Tiago usa a palavra com o significado de vida de obediência e santidade, uma evidência exterior da salvação. Paulo combate o legalismo, ou a confiança nas obras como meio de salvação; Tiago combate o antinomianismo, ou seja, o ensino que afirma que, desde que a pessoa creia, não importa qual seja sua conduta ao longo da vida. Paulo e Tiago não são soldados lutando entre si, mas soldados da mesma linha de combate, cada qual enfrentando inimigos que os atacam de direções opostas.

III. A REGENERAÇÃO

1. Natureza da regeneração

A regeneração é o ato divino que concede ao pecador que se arrepende e que crê uma vida nova e mais elevada, mediante a união pessoal com Cristo. O NT descreve a regeneração desta forma:

a) **Nascimento.** Deus Pai é quem gera, e o crente é "nascido de Deus" (1Jo 5.1), nascido "do Espírito" (Jo 3.8), nascido do alto (tradução literal de Jo 3.3,7). Esses termos referem-se ao ato da graça criadora que faz do crente um filho de Deus.

b) **Purificação.** Deus nos salvou pelo "lavar regenerador" (literalmente, lavatório ou banho; Tt 3.5). A alma foi lavada completamente das impurezas da vida pregressa recebendo novidade de vida, experiência simbolicamente expressa pelas águas do batismo (At 22.16).

c) **Vivificação.** Somos salvos não somente pelo "lavar regene-rador", mas também pelo lavar "renovador do Espírito Santo" (Tt 3.5; cf. tb. Cl 3.10; Rm 12.2; Ef 4.23; Sl 51.10). A essência da regeneração é uma nova vida concedida por Deus Pai, mediante Jesus Cristo e pela operação do Espírito Santo.

d) **Criação.** Aquele que criou o homem no princípio e soprou em suas narinas o fôlego de vida o recria pela operação do seu Espírito Santo (2Co 5.17; Ef 2.10; Gl 6.15; Ef 4.24; cf. Gn 2.7). O resultado prático é uma transformação radical na natureza, no caráter, nos desejos e nos propósitos da pessoa.

e) **Ressurreição** (Rm 6.4,5; Cl 2.13; 3.1; Ef 2.5,6). Como Deus vivificou o barro inanimado e o fez vivo para com o mundo físico, assim ele vivifica a alma em seus pecados e a faz viva para as realidades do mundo espiritual. Esse ato de ressurreição da morte espiritual é simbolizado pelo batismo nas águas. A regeneração é "a grande mudança que Deus opera na alma quando a vivifica, quando a levanta da morte do pecado para a vida de justiça" (João Wesley).

Deve-se notar que os termos anteriormente citados são apenas variantes de um grande pensamento básico sobre a regeneração, isto é, uma divina comunicação de uma nova vida à alma do homem.

Três fatos científicos relativos à vida natural também se aplicam à vida espiritual, isto é, ela surge repentinamente, aparece misteriosamente e desenvolve-se gradativamente.

Regeneração é o aspecto singular da religião do NT. Nas religiões pagãs, reconhece-se universalmente a permanência do caráter. Embora essas religiões recomendem penitências e ritos pelos quais a pessoa espera expiar seus pecados, não há promessa de vida e de graça para transformar sua natureza. A religião de Jesus Cristo é "a única no mundo que declara regenerar a natureza decaída do homem, ao colocá-la em contato com a vida de Deus". Isso é declarado porque o fundador do cristianismo é uma pessoa viva e divina, que vive para salvar perfeitamente os que por intermédio dele se aproximam de Deus (Hb 7.25). Não existe nenhuma analogia entre a religião cristã e, digamos, o budismo ou o islamismo. De maneira nenhuma pode-se dizer: "Quem tem Buda tem a vida" (cf. 1Jo 5.12). Buda pode ter algo que ver com a moralidade. Pode estimular, causar impressão, ensinar e guiar, mas nenhum elemento novo distintivo é acrescido às almas que professam o budismo. Essas religiões podem ser produto do homem natural e moral. Mas o cristianismo declara ser muito mais: além dos aspectos mentais e morais, o homem desfruta algo *superior* na pessoa Jesus Cristo.

2. Necessidade de regeneração

A entrevista de nosso Senhor com Nicodemos (Jo 3) proporciona um excelente fundo histórico para o estudo desse tópico. As primeiras palavras de Nicodemos revelam uma série de emoções provenientes de seu coração. A declaração abrupta de Jesus, no versículo 3, que parece ser uma repentina mudança de assunto, explica-se pelo fato de Jesus estar respondendo ao *coração* de Nicodemos, e não a seu questionamento. As primeiras palavras de Nicodemos revelam: 1) Fome espiritual: se esse chefe judaico tivesse expressado o desejo de sua alma, talvez dissesse: "Estou cansado do ritualismo morto da sinagoga. Eu a frequento, mas volto para casa com a mesma fome com que lá cheguei. Infelizmente, a glória divina afastou-se de Israel; não há visão, e o povo perece. Mestre, minha alma suspira por realidade! Pouco conheço sobre tua pessoa, mas tuas palavras tocaram meu coração. Teus milagres convenceram-me de que és Mestre vindo de Deus. Gostaria de te acompanhar". 2) Faltou a Nicodemos profunda convicção: sentiu sua necessidade, mas achava que precisava de um *instrutor*, e não de um *Salvador*. Como a mulher samaritana, ele queria a água da vida (Jo 4.15), mas, também como ela, Nicodemos teve de compreender que era pecador, que precisava de purificação e transformação (Jo 4.16-18). 3) Nota-se em suas palavras um toque de autocom-placência, coisa muito natural num homem de sua idade e posição. Ele diria a Jesus: "Creio que foste enviado para restaurar o reino de Israel e vim dar-te alguns conselhos quanto aos planos para conseguir esse objetivo". Provavelmente, ele supôs que, sendo israelita e filho de Abraão, essas qualificações seriam suficientes para torná-lo membro do Reino de Deus.

"Em resposta, Jesus declarou: 'Digo-lhe a verdade: Ninguém pode ver o Reino de Deus, se não nascer de novo' " (Jo 3.3). Parafraseando esta passagem, Jesus diria: "Nicodemos, tu não podes unir-te à minha companhia como se te unisses a uma organização. Pertencer à minha companhia não depende da qualidade de tua vida; minha causa não é outra senão aquela do Reino de Deus, e tu não podes entrar nesse Reino sem experimentar uma transformação espiritual. O Reino de Deus é muito diferente do que estás pensando, e o método de estabelecê-lo e de juntar seus súditos é muito diferente do que estás cogitando".

Jesus apontou para a necessidade mais profunda e universal de todos os homens — uma mudança radical e completa da natureza e caráter do homem em sua totalidade. Toda a natureza do homem ficou deformada pelo pecado, a herança da Queda; essa deformação moral reflete-se em sua conduta e em todos os seus relacionamentos. Antes que o homem possa ter uma vida que agrade a Deus, seja no presente, seja na eternidade, sua natureza precisa passar por uma transformação muito radical, realmente um segundo nascimento. O homem não pode transformar-se a si mesmo; essa transformação vem do alto.

Jesus não tentou explicar a forma em que esse novo nascimento ocorre, mas explicou a razão pela qual ele é necessário. "O que nasce da carne é carne, mas o que nasce do Espírito é espírito" (Jo 3.6). Carne e espírito pertencem a reinos distintos, e um não pode produzir o outro. A natureza humana pode gerar a natureza humana, mas somente o Espírito Santo pode gerar a natureza espiritual. A natureza humana somente pode produzir a natureza humana, e nenhuma criatura poderá elevar-se acima de sua própria natureza. A vida espiritual não passa de pai para filho, pela geração natural; ela procede de Deus para o homem, por meio da geração espiritual.

A natureza humana não pode elevar-se acima de si própria. Marcus Dods afirma:

> Todas as criaturas possuem uma natureza específica segundo a sua espécie, determinada pela sua ascendência. Essa natureza que o animal recebe de seus pais determina, desde o princípio, a capacidade e a esfera de atuação desse animal. A toupeira não pode voar como a águia; tampouco o filhote da águia pode cavar um buraco como a toupeira. Nenhum treino jamais fará a tartaruga correr como o antílope, nem fará o antílope tão forte como o leão [...]. Nenhum animal pode agir em desconformidade com sua natureza.

Podemos aplicar esse mesmo princípio ao homem. O destino mais elevado do homem é viver com Deus para sempre; mas a natureza humana, em seu estado presente, não possui a capacidade para viver no reino celestial. Portanto, será necessário que a vida celestial desça dos céus para transformar a natureza humana, preparando-a para participar daquele reino.

3. Os meios da regeneração

a) Agência divina. O Espírito Santo é o agente especial na obra de regeneração. Ele opera a transformação no indivíduo (Jo 3.6;

Tt 3.5). No entanto, todas as pessoas da Trindade participam dessa obra. Realmente, as três pessoas atuam em todas as operações divinas, embora cada pessoa exerça certos ofícios que lhe são peculiares. Dessa forma, o Pai é preeminentemente o Criador; contudo, tanto o Filho quanto o Espírito Santo são mencionados como agentes na criação. O Pai gera (Tg 1.18) e, no evangelho de João, o Filho é apresentado como o doador da vida (cf. caps. 5 e 6).

Observe especialmente a relação de Cristo com a regeneração do homem. Ele é o doador da vida. De que maneira ele vivifica os homens? Vivifica-os por morrer por eles, de forma que, quando comem sua carne e bebem seu sangue (que significa crer em sua morte expiatória), eles recebem a vida eterna. Qual é o processo de conceder a vida aos homens? Uma parte da recompensa de Cristo era a prerrogativa de conceder o Espírito Santo (cf. Jo 3.3,13; Gl 3.13,14), e ele ascendeu para que pudesse tornar-se a fonte da vida e a energia espiritual (Jo 6.62; At 2.33). O Pai tem vida em si (Jo 5.26); portanto, ele concede ao Filho ter vida em si; o Pai é a fonte do Espírito Santo, mas ele dá ao Filho o poder de conceder o Espírito; dessa forma, o Filho é um "espírito vivificante" (1Co 15.45), tendo poder não somente para ressuscitar os mortos fisicamente (Jo 5.25,26), mas também para vivificar a alma morta dos homens (cf. Gn 2.7; Jo 20.22; 1Co 15.45).

b) A preparação humana. Estritamente falando, o homem não pode cooperar no ato de regeneração, um ato soberano de Deus; mas o homem pode tomar parte na *preparação* para o novo nascimento. Qual é essa preparação? Arrependimento e fé.

4. Efeitos da regeneração

Podemos agrupá-los sob três tópicos: posicionais (adoção); espirituais (união com Deus); práticos (a vida de justiça).

a) Posicionais. Quando a pessoa passa pela transformação espiritual, conhecida como regeneração, torna-se filho de Deus e beneficiário de todos os privilégios dessa filiação. O doutor William Evans explica: "Pela adoção, o crente, que já é filho de Deus, recebe o lugar de filho adulto; dessa forma, o menino torna-se filho, o filho menor torna-se adulto" (cf. Gl 4.1-7). A palavra "adoção" significa literalmente "dar a posição de filho" e refere-se, no uso comum, ao homem que recebe em seu lar crianças que não são seus filhos biológicos.

Quanto à doutrina, devemos distinguir entre adoção e regeneração: o primeiro é um termo legal que indica conceder o privilégio de filiação a alguém que não é membro da família; o segundo significa a transformação espiritual que torna o indivíduo filho de Deus e participante da natureza divina. Contudo, na própria experiência, é difícil separar os dois, visto que a regeneração e a adoção representam a dupla experiência da filiação.

No NT, a filiação comum é, às vezes, definida pelo termo "filhos" (*hyios*, no grego), termo que originou a palavra "adoção"; outras vezes, é definida pela palavra *teknon*, no grego, também traduzida por "filhos", que significa literalmente "os gerados" e pode significar a regeneração. Essas duas ideias distintas são, ao mesmo tempo, combinadas nas seguintes passagens: "Contudo, aos que o receberam, aos que creram em seu nome, deu-lhes o direito [implicando adoção] de se tornarem filhos de Deus, [...] os quais [...] nasceram de Deus" (Jo 1.12,13). "Vejam como é grande o amor que o Pai nos concedeu: sermos chamados [implicando adoção] filhos de Deus [a palavra que significa "gerados" de Deus]" (1Jo 3.1). Em Romanos 8.15,16, as duas ideias se entrelaçam: "Pois vocês não receberam um espírito que os escravize para novamente temerem, mas receberam o Espírito que os adota como filhos, por meio do qual clamamos: 'Aba, Pai'. O próprio Espírito testemunha ao nosso espírito que somos filhos de Deus".

b) Espirituais. A regeneração, em virtude de sua natureza, envolve união espiritual com Deus e com Cristo mediante o Espírito

Santo; essa união espiritual envolve habitação divina (2Co 6.16-18; Gl 2.20; 4.5,6; 1Jo 3.24; 4.13). Essa união resulta em um novo tipo de vida e de caráter, descrito de várias maneiras: uma vida nova (Rm 6.4); um coração novo (Ez 36.26); um espírito novo (Ez 11.19); um homem novo (Ef 4.24), participante da natureza divina (2Pe 1.4). O dever do crente é manter seu contato com Deus mediante os vários meios da graça e, dessa forma, preservar e nutrir sua vida espiritual.

c) **Práticos.** A pessoa nascida de Deus demonstrará esse fato pelo ódio que tem ao pecado (1Jo 3.9; 5.18), por obras de justiça (1Jo 2.29), pelo amor fraternal (1Jo 4.7) e pela vitória que alcança sobre o mundo (1Jo 5.4).

Devemos evitar estes dois extremos: o primeiro, estabelecer um padrão tão baixo que a regeneração se torne questão de reforma natural; o segundo, estabelecer um padrão elevado demais que não leve em conta as fraquezas dos crentes. Os novos convertidos, que estão aprendendo a andar com Jesus, estão sujeitos a tropeçar, como a criança que aprende a andar. Mesmo os crentes mais velhos podem ser surpreendidos em alguma falta. João declara que é absolutamente incoerente que a pessoa nascida de Deus, portadora da natureza divina, continue a viver habitualmente no pecado (1Jo 3.9), mas, ao mesmo tempo, ele tem cuidado em escrever: "Se, porém, alguém pecar, temos um intercessor junto ao Pai, Jesus Cristo, o Justo" (1Jo 2.1).

IV. A SANTIFICAÇÃO

1. Natureza da santificação

Em estudo anterior, afirmamos que a chave do significado da doutrina da expiação, encontrada no NT, acha-se no rito sacrificial do AT. Da mesma forma, chegaremos ao sentido da doutrina do NT sobre a santificação pelo estudo do uso da palavra "santo" no AT.

Primeiramente, observa-se que "santificação", "santidade" e "consagração" são sinônimos, como o são "santificados" e "santos". Santificar é a mesma coisa que tornar santo ou consagrar. A palavra "santo" tem os seguintes sentidos:

a) **Separação.** "Santo" é uma palavra que descreve a natureza divina. Seu significado primordial é "separação"; portanto, a santidade representa aquilo que está em Deus que o torna separado de tudo quanto é terreno e humano — isto é, sua absoluta perfeição moral e sua majestade divina.

Quando o Santo deseja usar uma pessoa ou um objeto para seu serviço, ele separa essa pessoa ou objeto de seu uso comum, e, em virtude dessa separação, a pessoa ou o objeto se tornam "santos".

b) **Dedicação.** Santificação inclui tanto separação *de* quanto dedicação *a* alguma coisa; essa é "a condição dos crentes quando são separados do pecado e do mundo para passar a ser participantes da natureza divina e consagrados à comunhão e ao serviço de Deus por meio do Mediador".

A palavra "santo" é mais usada em relação ao culto. Quando se refere aos homens ou aos objetos, ela expressa o pensamento de que esses são usados no serviço divino e dedicados a Deus, no sentido especial de ser sua propriedade. Israel é uma nação santa, por ser dedicada ao serviço de Deus; os levitas são santos por serem especialmente dedicados aos serviços do tabernáculo; o sábado e os dias de festa são santos porque representam a dedicação a Deus ou a consagração do tempo dedicado ao Senhor.

c) **Purificação.** Embora o sentido primordial de "santo" seja separação para serviço, esse sentido inclui também a ideia de purificação. O caráter de Deus age sobre tudo que lhe é devotado. Portanto, os homens consagrados a ele participam de sua natureza. As coisas que lhe são dedicadas devem ser limpas. Limpeza é uma *condição* de santidade, mas não a santidade em si, que é primeiramente separação e dedicação.

Quando Deus escolhe e separa uma pessoa ou um objeto para seu serviço, ele opera ou faz que esse objeto ou essa pessoa se tornem santos. Objetos inanimados foram consagrados pela unção do azeite (Êx 40.9-11). A nação israelita foi santificada pelo sangue do sacrifício da aliança (Êx 24.8; cf. Hb 10.29). Os sacerdotes foram santificados pelo representante de Deus, Moisés, que os lavou com água, ungiu-os com azeite e aspergiu-os com o sangue de consagração (cf. Lv 8).

Como os sacrifícios do AT eram tipos do sacrifício único de Cristo, assim as várias abluções e unções do sistema mosaico são tipos da verdadeira santificação que alcançamos pela obra de Cristo. Assim como Israel foi santificado pelo sangue da aliança, "Jesus também sofreu fora das portas da cidade, para santificar o povo por meio do seu próprio sangue" (Hb 13.12).

Deus santificou os filhos de Arão para o sacerdócio pela mediação de Moisés e pelo emprego de água, azeite e sangue. Deus Pai (1Ts 5.23) santifica os crentes para um sacerdócio espiritual (1Pe 2.5) pela mediação do Filho (1Co 1.2,30; Ef 5.26; Hb 2.11), por meio da Palavra (Jo 17.17; 15.3), do sangue (Hb 10.29; 13.12) e do Espírito (Rm 15.16; 1Co 6.11; 1Pe 1.2).

d) **Consagração.** O sentido aqui é o de viver uma vida santa e justa. Qual a diferença entre justiça e santidade? A justiça representa a vida regenerada em conformidade com a *lei divina*; os filhos de Deus andam retamente (1Jo 3.6-10). Santidade é a vida regenerada em conformidade com a *natureza divina* e dedicada ao serviço divino, o que pede a remoção de qualquer impureza que obstrua esse serviço: "Mas, assim como é santo aquele que os chamou, sejam santos vocês também em tudo o que fizerem" (1Pe 1.15). Assim, a santificação inclui a remoção de qualquer mancha ou sujeira que seja contrária à santidade da natureza divina.

Após a consagração de Israel, surge naturalmente a questão: "Como um povo santo deve viver?". A fim de responder a essa pergunta, Deus deu-lhes o código de leis de santidade que se acham no livro de Levítico. Portanto, em consequência de sua consagração, seguiu-se a obrigação de viver uma vida santa. O mesmo se dá com o cristão. Aqueles declarados santos (Hb 10.10) são exortados a seguir a santidade (Hb 12.14); aqueles que foram purificados (1Co 6.11) são exortados a purificar a si mesmos (2Co 7.1).

e) **Serviço.** A aliança representa o relacionamento entre Deus e os homens, em que ele é o Deus deles, e eles, seu povo, o que faz deles um povo adorador. A palavra "santo" expressa esse relacionamento de aliança. Servir a Deus, nesse relacionamento, significa ser sacerdote. Por conseguinte, descreve-se Israel como nação santa e reino de sacerdotes (Êx 19.6). Qualquer impureza que venha a desfigurar esse relacionamento precisa ser lavada com água ou com o sangue da purificação.

Da mesma maneira, os crentes do NT são "santos", isto é, um povo consagrado. Pelo sangue da aliança, tornaram-se "sacerdócio real, nação santa [...] para serem sacerdócio santo, oferecendo sacrifícios espirituais aceitáveis a Deus, por meio de Jesus Cristo" (1Pe 2.9,5); eles oferecem o sacrifício de louvor (Hb 13.15) e oferecem-se em sacrifício vivo, santo e agradável a Deus (Rm 12.1).

Assim, percebemos que o serviço é elemento essencial da santificação ou santidade, pois é esse o único sentido em que os homens podem pertencer a Deus, ou seja, como seus adoradores que lhe prestam serviço. Paulo expressou perfeitamente esse aspecto da santidade quando disse, sobre seu Senhor: "do Deus a quem pertenço e a quem adoro" (At 27.23). Santificação envolve ser possuído por Deus e servir a ele.

2. O tempo da santificação

A santificação é: 1) posicional e instantânea; 2) prática e progressiva.

a) Posicional e instantânea. A seguinte declaração representa o ensino dos que aderem à teoria de santificação da "segunda obra definida", segundo uma pessoa que ensinou essa doutrina durante muitos anos:

> Supõe-se que a justificação é obra da graça, por meio da qual os pecadores, quando se entregam a Cristo, são feitos justos e libertos dos hábitos pecaminosos. Contudo, permanece um princípio de corrupção, uma árvore má, uma "raiz de amargura", que continuamente provoca o homem meramente justificado a pecar. Se o crente obedece a esse impulso e deliberadamente peca, ele perde sua justificação; segue-se, portanto, o desejo de que esse impulso mau seja removido, para que diminua a possibilidade de se desviar do caminho. A extinção dessa raiz pecaminosa é santificação. Portanto, é a purificação da natureza de todo pecado congênito, pelo sangue de Cristo (aplicado pela fé ao realizar-se a plena consagração); é o fogo purificador do Espírito Santo, o qual, quando tudo é depositado sobre o altar do sacrifício, queima toda a escória. Isso, e somente isso, é a verdadeira santificação — a segunda obra definida da graça, subsequente à justificação, e sem a qual provavelmente esta se perde.

A definição citada ensina que a pessoa pode ser salva ou justificada sem ser santificada. Essa teoria, porém, é contrária ao ensino do NT. O apóstolo Paulo descreve *todos* os crentes como "santos" (literalmente, "os santificados") e como já santificados (1Co 1.2; 6.11). Mas essa carta foi escrita para corrigir esses cristãos por causa de sua carnalidade e pecados grosseiros (1Co 3.1; 5.1,2,7,8). Eram "santos" e "santificados *em Cristo*", mas alguns deles estavam muito longe de ser exemplos de cristãos na conduta diária. Foram chamados a ser santos, mas não se portavam de forma condizente com essa vocação santa.

De acordo com o NT, existe, pois, um sentido em que a santificação é simultânea à justificação.

b) Prática e progressiva. Mas será que essa santificação consiste *somente* em ser conferida a posição de santos? Não, essa separação inicial é apenas o *começo* de uma vida progressiva de santificação. Todos os cristãos são separados para Deus em Jesus Cristo, e dessa separação surge nossa responsabilidade de viver para ele. Essa separação deve continuar diariamente: o crente deve esforçar-se sempre para conformar-se à imagem de Cristo. "A santificação é a obra da livre graça de Deus, pela qual o homem todo é renovado segundo a imagem de Deus e capacitado a morrer para o pecado e viver para a justiça." Isso não quer dizer que crescemos em santificação, e sim que progredimos na santificação da qual já participamos.

A santificação é absoluta e progressiva — absoluta, no sentido de que a obra foi feita de uma vez por todas (Hb 10.14); progressiva, no sentido em que o cristão deve perseguir a santidade (Hb 12.14), aperfeiçoando a consagração pela limpeza de todas as impurezas existentes em seu ser (2Co 7.1).

A santificação é posicional e prática — posicional, pois primeiramente significa uma mudança de posição pela qual o pecador cheio de impurezas se transforma em santo adorador; prática, porque exige uma maneira reta de viver. A santificação posicional é indicada pelo fato de que todos os coríntios são "santificados em Cristo Jesus e chamados para serem santos" (1Co 1.2). A santificação progressiva está implícita no fato de alguns serem descritos como "carnais" (1Co 3.3), o que significa que a presente condição não estava à altura de sua posição concedida por Deus. Em razão disso, foram exortados a purificar-se e, assim, melhorar sua consagração até alcançar a perfeição. Esses dois aspectos da santificação estão implícitos no fato de que aqueles que foram tratados como santificados e santos (1Pe 1.2; 2.5) são exortados a serem santos (1Pe 1.15). Aqueles que estavam mortos para o pecado (Cl 3.3) são exortados a mortificar (fazer morrer) seus membros pecaminosos (Cl 3.5). Aqueles que se despiram do velho homem (Cl 3.9) são exortados a vestirem-se ou revestirem-se do novo homem (Ef 4.24; Cl 3.10).

3. Meios divinos de santificação

A seguir, apresentamos os meios divinamente estabelecidos de santificação: o sangue de Cristo, o Espírito Santo e a Palavra de Deus. O primeiro proporciona primordialmente a santificação absoluta e posicional; é uma obra consumada que concede ao pecador que se arrepende uma posição perfeita em relação a Deus. O segundo meio é interno, pois efetua a transformação da natureza do crente. O terceiro meio é externo e prático e diz respeito à conduta prática do crente. Dessa forma, Deus fez provisão tanto para a santificação interna quanto para a externa.

a) **O sangue de Cristo** (eterno, absoluto e posicional) (Hb 13.12; 10.10,14; 1Jo 1.7). Em que sentido a pessoa é santificada pelo sangue de Cristo? Em resultado da obra consumada de Cristo, o pecador que se arrepende é transformado de pecador impuro em adorador santo. A santificação é o resultado dessa "maravilhosa obra redentora do Filho de Deus, ao oferecer-se no Calvário para aniquilar o pecado pelo seu sacrifício. Em virtude desse sacrifício, o crente é eternamente separado para Deus: sua consciência é purificada, e ele próprio é transformado de pecador impuro em santo adorador, unido em comunhão com o Senhor Jesus Cristo, pois, 'tanto o que santifica quanto os que são santificados provêm de um só. Por isso Jesus não se envergonha de chamá-los irmãos' " (Hb 2.11).

Com base em 1João 1.7, infere-se que haja um aspecto contínuo na santificação pelo sangue: "O sangue de Jesus, seu Filho, nos purifica de todo pecado". Se houver comunhão entre o Deus santo e o homem, necessariamente tem de haver uma provisão para remover a barreira do pecado, que impede essa comunhão, uma vez que até mesmo os melhores homens são imperfeitos. Isaías, ao receber a visão da santidade de Deus, ficou abatido ao perceber sua falta de santidade; ele não tinha condições de ouvir a mensagem divina enquanto a brasa do altar não purificasse seus lábios. A consciência do pecado ofusca a comunhão com Deus; a confissão e a fé no sacrifício eterno de Cristo removem essa barreira (1Jo 1.9).

b) **O Espírito Santo** (santificação interna) (1Co 6.11; 2Ts 2.13; 1Pe 1.1,2; Rm 15.16). Nessas passagens, apresenta-se a santificação pelo Espírito Santo como o início da obra de Deus no coração dos homens, conduzindo-os ao inteiro conhecimento da justificação pela fé no sangue aspergido de Cristo. Assim como o Espírito de Deus se movia sobre a face das águas (Gn 1.2) e em seguida a palavra de Deus trouxe ordem ao caos primevo, o Espírito de Deus também se move sobre a alma regenerada, fazendo-a abrir-se para receber a luz e a vida de Deus (2Co 4.6).

O capítulo 10 de Atos proporciona uma ilustração concreta da santificação pelo Espírito Santo. Durante os primeiros anos da Igreja, a evangelização dos gentios retardou-se, visto que muitos judeus cristãos consideravam os gentios "imundos" e não santificados, pois não se comportavam em conformidade com as leis alimentares e outros regulamentos mosaicos. Foi preciso Pedro ter uma visão para que se convencesse de que aquilo que o Senhor purificara ele não devia tratar como comum ou impuro. Isso significava dizer que Deus fizera provisão para a santificação dos gentios a fim de que também fossem seu povo. E, quando o Espírito de Deus desceu sobre os gentios reunidos na casa de Cornélio, já não restava nenhuma dúvida a esse respeito. Eles foram santificados pelo Espírito Santo, não importando se obedeciam ou não às ordenanças mosaicas (Rm 15.16), e Pedro desafiou os judeus que estavam com ele a negar o símbolo exterior de sua purificação espiritual (At 10.47; 15.8).

c) **A Palavra de Deus** (santificação externa e prática) (Jo 17.17; Ef 5.26; Jo 15.3; Sl 119.9; Tg 1.23-25). Os cristãos são descritos como " regenerados [...], por meio da palavra de Deus, viva e permanente" (1Pe 1.23). A Palavra de Deus desperta os homens para que compreendam a insensatez e impiedade de sua vida. Quando dão importância à Palavra, arrependendo-se e crendo em Cristo, são purificados por essa Palavra que lhes foi transmitida. Esse é o início da purificação que deve continuar ao longo da vida do crente. No ato de sua consagração ao ministério, o sacerdote israelita recebia um banho sacerdotal completo, banho que nunca se repetia, pois era uma obra feita de uma vez por todas. Todos os dias, porém, ele era obrigado a lavar as mãos e os pés. Da mesma maneira, o regenerado foi lavado (Tt 3.5), mas precisa separar-se diariamente das impurezas e imperfeições conforme lhe foram reveladas pela Palavra de Deus, que serve como espelho para a alma (Tg 1.22-25). Ele deve lavar as mãos, isto é, seus atos devem ser retos; deve lavar os pés, isto é, "guardar-se da imundícia que tão facilmente se apega aos pés do peregrino, que anda pelas estradas deste mundo".

4. Ideias errôneas sobre a santificação

Muitos cristãos descobrem o fato de que seu maior impedimento para chegar à santidade é a "mentalidade da carne", que frustra sua marcha para a perfeição. Como é possível conseguir libertação da carne? Três opiniões erradas serão expostas a seguir:

a) **Erradicação** do pecado "inato" é uma dessas ideias. Lewis Sperry Chafer declara:

> Se a erradicação da natureza pecaminosa se consumasse, não haveria a morte física, pois esta é o resultado dessa natureza (Rm 5.12-21). Pais que houvessem experimentado essa "erradicação" necessariamente gerariam filhos sem a natureza pecaminosa. Mas, mesmo que essa "erradicação" fosse verdadeira, ainda haveria o conflito com o mundo, a carne (à parte da natureza pecaminosa) e o Diabo, pois a "erradicação" desses males é obviamente antibíblica e não está incluída na própria teoria.

A erradicação é também contrária à experiência.

b) **Legalismo**, ou a observância de regras e regulamentos. Paulo ensina que a Lei não pode santificar (Rm 6), assim como também não pode justificar (Rm 3). Essa verdade é exposta e desenvolvida na carta aos Gálatas. Paulo não está, de forma alguma, depreciando a Lei. Ele a está defendendo contra conceitos errôneos quanto a seu propósito. Se um homem for salvo do pecado, terá de ser por um poder à parte de si mesmo. Utilizaremos a ilustração de um termômetro. O tubo e o mercúrio representam o indivíduo. O registro dos graus representa a Lei. Imagine o termômetro dizendo: "Hoje não estou funcionando com exatidão; devo chegar, no máximo, a 30 graus". Será que o termômetro poderia elevar-se à temperatura exigida? Não, pois isso depende de uma condição *fora* dele mesmo. Da mesma maneira, o homem, quando percebe não estar à altura do ideal divino, não pode elevar-se por esforço próprio para alcançá-lo. Sobre ele deve operar uma força à parte dele mesmo; essa força é o poder do Espírito Santo.

c) **Ascetismo.** É a tentativa de subjugar a carne e alcançar a santidade por meio de privações e sofrimentos autoinfligidos — o método que seguem os católicos romanos e os hindus ascéticos.

Esse método parece estar baseado na antiga crença pagã de que toda matéria, incluindo o corpo, é má. O corpo, por conseguinte, é uma trava ao espírito. Assim, quanto mais for castigado e subjugado, mais depressa se libertará o espírito. Isso é contrário às Escrituras, que ensinam que Deus criou tudo muito bom. É a alma, e não o corpo, que peca; portanto, são os impulsos pecaminosos que devem ser subjugados, e não a carne material. Ascetismo é uma tentativa de matar o "eu", mas o "eu" não pode vencer o "eu". Essa obra é do Espírito.

5. O verdadeiro método da santificação

O método bíblico de tratar com a carne deve basear-se obviamente na provisão objetiva para a salvação, o sangue de Cristo, e na provisão subjetiva, o Espírito Santo. A libertação do poder da carne, portanto, deve vir por meio da fé na expiação e da entrega à ação do Espírito. O primeiro item é tratado no capítulo 6 de Romanos, e o segundo, na primeira parte do capítulo 8.

a) **Fé na expiação.** Imaginemos que houvesse judeus presentes (o que sucedia com frequência) enquanto Paulo expunha a doutrina da purificação pela fé. Podemos imaginá-los, protestando: "Isso é uma heresia muito perigosa!". Dizer às pessoas que precisam crer unicamente em Jesus e que nada podem fazer quanto à sua salvação, porque ela é pela graça de Deus, tudo isso resultará no descuido quanto à forma de viver. Elas julgarão que pouco importa o que façam, contanto que *creiam*. Sua doutrina de fé fomenta o pecado. Se a justificação é pela graça, e apenas pela graça, sem obras, então por que romper com o pecado? Por que não continuar no pecado para que sobeje ainda mais a graça? Os inimigos de Paulo efetivamente o acusaram de pregar essa doutrina (Rm 3.8; 6.1). Paulo, com indignação, repudiou tal perversão: "De maneira nenhuma! Nós, os que morremos para o pecado, como podemos continuar vivendo nele?" (Rm 6.2). É impossível a permanência no pecado para um homem justificado verdadeiramente, em razão de sua união com Cristo na morte e na vida (cf. Mt 6.24). Em virtude de sua fé em Cristo, o homem salvo passou por uma experiência que inclui um rompimento tão completo com o pecado que se descreve como morte para o pecado e uma transformação tão radical que se descreve como ressurreição. Essa experiência é figurada no batismo nas águas. A imersão do convertido testifica sua união com o Cristo crucificado, a saber, que ele morreu para o pecado; ser levantado da água testifica seu contato com o Cristo ressuscitado, pois significa que "assim como Cristo foi ressuscitado dos mortos mediante a glória do Pai, também nós vivamos uma vida nova" (Rm 6.4). Cristo morreu *pelo* pecado a fim de que morrêssemos *para* o pecado.

"Pois quem morreu, foi justificado do pecado" (Rm 6.7). A morte cancela todas as obrigações e rompe todos os laços. Por meio da união com Cristo, o cristão morreu para a vida antiga, e as amarras do pecado foram rompidas. Como a morte punha fim à servidão do escravo, também a morte do crente, que morreu para o mundo, libertou-o da servidão ao pecado. Continuando a ilustração: a lei não tem nenhuma jurisdição sobre um homem morto. Não importa qual seja o crime que haja cometido, uma vez morto, já está fora do poder da justiça humana. Da mesma maneira, a Lei de Moisés, a qual o convertido viola muitas vezes, não o pode "prender", pois, em virtude de sua experiência com Cristo, ele está "morto" (Rm 7.1-4; 2Co 5.14).

"Pois sabemos que, tendo sido ressuscitado dos mortos, Cristo não pode morrer outra vez: a morte não tem mais domínio sobre ele. Porque morrendo, ele morreu para o pecado uma vez por todas; mas vivendo, vive para Deus. Da mesma forma, considerem-se mortos para o pecado, mas vivos para Deus em Cristo Jesus" (Rm 6.9-11). A morte de Cristo pôs fim a esse estado terreno no qual ele teve contato com o pecado; sua vida agora é uma constante comunhão com Deus. Os cristãos, ainda que estejam no mundo, podem participar de sua experiência, porque estão unidos a ele. Como podem participar? "Considerem-se mortos para o pecado, mas vivos para Deus em Cristo Jesus." Que significa isso? Deus já disse que, por meio da nossa fé em Cristo, estamos mortos para o pecado e vivos para a justiça. Resta uma coisa a fazer: crer em Deus e considerar ou concluir que estamos mortos para o pecado. Deus declarou que, quando Cristo morreu, nós morremos para o pecado; quando ele ressuscitou, nós ressuscitamos para viver uma nova vida. Devemos continuar considerando esses fatos como absolutamente certos; e, ao considerá-los dessa forma, eles se tornarão poderosos em nossa vida, pois seremos o que reconhecemos que somos. Assinala-se uma distinção importante, a saber, a distinção entre as *promessas* e os *fatos* da Bíblia. Jesus disse: "Se vocês permanecerem em mim, e as minhas palavras permanecerem em vocês, pedirão o que quiserem, e lhes será concedido" (Jo 15.7). Essa é uma promessa, porque está no futuro, é algo para *ser feito*. Mas, quando Paulo disse que "Cristo morreu pelos nossos pecados, segundo as Escrituras" (1Co 15.3), ele está declarando um fato, algo que *foi feito*. Observe a expressão de Pedro: "por suas feridas vocês foram curados" (1Pe 2.24). Quando declara que "o nosso velho homem foi crucificado com ele" (Rm 6.6), Paulo está afirmando um fato, algo que aconteceu. A questão agora é: estamos dispostos a acreditar no que Deus declara ser uma realidade sobre nós mesmos? Pois a fé é a mão que aceita o que Deus gratuitamente oferece.

Será que o ato de descobrir o relacionamento com Cristo não constitui a experiência que alguns têm descrito como "a segunda obra da graça"?

b) Resposta ao Espírito. Os capítulos 7 e 8 de Romanos continuam o assunto da santificação; tratam da libertação do poder do pecado e do crescimento em santidade. No capítulo 6, vimos que a vitória sobre o poder do pecado foi obtida pela *fé*. O capítulo 8 apresenta outro aliado na batalha contra o pecado — o *Espírito Santo*.

Como pano de fundo para o capítulo 8, estuda-se a linha de pensamento no capítulo 7, o qual descreve um homem voltando-se para a Lei a fim de alcançar a santificação. Paulo demonstra, aqui, a impotência da Lei para salvar e santificar, não porque a Lei não seja boa, mas por causa da inclinação pecaminosa da natureza humana, conhecida como a "carne". Ele indica que a Lei revela o fato (v. 7), a ocasião (v. 8), o poder (v. 9), a falsidade (v. 11), o efeito (v. 10,11) e a vilania do pecado (v. 12,13).

Paulo, que parece estar descrevendo sua própria experiência passada, diz-nos que a própria Lei, que ele tão ardentemente desejava obedecer, suscitava impulsos pecaminosos dentro dele. O resultado foi a "guerra civil" em sua alma. Ele é impedido de fazer o bem que deseja fazer e é impelido a fazer o que odeia: "Assim, encontro esta lei que atua em mim: Quando quero fazer o bem, o mal está junto a mim. No íntimo do meu ser tenho prazer na Lei de Deus; mas vejo outra lei atuando nos membros do meu corpo, guerreando contra a lei da minha mente, tornando-me prisioneiro da lei do pecado que atua em meus membros" (Rm 7.21-23).

A última parte do capítulo 7 evidentemente apresenta o quadro do homem debaixo da Lei, o qual descobriu a perscrutadora espiritualidade da Lei, mas em cada intento de obedecer a ela vê-se impedido pelo pecado que habita nele. Por que Paulo descreve esse conflito? Para demonstrar que a Lei é tão impotente para santificar quanto para justificar.

"Miserável homem que eu sou! Quem me libertará do corpo sujeito a esta morte?" (v. 24; cf. 6.6). Paulo, que descrevia a experiência debaixo da Lei, assim testifica alegremente sobre sua experiência debaixo da graça: "Graças a Deus [que a vitória vem] por Jesus Cristo, nosso Senhor!" (v. 25). Com essa exclamação de triunfo, entramos no maravilhoso capítulo 8, que tem por tema dominante a libertação da natureza pecaminosa pelo poder do Espírito Santo.

Há três mortes das quais o crente deve participar: 1) A morte *no* pecado, isto é, nossa condenação (Ef 2.1; Cl 2.13). O pecado havia conduzido a alma a essa condição, cujo castigo é a morte espiritual ou separação de Deus. 2) A morte *pelo* pecado, isto é, nossa justificação. Cristo sofreu sobre a cruz a sentença de uma Lei infligida, e nós, por conseguinte, somos considerados como a havendo sofrido nele. Considera-se o que ele fez em nosso favor como se fosse feito por nós mesmos (2Co 5.14; Gl 2.20). Somos considerados legal ou judicialmente livres da pena da violação de uma lei, uma vez que pela fé pessoal consentimos nessa transação. 3) A morte *para* o pecado, isto é, nossa santificação (Rm 6.11). O que é certo *para* nós deve tornar-se real *em* nós; o que é judicial deve tornar-se prática; a morte para a pena do pecado deve ser seguida pela morte para o poder do pecado. Essa é a obra do Espírito Santo (Rm 8.13). Assim como a seiva que ascende à árvore elimina as folhas mortas que ficaram presas aos ramos, apesar da neve e das tempestades, também o Espírito Santo, que habita em nós, elimina as imperfeições e os hábitos da vida antiga.

6. Santificação total

Discute-se muitas vezes essa verdade sob o tema "perfeição cristã".

a) Significado de perfeição. Há dois tipos de perfeição: absoluta e relativa. É absolutamente perfeito aquilo que não pode ser melhorado; isso pertence unicamente a Deus. É relativamente perfeito aquilo que cumpre o fim para o qual foi designado; essa perfeição é possível ao homem.

A palavra "perfeição" no AT significa ser "justo, íntegro" (Gn 6.9; Jó 1.1). Israel, ao evitar os pecados das nações circunvizinhas, poderia ser uma nação inculpável (Dt 18.13). No AT, a essência da perfeição é o desejo e a determinação de todo o coração de cumprir a vontade de Deus. Davi, apesar dos pecados que mancharam sua carreira, pode ser chamado um homem perfeito e um homem segundo o coração de Deus, porque o motivo supremo de sua vida era fazer a vontade de Deus.

No NT, a palavra "perfeito" e seus derivados têm uma variedade de aplicações, e, portanto, deve ser interpretada segundo o sentido em que os termos são usados. Várias palavras gregas são usadas para expressar a ideia de perfeição: 1) Uma dessas palavras significa ser completo no sentido de ser apto ou capaz para certa tarefa ou fim (2Tm 3.17). 2) Outra, denota certo fim alcançado por meio do crescimento mental e moral (Mt 5.48; 19.21; Cl 1.28; 4.12; Hb 11.40). 3) A palavra usada em 2Coríntios 13.9, Efésios 4.12 e Hebreus 13.21 significa um equipamento detalhado e cabal. 4) A palavra usada em 2Coríntios 7.1 significa terminar, ou levar a um fim. 5) A palavra usada em Apocalipse 3.2 significa tornar repleto, cumprir, encher (como uma rede), nivelar (um buraco).

A palavra "perfeito" descreve os seguintes aspectos da vida cristã: 1) Perfeição da posição em Cristo (Hb 10.14) — o resultado da obra de Cristo *por* nós. 2) Maturidade e entendimento espiritual, em contraste com a imaturidade espiritual (1Co 2.6; 14.20; 2Co 13.11; Fp 3.15; 2Tm 3.17) 3) Perfeição progressiva (Gl 3.3). 4)

Perfeição em certos aspectos; a vontade de Deus, o amor ao homem e serviço (Cl 4.12; Mt 5.48; Hb 13.21). 5) A perfeição final do indivíduo no céu (Cl 1.22,28; Fp 3.12; 1Pe 5.10). 6) A perfeição final da Igreja, ou o Corpo de Cristo, isto é, o conjunto de crentes (Ef 4.13; Jo 17.23).

b) **Possibilidades de perfeição.** O NT apresenta dois aspectos gerais da perfeição: 1) A perfeição como um dom da graça, que é a perfeita posição ou estado concedido ao arrependido em resposta à sua fé em Cristo. O crente é considerado perfeito porque tem um Salvador perfeito e uma justiça perfeita. 2) A perfeição como realmente efetuada no caráter do crente. É possível acentuar em demasia o primeiro aspecto e descuidar do cristianismo prático. Isso aconteceu a certo indivíduo que, depois de ouvir uma palestra sobre a vida vitoriosa, disse ao pregador: "Tudo isso tenho em Cristo". "Mas o senhor tem isso consigo agora aqui em Glasgow?", foi a serena interrogação. Por outra lado, ao acentuar demais o segundo aspecto, alguns praticamente negam qualquer perfeição à parte do que eles encontram em sua própria experiência.

João Wesley parece haver tomado uma posição intermediária entre os dois extremos. Ele reconhecia que a pessoa era santificada na conversão, mas afirmava a necessidade da *santificação total* como outra obra da graça. O que fazia essa experiência parecer necessária era o poder do pecado, a causa de o cristão ser derrotado. Essa bênção vem a quem buscar com fidelidade; o amor puro enche o coração e governa toda obra e ação, resultando na destruição do poder do pecado.

Essa perfeição no amor não é considerada perfeição sem pecado e, tampouco, isenta o crente de vigilância e cuidados constantes. Wesley escreveu: "Creio que a pessoa cheia do amor de Deus ainda está propensa a transgressões involuntárias. Essas transgressões vocês poderão chamá-las de pecados, se quiserem; mas eu não". Quanto ao tempo necessário para que a santificação ocorra, Wesley escreveu:

Essa morte para o pecado e renovação no amor é gradual ou instantânea? Um homem pode estar à beira da morte por algum tempo; no entanto, propriamente falando, não morre enquanto não chegar o instante em que a alma se separa do corpo; e, nesse momento, ele vive a vida da eternidade. Da mesma maneira, a pessoa pode estar morrendo para o pecado por algum tempo; entretanto, não está morta para o pecado enquanto o pecado não for separado de sua alma; é nesse momento que vive a vida plena de amor. Da mesma forma que a mudança sofrida quando o corpo morre possui uma qualidade diferente e infinitamente maior que qualquer outra que tenhamos conhecido antes, tão diferente que, até o momento em que ocorre, era impossível conceber, também a mudança efetuada quando a alma morre para o pecado é de uma classe diferente e infinitamente maior que qualquer outra experimentada antes, a qual ninguém pode conceber até que a experimente. No entanto, essa pessoa continuará a crescer na graça, no conhecimento de Cristo, no amor e na imagem de Deus; e, assim, continuará não somente até a morte, mas por toda a eternidade. Como esperaremos essa mudança? Não em descuido indiferente, ou em atividade indolente; mas em obediência vigorosa e universal, no cumprimento fiel dos mandamentos, em vigilância e trabalho, ao negarmos a nós mesmos, tomando diariamente nossa cruz; como também em oração fervorosa e jejum e em obediência às ordenanças de Deus. Se alguém pensa em obtê-la de alguma outra maneira (e conservá-la quando a obtém, mesmo quando a recebeu em maior medida), então esse alguém engana sua própria alma.

João Calvino, que acentuara a perfeição do crente pela consumada obra de Cristo e que, quanto à santidade, não era menos zeloso que Wesley, faz a seguinte afirmação sobre a perfeição cristã:

Quando Deus nos reconcilia consigo mesmo, por meio da justiça de Cristo, e considera-nos como justos por meio da livre remissão de nossos pecados, ele também habita em nós pelo seu Espírito e santifica-nos pelo seu poder, mortificando a cobiça de nossa carne e formando nosso coração em obediência à sua Palavra. Desse modo, nosso desejo principal vem a ser obedecer à sua vontade e promover sua glória. Contudo, ainda depois disso, permanece em nós bastante imperfeição para repelir o orgulho e constranger-nos à humildade (Ec 7.20; 1Rs 8.46).

Essas duas opiniões, a perfeição como dom em Cristo e a perfeição como obra real efetuada em nós, são ensinadas nas Escrituras; o que Cristo fez por *nós* deve ser efetuado em *nós*. O NT sustenta um ideal elevado de santidade prática e afirma a possibilidade de libertação do poder do pecado. Portanto, é dever do cristão esforçar-se para conseguir essa perfeição (Fp 3.12; Hb 6.1).

Em relação a isso, devemos reconhecer que o progresso na santificação muitas vezes implica uma crise na experiência, quase tão definida como a da conversão. De uma forma ou de outra, o crente recebe uma revelação da santidade de Deus e da possibilidade de andar mais perto dele, e essa experiência é seguida por um conhecimento interior, a saber, de ainda ter alguma contaminação (cf. Is 6). Ele chega a uma encruzilhada em sua experiência cristã, na qual deverá decidir se retrocede ou segue avante com Deus. Confessando seus fracassos passados, ele faz uma reconsagração e, como resultado, recebe um acréscimo novo de paz, alegria e vitória, como também o testemunho de que Deus aceitou essa sua reconsagração. Alguns chamam essa experiência de uma segunda obra da graça.

Ainda haverá tentação externa e interna, por isso a necessidade de vigilância (Gl 6.1; 1Co 10.12); a carne é fraca, e o cristão está livre para ceder, pois está sendo provado (Gl 5.17; Rm 7.18; Fp 3.3); seu conhecimento é parcial e falho; portanto, pode estar sujeito aos pecados por ignorá-los. Contudo, ele pode seguir avante, certo de que pode resistir e vencer toda tentação que reconheça (Tg 4.7; 1Co 10.13; Rm 6.14; Ef 6.13,14); pode estar sempre glorificando a Deus cheio dos frutos de justiça (1Co 10.31; Cl 1.10); pode possuir a graça e o poder do Espírito e andar em plena comunhão com Deus (Gl 5.22,23; Ef 5.18; Cl 1.10,11; 1Jo 1.7); pode ter a purificação constante do sangue de Cristo e, assim, estar sem culpa perante Deus (1Jo 1.7; Fp 2.15; 1Ts 5.23).

V. A SEGURANÇA DA SALVAÇÃO

Estudamos as preparações para a salvação e consideramos sua natureza. Nesta seção consideraremos se a salvação final dos cristãos é incondicional, ou se é possível perdê-la por causa do pecado.

A experiência prova a possibilidade de uma queda temporária da graça, conhecida pelo termo "desviar-se". Esse termo não se encontra no NT, apenas no AT. Há duas palavras hebraicas para descrever essa situação. Uma palavra hebraica significa "voltar atrás" ou "virar-se", e a outra, "volver-se" ou ser "rebelde". Israel é comparado a um bezerro teimoso que volta atrás e se recusa a ser conduzido, além de se tornar insubmisso ao jugo. Israel afastou-se de Deus e, obstinadamente, recusou-se a tomar sobre si o jugo de seus mandamentos.

O NT admoesta-nos contra tal atitude, porém usa outros termos. O desviado é a pessoa que antes demonstrava seu amor a Deus, mas agora esse fervor esfriou (Mt 24.12); outrora obedecia à Palavra, mas o mundanismo e o pecado impediram seu crescimento e frutificação (Mt 13.22); outrora pôs a mão no arado, mas olhou para trás (Lc 9.62); outrora fora resgatada da cidade da destruição, mas, como a esposa de Ló, voltou-se para lá (Lc 17.32); outrora estava em contato vital com Cristo, mas agora está fora de contato, está seco e estéril e sente-se inútil espiritualmente (Jo 15.6); outrora obedecia à voz da consciência, mas agora lançou para longe de si essa bússola que o guiava, e, como resultado, sua embarcação de fé destroçou-se nas rochas do pecado e do mundanismo (1Tm 1.19); outrora alegrava-se em chamar-se cristão, mas agora se envergonha de confessar seu Senhor (2Tm 1.8; 2.12); outrora estava liberto da contaminação do mundo, mas agora voltou a sujar-se como a "porca lavada volta a revolver-se na lama" (2Pe 2.22; cf. Lc 11.21-26).

É possível decair da graça, mas a questão é saber se a pessoa que era salva e teve esse lapso pode finalmente perder-se. Aqueles que seguem o sistema de doutrina calvinista respondem negativamente;

aqueles que seguem o arminianismo (chamado assim por causa de Armínio, teólogo holandês, que trouxe a questão a debate) respondem afirmativamente.

1. Calvinismo

A doutrina de João Calvino não foi criada por ele, mas ensinada por Agostinho, o grande teólogo do século IV. Tampouco foi criada por Agostinho, que afirmava estar interpretando a doutrina de Paulo sobre a graça.

A doutrina de Calvino é: a salvação provém inteiramente de Deus; o homem não tem absolutamente nada que ver com sua salvação. Se ele, o homem, arrepender-se, crer e for a Cristo, é inteiramente por causa do poder atrativo do Espírito de Deus. Isso se deve ao fato de que a vontade do homem se corrompeu tanto desde a queda que, sem a ajuda de Deus, não pode nem se arrepender, nem crer, nem escolher corretamente. Esse foi o ponto de partida de Calvino — a completa servidão da vontade do homem ao mal. A salvação, por conseguinte, não pode ser outra coisa senão a execução de um decreto divino que fixa sua extensão e suas condições.

Naturalmente, surge a pergunta: se a salvação é inteiramente obra de Deus, e o homem não tem nada que ver com ela e está desamparado, a menos que o Espírito de Deus opere nele, então, por que Deus não salva *todos* os homens, uma vez que todos estão perdidos e desamparados? A resposta de Calvino era: Deus predestinou alguns para serem salvos, e outros para serem perdidos. "A predestinação é o eterno decreto de Deus, pelo qual ele decidiu o que será de cada um e de todos os indivíduos. Pois nem todos são criados na mesma condição; antes, a vida eterna está preordenada para alguns, e a condenação eterna, para outros." Ao agir dessa maneira, Deus não é injusto, pois ele não é obrigado a salvar ninguém; a responsabilidade do homem permanece, pois a queda de Adão foi sua própria falta, e o homem sempre é responsável por seus pecados.

Visto que Deus predestinou certos indivíduos para a salvação, Cristo morreu unicamente pelos "eleitos"; a expiação fracassaria se alguns pelos quais Cristo morreu se perdessem.

Dessa doutrina da predestinação, segue-se o ensino de "uma vez salvo, sempre salvo", porque, se Deus predestinou um homem para a salvação, e este pode unicamente ser salvo e guardado pela graça de Deus, que é irresistível, então, nunca pode perder-se.

Os defensores da doutrina da "segurança eterna" apresentam as seguintes referências para sustentar sua posição: João 10.28,29; Romanos 11.29; Filipenses 1.6; 1Pedro 1.5; Romanos 8.35; João 17.6.

2. Arminianismo

O ensino do arminianismo é: a vontade de Deus é que todos os homens sejam salvos, porque Cristo morreu por todos (1Tm 2.4-6; Hb 2.9; 2Co 5.14; Tt 2.11,12). Por ser essa sua finalidade, ele oferece sua graça a todos. Embora a salvação seja obra de Deus, absolutamente livre e independente de nossas boas obras ou méritos, o homem tem certas condições a cumprir. Ele pode escolher aceitar a graça de Deus, ou pode resistir-lhe e rejeitá-la. Seu direito de livre-arbítrio sempre permanece.

As Escrituras certamente ensinam a predestinação, mas não que Deus predestina alguns para a vida eterna e outros para o sofrimento eterno. Ele predestina "todos os que querem" a serem salvos — e esse plano é bastante amplo para incluir todos que realmente desejam ser salvos. Essa verdade é explicada da seguinte maneira: na parte de fora da porta da salvação, lemos as palavras: "quem quiser, pode vir"; quando entramos por essa porta e somos salvos, lemos as palavras no outro lado da porta: "eleitos segundo a presciência de Deus". Deus, em razão de seu conhecimento, previu que essas pessoas aceitariam o evangelho e permaneceriam salvas, assim predestinou para essas pessoas uma herança celestial. Ele *previu* o destino delas, mas não o *predeterminou*.

A doutrina da predestinação é mencionada não com propósito especulativo, e sim com propósito prático. Quando Deus chamou Jeremias ao ministério, ele sabia que o profeta teria uma tarefa muito difícil e poderia ser tentado a deixá-la. Para encorajá-lo, o Senhor assegurou ao profeta que o havia conhecido e chamado antes de ele nascer (Jr 1.5). Com efeito, foi isto o que o Senhor disse: "Já sei o que está adiante de ti, mas também sei que posso te dar graça suficiente para enfrentares todas as provas futuras e conduzir-te à vitória". Quando o NT descreve os cristãos como objetos da presciência de Deus, seu propósito é dar-nos a certeza do fato de que Deus previu todas as dificuldades que surgirão à nossa frente, que ele pode nos guardar e que nos guardará de cair.

3. Uma comparação

A salvação é condicional ou incondicional? Uma vez salva, a pessoa é salva eternamente? A resposta depende de como podemos responder às seguintes perguntas-chave: De quem depende a salvação? A graça é irresistível?

1) De quem depende, em última análise, a salvação: de Deus ou do homem? Certamente, deve depender de Deus, porque quem poderia ser salvo se a salvação dependesse da força da própria pessoa? Podemos estar seguros disto: Deus nos conduzirá à vitória, não importa quão débeis ou desatinados sejamos, desde que desejemos sinceramente fazer sua vontade. Sua graça está sempre presente para nos admoestar, reprimir, animar e sustentar.

Contudo, será que não há um sentido em que a salvação dependa do homem? As Escrituras ensinam, consistentemente, que o homem tem o poder de escolher livremente entre a vida e a morte, e Deus nunca violará esse poder.

2) Pode-se resistir à graça de Deus? Um dos princípios fundamentais do calvinismo é que a graça de Deus é irresistível. Quando

Deus decreta a salvação de uma pessoa, seu Espírito a atrai, e essa atração não pode ser resistida. Portanto, um verdadeiro filho de Deus certamente perseverará até o fim e será salvo; ainda que caia em pecado, Deus o castigará e pelejará com ele. Para ilustrar a teoria calvinista, diríamos: é como se alguém estivesse a bordo de um navio e levasse um tombo; entretanto, ainda está a bordo, pois não caiu no mar.

Entretanto, o NT de fato ensina que é possível resistir à graça divina e resistir para a perdição eterna (Jo 6.40; Hb 6.4-6; 10.26-30; 2Pe 2.21; Hb 2.3; 2Pe 1.10), como também que a perseverança é condicional e depende do manter-se em contato com Deus.

Observe especialmente Hebreus 6.4-6 e 10.26-29. Essas palavras foram dirigidas a cristãos; as epístolas de Paulo não foram dirigidas aos não regenerados. Aqueles aos quais foram dirigidas são descritos como pessoas que foram uma vez iluminadas, provaram o dom celestial, participaram do Espírito Santo, e provaram a boa Palavra de Deus e os poderes do mundo por vir. Essas palavras certamente descrevem pessoas regeneradas.

Aqueles aos quais foram dirigidas essas palavras eram cristãos hebreus que, desanimados e perseguidos (10.32-39), eram tentados a voltar ao judaísmo. Antes de serem novamente recebidos na sinagoga, requeria-se deles que, publicamente, fizessem as seguintes declarações (10.29): que Jesus não era o Filho de Deus; que seu sangue havia sido derramado da mesma forma que o de um malfeitor comum; e que seus milagres foram operados pelo poder do Maligno. Tudo isso está implícito em Hebreus 10.29 (esse repúdio da fé que era exigido pode ser ilustrado pelo caso de um cristão hebreu na Alemanha, que desejava voltar à sinagoga, mas foi recusado porque desejava conservar algumas verdades do NT). Antes de sua conversão, havia pertencido à nação que crucificou Cristo; voltar à sinagoga seria de novo crucificar o Filho de Deus e expô-lo ao vitupério; seria o terrível pecado da apostasia (Hb 6.6); seria como o pecado imperdoável para o qual não há remissão, porque a pessoa que está endurecida a ponto de cometê-lo não pode ser renovada para o arrependimento; seria digna de um castigo mais terrível que a morte (10.28); e significaria incorrer na vingança do Deus vivo (10.30,31).

Não se declara que alguém tivesse chegado até esse ponto; de fato, o autor está persuadido de "coisas melhores" (6.9). Contudo, se o terrível pecado da apostasia da parte de pessoas salvas não fosse ao menos remotamente possível, todas essas admoestações não teriam sentido algum.

Leia 1Coríntios 10.1-12. Os coríntios haviam se jactado de sua liberdade cristã e dos dons espirituais. Entretanto, muitos estavam vivendo num nível muito pobre de espiritualidade. Evidentemente, eles estavam confiando em sua "posição" e privilégios no evangelho. Mas Paulo os adverte de que os privilégios podem perder-se pelo pecado e, para isso, cita os exemplos dos israelitas. Estes foram libertos de uma maneira sobrenatural da terra do Egito, por intermédio de Moisés; como resultado dessa libertação, aceitaram-no como seu chefe durante a jornada para a terra prometida. A travessia do mar Vermelho foi um sinal de sujeição deles à liderança de Moisés. Havia a nuvem que os cobria, o símbolo sobrenatural da presença de Deus que os guiava. Depois de salvá-los do Egito, Deus os sustentou, dando-lhes, de maneira sobrenatural, o que comer e beber. Tudo isso significava que os israelitas estavam em graça, isto é, no favor de Deus e na comunhão com o Senhor.

Contudo, "uma vez em graça, sempre em graça", no caso dos israelitas, não foi verdade, pois a rota de sua jornada ficou assinalada com as sepulturas dos que foram destruídos em consequência de suas murmurações, de sua rebelião e idolatria. O pecado interrompeu sua comunhão com Deus, e, como resultado, caíram da graça. Paulo declara que esses eventos foram registrados na Bíblia para advertir os cristãos de a possibilidade de perder os mais sublimes privilégios por meio do pecado deliberado.

4. Equilíbrio bíblico

As respectivas posições fundamentais, tanto do calvinismo quanto do arminianismo, são ensinadas nas Escrituras. O calvinismo exalta a graça de Deus como a única fonte de salvação — e a Bíblia também; o arminianismo acentua o livre-arbítrio e a responsabilidade do homem — e a Bíblia também. A solução prática consiste tanto em evitar os extremos antibíblicos de um e de outro ponto de vista quanto em evitar pôr uma ideia em aberto antagonismo com a outra. Quando duas doutrinas bíblicas são postas em posições antagônicas, uma contra a outra, o resultado é uma reação que conduz ao erro. Por exemplo: a ênfase demasiada na soberania e na graça de Deus em relação à salvação pode conduzir a uma vida descuidada, porque, se a pessoa é ensinada a crer que a conduta e a atitude nada têm que ver com sua salvação, pode tornar-se negligente. Por outro lado, a ênfase demasiada no livre-arbítrio e responsabilidade do homem, como reação contra o calvinismo, pode deixar as pessoas sob o jugo do legalismo e despojá-las de toda a confiança de sua salvação. Os dois extremos que devem ser evitados são: a ilegalidade e o legalismo.

Quando Charles Finney ministrava em uma comunidade em que a graça de Deus havia recebido excessiva ênfase, ele acentuava muito a responsabilidade do homem. Quando dirigia trabalhos em localidades em que a responsabilidade humana e as obras haviam sido fortemente defendidas, ele acentuava a graça de Deus. Quando deixamos os mistérios da predestinação e nos dedicamos à obra prática de salvar almas, não temos dificuldades com o assunto. João Wesley era arminiano, e George Whitefield, calvinista. Entretanto, ambos conduziram milhares de almas a Cristo.

Pregadores piedosos calvinistas, como Charles Spurgeon e Charles Finney, pregaram a perseverança dos santos, mas de uma forma que evitasse a negligência. Eles tiveram muito cuidado em ensinar que o verdadeiro filho de Deus certamente perseveraria até o fim, mas acentuaram que, se não perseverassem, poriam em dúvida a certeza sobre seu novo nascimento. Se a pessoa não procurasse andar em santidade, dizia Calvino, seria bom que duvidasse de sua eleição.

É inevitável que nos defrontemos com mistérios quando nos propomos a tratar das poderosas verdades sobre a presciência de Deus e o livre-arbítrio do homem; mas, se guardamos as exortações práticas das Escrituras e nos dedicamos a cumprir os deveres específicos que nos são ordenados, não erraremos. "As coisas encobertas pertencem ao SENHOR, o nosso Deus, mas as reveladas pertencem a nós e aos nossos filhos para sempre" (Dt 29.29).

Para concluir, podemos sugerir que não é prudente insistir indevidamente nos perigos da vida cristã. Maior ênfase deve ser dada aos meios de segurança — o poder de Cristo como Salvador; a fidelidade do Espírito Santo que habita em nós; a certeza das promessas divinas; a eficácia infalível da oração. O NT ensina uma verdadeira "segurança eterna", assegurando-nos que, a despeito da debilidade, das imperfeições, dos obstáculos ou das dificuldades exteriores, o cristão pode sentir-se seguro e ser vencedor em Cristo. Ele pode dizer com o apóstolo Paulo: "Quem nos separará do amor de Cristo? Será tribulação, ou angústia, ou perseguição, ou fome, ou nudez, ou perigo, ou espada? Como está escrito: 'Por amor de ti enfrentamos a morte todos os dias; somos considerados como ovelhas destinadas ao matadouro'. Mas, em todas estas coisas somos mais que vencedores, por meio daquele que nos amou. Pois estou convencido de que nem morte nem vida, nem anjos nem demônios, nem o presente nem o futuro, nem quaisquer poderes, nem altura nem profundidade, nem qualquer outra coisa na criação será capaz de nos separar do amor de Deus que está em Cristo Jesus, nosso Senhor" (Rm 8.35-39).

Acrescentaremos as posições de João Wesley em relação à perseverança final dos santos.

Ao descobrir por algum tempo o intenso desejo de unir-me, o máximo possível, ao senhor Whitefield, para dar fim a qualquer contenda inútil, escrevi meus sentimentos, da forma mais franca possível, nos seguintes termos:

Há três pontos em debate: 1) eleição incondicional; 2) graça irresistível; e 3) perseverança final.

Em relação ao primeiro item, eleição incondicional, creio:

> que Deus, antes da fundação do mundo, realmente elegeu incondicionalmente algumas pessoas para o desempenho de algumas obras, como Paulo para pregar o evangelho;
> que ele elegeu incondicionalmente algumas nações para receber privilégios específicos, em particular a nação dos judeus;
> que ele elegeu incondicionalmente algumas nações para ouvir o evangelho, como agora a Inglaterra e a Escócia e, em tempos passados, muitas outras;
> que ele elegeu incondicionalmente algumas pessoas para muitas determinadas vantagens, em relação tanto às questões temporais quanto às espirituais;

E realmente não nego (embora não tenha como provar):

> que ele elegeu incondicionalmente algumas pessoas para a glória eterna.

Contudo, não posso crer:

> que todos os que não foram eleitos para a glória têm de perecer para toda a eternidade;
> ou que haja uma alma sequer na terra que jamais tenha tido a possibilidade de escapar à condenação eterna.

Com relação ao segundo ponto, a graça irresistível, eu creio:

> que a graça que traz a fé e, portanto, a salvação, é irresistível naquele momento em particular;
> que a maioria dos crentes pode se lembrar de alguns momentos em que Deus, de forma irresistível, os convenceu do pecado;

> que a maioria dos crentes realmente descobre, em outros momentos, que Deus está agindo, de forma irresistível, em sua alma;

Contudo, eu creio que pode ter havido e houve resistência à graça de Deus, tanto antes quanto depois desses momentos; e que, de modo geral, a graça não age de forma irresistível, mas que podemos, assim, aquiescer a ela ou não.

E eu não nego:

> que em algumas pessoas a graça de Deus é, até o momento, irresistível e que não podem fazer nada, a não ser crer e, por fim, ser salvas.

Contudo, não posso crer:

> que todos em quem a graça não trabalhou de forma irresistível devem ser condenados;
> ou que haja uma pessoa sequer na terra que não tenha nenhuma outra graça, e jamais a tenha tido, e isso aumente sua condenação, e que isso acontece por desígnio de Deus.

Em relação ao terceiro ponto, a perseverança final, inclino-me a crer:

> que há um estado possível de ser alcançado nesta vida e do qual um homem não pode derradeiramente cair;
> e que quem alcançou esse estado pode dizer: "As coisas antigas já passaram; eis que surgiram coisas novas!".

9

O Espírito Santo

A doutrina do Espírito Santo, a julgar pelo lugar que ocupa nas Escrituras, está em primeiro lugar entre as verdades redentoras. Com exceção de 2 e 3João, todos os livros do NT contêm referências à obra do Espírito; todos os Evangelhos começam com uma promessa do derramamento do Espírito Santo.

No entanto, reconhecidamente essa doutrina é a mais negligenciada. O formalismo e um medo indevido de fanatismo produziram uma reação contra a ênfase na obra do Espírito na experiência pessoal.

Naturalmente, esse fato resultou em decadência espiritual, pois não pode haver um cristianismo vivo sem o Espírito. Somente ele pode tornar real o que a obra de Cristo possibilitou. Inácio, grande pastor da igreja primitiva, disse:

> A graça do Espírito põe o maquinário da redenção em ligação vital com a alma individual. À parte do Espírito, a cruz permanece inerte, uma imensa máquina parada, e, em volta dela, permanecem imóveis as pedras do edifício. Somente quando se colocar a "corda" é que se poderá proceder à obra de elevar a vida do indivíduo pela fé e pelo amor, para alcançar o lugar preparado para ela na Igreja de Deus.

ESBOÇO

I. A NATUREZA DO ESPÍRITO SANTO

1. Os nomes do Espírito Santo
   a. O Espírito de Deus
   b. O Espírito de Cristo
   c. O Conselheiro
   d. O Espírito Santo
   e. O Espírito da promessa
   f. O Espírito da verdade
   g. O Espírito da graça
   h. O Espírito da vida
   i. O Espírito de adoção
2. Os símbolos do Espírito
   a. Fogo
   b. Vento
   c. Água
   d. Selo
   e. Azeite
   f. Pomba

II. O ESPÍRITO NO ANTIGO TESTAMENTO

1. O Espírito criador
2. O Espírito dinâmico
   a. Obreiros de Deus
   b. Porta-vozes de Deus
3. O Espírito regenerador
   a. Operante, mas não enfatizado
   b. Sua concessão representa uma bênção futura

c. Em união com a vinda do Messias

d. As características especiais que exibe

III. O ESPÍRITO EM CRISTO

1. Nascimento
2. Batismo
3. Ministério
4. Crucificação
5. Ressurreição
6. Ascensão

IV. O ESPÍRITO SANTO NA EXPERIÊNCIA HUMANA

1. Convicção
2. Regeneração
3. Habitação
4. Santificação
5. Revestimento de poder
    a. Sua natureza geral
    b. Suas características especiais
    c. Sua evidência inicial
    d. Seu aspecto contínuo
    e. A maneira de recebê-lo
6. Glorificação
7. Pecados contra o Espírito Santo

V. OS DONS DO ESPÍRITO

1. A natureza geral dos dons

2. A variedade de dons
    a. Palavra de sabedoria
    b. Palavra de conhecimento
    c. Fé
    d. Dons de curar
    e. Operação de milagres
    f. Profecia
    g. Discernimento de espíritos
    h. Variedade de línguas
    i. Interpretação de línguas
3. O regulamento dos dons
    a. Valor proporcional
    b. Edificação
    c. Sabedoria
    d. Autodomínio
    e. Ordem
    f. Passível de ser ensinado
4. O recebimento dos dons
    a. Submissão à vontade divina
    b. Ambição santa
    c. Desejo ardente
    d. Fé
    e. Aquiescência
5. A prova dos dons
    a. Lealdade a Cristo
    b. A prova prática
    c. A prova doutrinária

VI. O ESPÍRITO NA IGREJA

1. A vinda do Espírito
   a. O nascimento da Igreja
   b. A evidência da glorificação de Cristo
   c. A consumação da obra de Cristo
   d. A unção da Igreja
   e. A habitação na Igreja
   f. O começo de uma nova dispensação
2. O ministério do Espírito Santo
   a. Administração
   b. Pregação
   c. Oração
   d. Cântico
   e. Testemunho
3. A ascensão do Espírito

I. A NATUREZA DO ESPÍRITO SANTO

Quem é o Espírito Santo? A resposta a essa pergunta encontrar--se no estudo sobre os nomes que lhe foram dados, os símbolos que ilustram suas obras.

1. Os nomes do Espírito Santo

a) O Espírito de Deus. O Espírito é o executivo da Divindade, operando tanto na esfera física quanto na moral. Por intermédio do Espírito, Deus criou e preserva o Universo. Por meio do Espírito — o "dedo de Deus" (Lc 11.20) —, Deus opera na esfera espiritual, convertendo os pecadores, santificando e sustentando os crentes.

1) O Espírito Santo é divino no sentido absoluto? Sim. Prova-se sua divindade pelos seguintes fatos: Aplicam-se a ele atributos

divinos; ele é eterno, onipresente, onipotente e onisciente (Hb 9.14; Sl 139.7-10; Lc 1.35; 1Co 2.10,11). Atribuem-se a ele obras divinas, como, por exemplo: criação, regeneração e ressurreição (Gn 1.2; Jó 33.4; Jo 3.5-8; Rm 8.11). Classifica-se o Espírito Santo junto com o Pai e o Filho (1Co 12.4-6; 2Co 13.14; Mt 28.19; Ap 1.4).

2) O Espírito Santo é uma pessoa ou é apenas uma influência? Muitas vezes, descreve-se o Espírito de uma maneira impessoal — como o sopro que preenche, a unção que unge, o fogo que ilumina e aquece, a água que é derramada e o dom do qual todos participam. Contudo, esses nomes são meramente descrições de suas operações. Descreve-se o Espírito de uma maneira que não deixa dúvida quanto à sua personalidade. Ele exerce os atributos da personalidade: mente (Rm 8.27); vontade (1Co 12.11); sentimento (Ef 4.30). Atividades pessoais lhe são atribuídas: ele revela (2Pe 1.21); ensina (Jo 14.26); testemunha (Gl 4.6); intercede (Rm 8.26); fala (Ap 2.7); ordena (At 16.6,7); testifica (Jo 15.26). Ele pode ser entristecido (Ef 4.30); não se pode mentir a ele (At 5.3) nem blasfemar contra ele (Mt 12.31,32).

Sua personalidade é indicada pelo fato de que se manifestou em forma visível de pomba (Mt 3.16) e que ele se distingue dos seus dons (1Co 12.11).

Alguns talvez tenham negado a personalidade do Espírito porque ele não é descrito como tendo corpo ou forma. Mas é preciso distinguir a personalidade e a forma corpórea (possuir corpo). A personalidade é aquilo que possui inteligência, sentimento e vontade; ela não requer necessariamente um corpo. Além disso, a falta de uma forma definida não é argumento contra a realidade. O vento é real, apesar de não possuir forma (Jo 3.8).

Não é difícil formar um conceito de Deus Pai ou do Senhor Jesus Cristo, mas alguns confessam certa dificuldade em formar um conceito claro do Espírito Santo. Há duas razões para isso: primeira, nas Escrituras as operações do Espírito são invisíveis, secretas e internas; segunda, o Espírito Santo nunca fala de si mesmo nem apresenta a si mesmo. Ele sempre vem em nome de outro e representa outro. Ele se oculta atrás do Senhor Jesus Cristo e nas profundezas de nosso homem interior. Ele nunca chama a atenção para si próprio, mas sempre para a vontade de Deus e a obra salvadora de Cristo. "Não falará de si mesmo" (Jo 16.13).

3) O Espírito Santo é uma personalidade distinta e separada de Deus? Sim, o Espírito procede de Deus, ele é o enviado de Deus, o dom de Deus aos homens. No entanto, o Espírito não é independente de Deus. Ele sempre representa o único Deus operando nas esferas do pensamento, da vontade e das ações. O fato de o Espírito poder ser um com Deus e, ao mesmo tempo, ser distinto de Deus é parte do grande mistério da Trindade.

b) O Espírito de Cristo (Rm 8.9). Não há nenhuma distinção especial entre as expressões Espírito de Deus, Espírito de Cristo e Espírito Santo. Há somente um Espírito Santo, da mesma maneira que há somente um Deus e um Filho. Mas o Espírito Santo tem muitos nomes que descrevem seus diversos ministérios.

Por que o Espírito é chamado de o Espírito de Cristo? 1) Porque ele é enviado em nome de Cristo (Jo 14.26). 2) Porque ele é o Espírito enviado por Cristo. O Espírito é o princípio da vida espiritual por meio de quem os homens nascem no Reino de Deus. Essa nova vida espiritual é comunicada e mantida por Cristo (Jo 1.12,13; 4.10; 7.38), que também batiza com o Espírito Santo (Mt 3.11). 3) O Espírito Santo é chamado Espírito de Cristo porque sua missão especial nesta época é a de glorificar Cristo (Jo 16.14). Sua obra especial acha-se em união com aquele que viveu, morreu, ressuscitou e ascendeu ao céu. Ele torna real *nos* crentes o que Cristo fez *por* eles. 4) O Cristo glorificado está presente na Igreja e nos crentes pelo Espírito Santo. Ouve-se sempre que o Espírito veio tomar o lugar de Cristo, mas é mais correto dizer que ele veio tornar Cristo real. O Espírito Santo torna possível e real a onipresença de Cristo no mundo (Mt 18.20) e sua habitação nos crentes. A união entre Cristo e o Espírito é tão íntima que se diz que tanto Cristo quanto o Espírito habitam no crente (Gl 2.20; Rm 8.9,10); e o crente está tanto "em Cristo" quanto "no Espírito".

Graças ao Espírito Santo, a vida de Cristo torna-se a nossa vida em Cristo.

c) **O Conselheiro.** Esse é o título dado ao Espírito no evangelho de João, capítulos 14 a 17. Um estudo do fundo histórico desses capítulos revelará o significado do dom. Os discípulos haviam tomado sua última ceia com o Mestre. O coração deles, pensando na partida do Mestre, estava triste, e estavam oprimidos pelo sentimento de fraqueza. Quem nos ajudará quando ele partir? Quem nos ensinará e nos guiará? Quem estará conosco quando pregarmos e ensinarmos? Como poderemos enfrentar um mundo hostil? Cristo aquietou esses temores infundados com esta promessa: "E eu pedirei ao Pai, e ele lhes dará outro Conselheiro para estar com vocês para sempre" (Jo 14.16).

A palavra "Conselheiro" ("paracleto", no grego) significa alguém chamado para ficar ao lado de outrem, com o propósito de ajudá-lo em qualquer eventualidade, especialmente em processos legais e criminais. Era costume nos tribunais antigos as partes aparecerem no tribunal assistidas por um ou mais de seus amigos mais prestigiosos, que, no grego, chamavam de "paracleto" e, em latim, *advocatus*. Estes assistiam seus amigos não pela recompensa ou remuneração, mas por consideração e amor; a vantagem de sua presença pessoal era a ajuda de seus sábios conselhos. Eles orientavam seus amigos quanto ao que deviam dizer e fazer; falavam por eles; representavam-nos, faziam da causa de seus amigos sua própria causa; amparavam-nos nas provas, dificuldades e perigos da situação.

Foi essa também a relação do Senhor Jesus com seus discípulos durante seu ministério na terra, e eles, naturalmente, sentiam tristeza ao pensar em sua partida. Mas ele os consolou com a promessa de outro Conselheiro que seria o defensor, ajudador e instrutor deles durante sua ausência. O Espírito Santo é chamado de "outro" Conselheiro porque ele seria, em forma invisível aos discípulos, justamente o que Jesus lhes havia sido em forma visível.

A palavra "outro" faz distinção entre o Espírito Santo e Jesus; no entanto, coloca-os no mesmo patamar. Jesus enviou o Espírito, mas Jesus vem espiritualmente a seus discípulos pelo Espírito. O Espírito Santo é o sucessor de Cristo, como também a presença dele. O Espírito Santo torna possível e real a presença contínua de Cristo na Igreja.

> É ele quem faz com que a pessoa de Cristo habite nos crentes de maneira que possam dizer como Paulo: "Cristo vive em mim" (Gl 2.20). Por conseguinte, é a vida de Cristo, sua natureza, seus sentimentos e suas virtudes, que o Espírito comunica aos crentes. É segundo a semelhança de Cristo que ele os transforma, segundo o modelo que Cristo nos deixou. Sem Cristo, o Espírito não tem nada a produzir no coração do crente. Se ele eliminasse Cristo e sua Palavra, seria como remover do estúdio do fotógrafo a pessoa a ser fotografada, cujas feições a luz não fixaria na chapa, por esta estar ausente.

A vinda do Conselheiro não significa que Cristo cessou de ser o intercessor, "o Justo" de seu povo. João informa-nos que ele ainda desempenha esse ofício (1Jo 2.1). Cristo, cuja esfera de ação é no céu, defende os discípulos contra as acusações do "acusador dos nossos irmãos" (Ap 12.10). Ao mesmo tempo, o Espírito, cuja esfera de ação é na terra, faz calar os adversários da Igreja pela vitória da fé que vence o mundo. Assim como Cristo é paracleto no céu, o Espírito é paracleto na terra.

O Cristo glorificado não somente envia o Espírito, mas também se manifesta por meio do Espírito. Fisicamente, Jesus podia estar somente em um lugar de cada vez, mas em sua vida glorificada ele é onipresente pelo Espírito. Durante sua vida terrestre, Jesus não habitava no interior dos homens; pelo Espírito, ele pode habitar na profundidade de sua alma. Certo escritor esclareceu essa verdade da seguinte maneira:

> Se ele tivesse permanecido na terra em sua vida física, teria sido somente um exemplo a ser copiado; mas, desde que subiu a seu Pai e enviou o seu Espírito, ele passou a representar uma vida a ser vivida. Se tivesse permanecido conosco, visível e tangível, sua relação conosco seria meramente como a do modelo com o artista que esculpe o mármore, mas não seria como a ideia e a inspiração que produzem a verdadeira obra de arte. Se tivesse permanecido na terra, ele teria sido objeto de prolongada observação de estudo científico e jamais habitaria em nosso interior, seria sempre externo a nós: uma voz externa, uma vida externa, um exemplo externo [...], mas, graças a seu Espírito, agora ele pode viver em nós como a verdadeira alma de nossa alma, o verdadeiro Espírito de nosso espírito, a verdade de nossa mente, o amor de nosso coração e o desejo de nossa vontade.

Se a atuação do Espírito é comunicar a obra do Filho, que vantagem haveria na partida de um para tornar possível a vinda do outro? Resposta: Não é o Cristo *terreno* que o Espírito comunica, mas o Cristo *celestial* — o Cristo reinvestido de seu poder eterno, revestido de glória celestial. O doutor A. J. Gordon empregou a seguinte ilustração:

> É como se um pai, cujo parente tivesse falecido, dissesse a seus filhos: "Somos pobres, mas tornei-me herdeiro de um parente rico. Se vocês estiverem dispostos a deixar que eu me ausente de casa a fim de ir além-mar para receber a herança, enviarei a vocês mil vezes mais do que poderia dar-lhes se permanecesse com vocês".

A vida de Cristo na terra representa os dias de sua pobreza (2Co 8.9) e humilhação; na cruz, ele ganhou as riquezas de sua graça (Ef 1.7); no trono, assegurou suas gloriosas riquezas (Ef 3.16). Depois de sua ascensão ao Pai, ele enviou o Espírito para comunicar as riquezas de sua herança. Cristo, com sua ascensão, teria mais para oferecer, e a Igreja teria mais para receber (Jo 16.12; 14.12). "O rio da água da vida que, claro como cristal, fluía do trono de Deus e do Cordeiro" (Ap 22.1).

O Conselheiro ensina somente as coisas de Cristo, no entanto ensina mais do que ele ensinou. Até a crucificação, a ressurreição e a ascensão, o conjunto da doutrina cristã ainda estava incompleto e, portanto, não poderia ser plenamente comunicado aos discípulos de Cristo. Em João 16.12,13, é como se Jesus dissesse: "Tenho passado a vocês um pouco do conhecimento de minha doutrina; mas ele os conduzirá até o fim". A ascensão teve por finalidade trazer maior comunicação da *verdade,* como também maior comunicação de *poder*.

d) **O Espírito Santo.** Ele é chamado santo porque é o Espírito do Santo Deus e porque sua obra principal é a santificação. Necessitamos de um Salvador por duas razões: para fazer alguma coisa *por* nós e alguma coisa *em* nós. Jesus satisfez a primeira razão ao morrer por nós; e, pelo Espírito Santo, ele habita em nós, transmitindo à nossa alma sua vida divina. O Espírito Santo veio para reorganizar a natureza do homem e para opor-se a todas as suas tendências más.

e) **O Espírito da promessa** (Ef 1.13). O Espírito Santo é chamado dessa forma porque sua graça e seu poder são algumas das bênçãos principais prometidas no AT (Ez 36.27; Jl 2.28). A prerrogativa mais elevada de Cristo, ou do Messias, era a de conceder o Espírito, e essa prerrogativa Jesus reafirmou quando disse: "Eu lhes envio a promessa de meu Pai" (Lc 24.49; Gl 3.14).

f) **O Espírito da verdade** (Jo 14.17). O propósito da encarnação foi revelar o Pai; a missão do Conselheiro é revelar o *Filho*. Ao contemplar um quadro a óleo, qualquer pessoa nota muita beleza de cor e forma; mas, para compreender o significado intrínseco do quadro e apreciar seu verdadeiro propósito, ela precisa de um intérprete experiente. O Espírito Santo é o intérprete de Jesus Cristo. Ele não oferece uma nova e diferente revelação, mas abre a mente dos homens para que percebam o mais profundo significado da vida e das palavras de Cristo. Como o Filho não falou de si mesmo, mas falou o que recebeu do Pai, assim o Espírito não fala de si mesmo, como se fosse fonte independente de conhecimento, mas declara o que ouviu daquela vida íntima da Divindade.

g) O Espírito da graça (Hb 10.29; Zc 12.10). O Espírito Santo dá graça ao homem para que se arrependa, quando peleja com ele; concede o poder para santificação, perseverança e serviço. Aquele que trata com desdém o Espírito da graça afasta o único que pode tocar ou comover o coração e, assim, separa a si mesmo da misericórdia de Deus.

h) O Espírito da vida (Rm 8.2; Ap 11.11). Um credo antigo dizia: "Creio no Espírito Santo, o Senhor, e doador da vida". O Espírito é aquela pessoa da Trindade cujo ofício especial é a criação e a preservação da vida natural e espiritual.

i) O Espírito de adoção (Rm 8.15). Quando alguém é salvo, não somente lhe é dado o nome de filho de Deus, pois ele é adotado na família divina, mas também recebe dentro de sua alma o conhecimento de que participa da natureza divina. Assim escreve o bispo Andrews: "Como Cristo é nossa testemunha no céu, também o Espírito, aqui na terra, testifica com o nosso espírito que somos filhos de Deus".

2. Os símbolos do Espírito

Alguém declarou: "As palavras são veículos inadequados para transmitir a verdade. Quando muito, apenas revelam a metade das profundidades do pensamento". Deus achou por bem ilustrar com símbolos o que, de outra maneira, graças à pobreza da linguagem humana, nunca poderíamos saber. Os seguintes símbolos são empregados para descrever as operações do Espírito Santo:

a) **Fogo** (Is 4.4; Mt 3.11; Lc 3.16). O fogo ilustra a limpeza, a purificação, a intrepidez ardente e o zelo produzido pela unção do Espírito. O Espírito é comparado ao fogo porque o fogo aquece, ilumina, espalha-se e purifica (cf. Jr 20.9).

b) **Vento** Ez 37.7-10; Jo 3.8; At 2.2). O vento simboliza a obra regeneradora do Espírito e indica sua misteriosa operação independente, penetrante, vivificante e purificadora.

c) **Água** (Êx 17.6; Ez 36.25-27; 47.1; Jo 3.5; 4.14; 7.38,39). O Espírito é a fonte de água viva, a mais pura e a melhor, porque ele é um verdadeiro rio de vida — inundando nossa alma para limpar a poeira do pecado. O poder do Espírito opera no reino espiritual, o que a água faz na ordem material. A água purifica, refresca, sacia a sede e torna frutífero o estéril. Ela purifica o que está sujo e restaura a limpeza. É um símbolo adequado da graça divina, que não apenas purifica a alma, mas também lhe acrescenta a beleza divina. A água é um elemento indispensável na vida física, e o Espírito Santo é um elemento indispensável na vida espiritual.

Qual é o significado da expressão "água viva"? É viva em contraste com as águas fétidas de cisternas e brejos; é a água que borbulha e flui sempre de sua fonte, evidenciando, em todos os momentos, vida. Se essa água for detida num reservatório, se seu fluxo for interrompido e separado de sua fonte, já não se pode dizer que é água viva. Os cristãos têm a "água viva" na proporção em que estiverem em contato com a fonte divina em Cristo.

d) **Selo** (Ef 1.13; 2Tm 2.19). Essa ilustração exprime os seguintes pensamentos: 1) Posse. A impressão de um selo dá a entender uma relação com o dono do selo, um sinal inquestionável de algo que lhe pertence. Os crentes são propriedade de Deus, e é possível saber isso pelo Espírito que neles habita. No tempo de Paulo, o seguinte costume era comum em Éfeso: Um negociante ia ao porto selecionar certa madeira e depois a marcava com seu selo — um sinal de reconhecimento da posse. Mais tarde, mandava seu servo com o selo, e este trazia a madeira que tivesse a marca correspondente (cf. 2Tm 2.19). 2) A ideia de segurança também está implícita nessa figura (Ef 1.13; cf. Ap 7.3). O Espírito inspira um sentimento de segurança e certeza no coração do crente (Rm 8.16). Ele é o penhor ou as primícias de nossa herança celestial, uma garantia da glória vindoura. Os crentes são selados, mas devem ter cuidado para não fazer coisas que destruam a impressão do selo (Ef 4.30).

e) **Azeite.** O azeite é, talvez, o mais comum e mais conhecido símbolo do Espírito. Quando se usava o azeite no ritual do AT, falava-se de utilidade, frutificação, beleza, vida e transformação. Geralmente, era usado como alimento, para iluminação, lubrificação, cura e alívio da pele. Da mesma maneira, na ordem espiritual, o Espírito fortalece, ilumina, liberta, cura e alivia a alma.

f) **Pomba.** A pomba, como símbolo, significa brandura, doçura, amabilidade, inocência, suavidade, paz, pureza e paciência. Para os sírios, ela é o emblema dos poderes vivificantes da natureza. Uma tradição judaica traduz Gênesis 1.2 da seguinte maneira: "O Espírito de Deus como pomba pousava sobre as águas". Cristo falou da pomba como a encarnação da simplicidade, uma das belas características de seus discípulos.

II. O ESPÍRITO NO ANTIGO TESTAMENTO

O Espírito Santo é revelado no AT de três maneiras: primeira, como Espírito criador ou cósmico, por cujo poder o Universo e todas as criaturas vivas foram criadas; segunda, como o Espírito dinâmico ou doador de poder; terceira, como Espírito regenerador, pelo qual a natureza humana é transformada.

1. O Espírito criador

O Espírito Santo é a terceira pessoa da Trindade por cujo poder o Universo foi criado. Ele se movia sobre a face das águas e participou da glória da criação (Gn 1.2; Jó 26.13; Sl 33.6; 104.30). O doutor Denio escreve:

> O Espírito Santo, como divindade inseparável em toda a criação, manifesta sua presença pelo que chamamos as leis da natureza. Ele é o princípio da ordem e da vida, o poder organizador da natureza criada. Todas as forças da natureza são apenas evidências da presença e operação do Espírito de Deus. As forças mecânicas, a ação química, a vida orgânica nas plantas e nos animais, a energia conectada à ação nervosa, a inteligência e a conduta moral são apenas evidências da imanência de Deus, da qual o Espírito Santo é o agente.

O Espírito Santo criou o homem e o sustenta (Gn 2.7; Jó 33.4). Toda pessoa, servo de Deus ou não, é sustentada pelo poder criador do Espírito de Deus (Dn 5.23; At 17.28). A existência do homem é como o som da tecla do harmônio que dura tão somente enquanto o dedo do Criador a comprime. O homem deve sua existência às "duas mãos de Deus", isto é, a Palavra (Jo 1.1-3) e o Espírito. Foi a eles que Deus se dirigiu, dizendo: "Façamos o homem" (Gn 1.26).

2. O Espírito dinâmico

O Espírito criador criou o homem a fim de formar uma sociedade governada por Deus, em outras palavras, o Reino de Deus. Depois que o pecado entrou no mundo e a sociedade humana foi organizada à parte de Deus e em oposição a ele, o Senhor, ao chamar o povo de Israel, reiniciou o processo e organizou esse povo debaixo de suas leis, constituindo-o assim como o Reino de Deus (2Cr 13.8). Ao estudar a história de Israel, lemos que o Espírito

Santo inspirou certos homens para governar e guiar os membros desse Reino e dirigir seu progresso na vida de consagração.

A operação dinâmica do Espírito criou duas classes de ministros: a primeira, os obreiros de Deus — homens de ação, organizadores, executivos; a segunda, os porta-vozes de Deus — profetas e mestres.

a) **Obreiros de Deus.** Como exemplos de obreiros inspirados pelo Espírito, mencionamos Josué (Nm 27.8-21), Otoniel (Jz 3.9,10), José (Gn 41.38-40), Bezalel (Êx 35.30,31), Moisés (Nm 11.16, 17), Gideão (Jz 6.34), Jefté (Jz 11.29), Sansão (Jz 13.24,25) e Saul (1Sm 10.6).

É muito provável que, à luz desses exemplos, os dirigentes da igreja primitiva insistissem para que aqueles que serviam às mesas fossem cheios do Espírito Santo (At 6.3).

b) **Porta-vozes de Deus.** O profeta de Israel, por assim dizer, era um porta-voz de Deus — aquele que recebia mensagens de Deus e as entregava ao povo. Ele tinha consciência do poder celestial que descia sobre ele de tempos em tempos, capacitando-o para pronunciar mensagens não concebidas por sua própria mente, característica que o distinguia dos falsos profetas (Ez 13.2). A palavra "profeta" indica inspiração, originada de uma palavra que significa "borbulhar" — um testemunho à eloquência torrencial que muitas vezes fluía dos lábios dos profetas (cf. Jo 7.38).

1) As expressões empregadas para descrever a maneira em que lhes chegava a inspiração mostram que essa inspiração era repentina e sobrenatural. Os profetas, ao se referirem à origem de seu poder, diziam que Deus "derramou" seu Espírito, "pôs o seu Espírito em nossos corações" (2Co 1.22), "deu do seu Espírito" (1Jo 4.13), "encheu do Espírito de Deus" (Êx 35.31) e "pôs o seu Espírito" (Is 63.11) dentro deles. Descreveram as várias influências, declararam que o Espírito "estava sobre eles" (Nm 10.34; Ed 5.1; 8.18; Ez 10.19; 11.22; At 4.33), descansava sobre eles e os tomava. Para indicar a influência

exercida sobre eles, diziam que estavam "cheios do Espírito", "movidos" pelo Espírito, "tomados pelo Espírito" e que o Espírito falava por meio deles.

2) Quando um profeta profetizava, ele às vezes encontrava-se em estado conhecido como "êxtase" — estado pelo qual a pessoa fica elevada acima da percepção comum e é introduzida num domínio espiritual, no domínio profético. Ezequiel disse: "[...] a mão do Soberano, o SENHOR [o poder do Senhor Deus], veio sobre mim. [...] O Espírito levantou-me entre a terra e o céu e, em visões de Deus" (Ez 8.1-3). É muito provável que Isaías estivesse nessa condição quando viu a glória do Senhor (Is 6). João, o apóstolo, declara: "No dia do Senhor achei-me no Espírito" (Ap 1.10; cf. At 22.17).

As expressões usadas para descrever a inspiração e o êxtase dos profetas são semelhantes àquelas que descrevem a experiência do NT, a saber, de ser "cheio" (At 4.8; 6.5; 7.55; 9.17; 11.24; 13.9) ou "batizado" (At 2.38; 8.13; 9.18; 22.16) com o Espírito (cf. o livro de Atos). Parece que nessa experiência posterior o Espírito tem um impacto tão direto sobre o espírito humano que a pessoa fica como que arrebatada e se expressa com uma linguagem extática.

3) Os profetas nem sempre profetizavam em estado extático; a expressão "veio a palavra do Senhor" (Lc 3.2) dá a entender que a revelação veio por uma iluminação sobrenatural da mente. A mensagem divina podia ser recebida e entregue em qualquer das duas maneiras.

4) O profeta não exercia o dom de acordo com sua própria vontade; a profecia não foi produzida "na vontade humana" (2Pe 1.21). Jeremias disse que não sabia que o povo estava maquinando contra ele (Jr 11.19). Os profetas nunca supuseram, e tampouco os israelitas jamais creram, que o poder profético fosse privilégio de algum homem com dom permanente, sem interrupção, para ser usado de acordo com sua

própria vontade. Entenderam que o Espírito era um agente pessoal e, portanto, a inspiração era proveniente da soberana vontade de Deus. Os profetas podiam, porém, colocar-se numa condição de receptividade ao Espírito (2Rs 3.15) e, em tempos de crise, podiam pedir direção a Deus.

3. O Espírito regenerador

Consideraremos as seguintes verdades relativas ao Espírito regenerador. Sua presença é registrada no AT, porém não é acentuada; seu derramamento é descrito principalmente como uma bênção futura, em consonância com a vinda do Messias, e apresenta características distintas.

a) **Operante, mas não enfatizado.** O Espírito Santo no AT é descrito como associado à transformação da natureza humana. Em Isaías 63.10,11, faz-se referência ao êxodo e à vida no deserto. Quando o profeta diz que Israel entristeceu o santo Espírito de Deus, ou quando se diz que Deus deu seu "bom Espírito" para os instruir (Ne 9.20), refere-se ao Espírito como quem inspira a bondade e a moral (cf. Sl 143.10). Davi reconhecia o Espírito como presente em toda parte, aquele que esquadrinha os caminhos dos homens e revela, à luz de Deus, os esconderijos mais obscuros de sua vida. Davi, depois de cometer seu grande pecado, orou para que o Espírito Santo de Deus, a presença santificadora de Deus, aquele Espírito que influencia o caráter, não lhe fosse tirado (Sl 51.11).

Esse aspecto, porém, da obra do Espírito não é acentuado no AT. O nome Espírito *Santo* ocorre somente três vezes no AT, mas 89 no NT, o que sugere que no AT a ênfase está nas operações dinâmicas do Espírito, enquanto no NT a ênfase está em seu poder santificador.

b) Sua concessão representa uma bênção futura. Menciona-se como acontecimento futuro o derramamento geral do Espírito, a fonte de santidade, uma das bênçãos do prometido Reino de Deus. Em Israel, o Espírito de Deus era dado a certos líderes escolhidos, e, indubitavelmente, quando havia verdadeira piedade, isso se devia à obra de seu Espírito. Mas, em geral, a maioria do povo inclinava-se para o paganismo e a iniquidade. Embora, de tempos em tempos, fosse reavivada pelo ministério de profetas e reis piedosos, era evidente que a nação tinha um coração mau e que era necessário um derramamento geral do Espírito para que se voltasse para Deus.

Esse derramamento foi previsto pelos profetas, que falaram que o Espírito Santo seria derramado sobre o povo numa medida sem precedentes. Deus purificaria o coração do povo, seu Espírito habitaria nele e escreveria sua Lei em seu interior (Ez 36.25-29; Jr 31.34). Naqueles dias, o Espírito seria derramado com poder sobre todos os povos (Jl 2.28), isto é, sobre todas as pessoas, sem distinção de idade, sexo e posição. A oração de Moisés de que "todo o povo do SENHOR fosse profeta" seria, nesse momento, cumprida (Nm 11.29). Como resultado, muitos seriam convertidos, porque "todo aquele que invocar o nome do SENHOR será salvo" (Jl 2.32).

A característica que distinguia o povo de Deus sob a velha dispensação era a posse e a revelação da Lei de Deus; a característica que distingue seu povo, sob a nova dispensação, é a lei escrita em seu coração e a morada do Espírito nele.

c) Em união com a vinda do Messias. O ponto culminante do grande derramamento do Espírito Santo seria a pessoa do Messias-Rei, sobre o qual o Espírito de Deus repousaria permanentemente, na qualidade de Espírito de sabedoria e entendimento, de conhecimento e temor santo, de conselho e poder. Ele seria o profeta perfeito que proclamaria as boas-novas da libertação, da cura divina, do consolo e da alegria.

Qual é a relação entre esses dois grandes eventos proféticos, a vinda do ungido e a efusão universal do Espírito Santo? João Batista respondeu quando interrogado: "Eu os batizo com água para arrependimento. Mas depois de mim vem alguém mais poderoso do que eu, tanto que não sou digno nem de levar as suas sandálias. Ele os batizará com o Espírito Santo e com fogo" (Mt 3.11). Em outras palavras, o Messias é o doador do Espírito Santo. Foi isso que o assinalou como o Messias ou o fundador do Reino de Deus. A grande bênção da nova era seria o derramamento do Espírito, e este foi o mais elevado privilégio do Messias, o de conceder o Espírito. Em seu ministério terrestre, Cristo falou do Espírito como o melhor dom do Pai (Lc 11.13); ele convidou os espiritualmente sedentos a vir beber, oferecendo-lhes abundante provisão da água da vida; em seus discursos de despedida, prometeu enviar o Conselheiro a seus discípulos.

Observe especialmente a ligação do dom com a obra redentora de Cristo. A concessão do Espírito está associada com a partida de Cristo (Jo 16.7) e sua glorificação (Jo 7.39), o que implica sua morte (Jo 12.23,24; 13.31,33; Lc 24.49). Paulo afirma claramente essa ligação em Gálatas 3.13,14; 4.4-6 e Efésios 1.3,7,13,14.

d) As características especiais que exibe. Talvez este seja o momento de inquirir acerca do significado da declaração: "Até então o Espírito ainda não tinha sido dado, pois Jesus ainda não fora glorificado" (Jo 7.39). João certamente não queria dizer que nos tempos do AT ninguém tinha experimentado manifestações do Espírito; todo judeu sabia que as poderosas obras dos dirigentes de Israel e as mensagens dos profetas eram provenientes das operações do Espírito de Deus. Evidentemente, ele se refere a certos aspectos da obra do Espírito que não eram conhecidos nas dispensações anteriores. Quais são, portanto, as características distintas da obra do Espírito na presente dispensação?

1) O Espírito ainda não havia sido dado como o Espírito do Cristo crucificado e glorificado. Essa missão do Espírito não podia iniciar-se enquanto a missão do Filho não terminasse; Jesus não podia manifestar-se no Espírito enquanto estivesse fisicamente presente neste mundo. O dom do Espírito não

podia ser reivindicado por ele a favor dos homens enquanto não assumisse sua posição de advogado dos homens na presença de Deus. Quando Jesus falou, ainda não havia no mundo uma força espiritual como a que foi inaugurada no dia de Pentecoste e que, posteriormente, cobriu toda a terra como uma grande enchente. Porque Jesus ainda não havia subido para o local onde estivera antes da encarnação (Jo 6.62), ainda não estivera com o Pai (Jo 16.7; 20.17), não podia haver uma presença espiritual universal antes que fosse retirada sua presença física deste mundo e o Filho do homem fosse coroado em sua exaltação à direita de Deus. O Espírito foi guardado nas mãos de Deus, aguardando esse derramamento geral, até que o Cristo vitorioso o reivindicasse a favor da humanidade.

2) Nos tempos do AT, o Espírito não era dado universalmente, mas, de modo geral, limitado a Israel, concedido segundo a soberana vontade de Deus a certos indivíduos, como, por exemplo, profetas, sacerdotes, reis e outros obreiros em seu Reino. Mas na época atual, ou na presente dispensação, o Espírito está à disposição de todos, sem distinção de idade, sexo ou raça.

Em relação a isso, observe que no AT raramente se faz referência ao Espírito de Deus pela breve designação de "o Espírito". Lemos acerca do "Espírito do Senhor" ou "Espírito de Deus". Entretanto, no NT o título breve "o Espírito" ocorre com muita frequência, sugerindo que suas operações já não são manifestações isoladas, mas acontecimentos comuns.

3) Alguns estudiosos creem que a concessão do Espírito nos tempos do AT não envolve a morada ou permanência do Espírito, característica desse dom nos tempos do NT. Eles explicam que a palavra "dom" implica posse e permanência e que, nesse sentido, não havia *dom* do Espírito no AT. É certo que João Batista foi cheio do Espírito Santo desde o ventre de sua mãe, e isso implica uma união permanente. Talvez esse

e outros casos semelhantes possam ser considerados como exceções à regra geral. Por exemplo, quando Enoque e Elias foram arrebatados, constituíram exceções à regra geral do AT, isto é, a entrada na presença de Deus por meio do túmulo e do *Sheol* (o reino dos espíritos desencarnados).

III. O ESPÍRITO EM CRISTO

O NT introduz a dispensação do Espírito, cumprindo-se a promessa de que Deus derramaria do seu Espírito sobre todos os povos, que poria seu Espírito no coração de seu povo e, assim, escreveria sua lei em seu interior. Isso seria feito nos dias do Messias, que seria ungido com o Espírito Santo. Por conseguinte, verificamos no NT que o Espírito Santo é descrito operando em Jesus Cristo, dentro dele e por meio dele.

Os títulos "Espírito de Cristo" e "Espírito de Jesus Cristo" indicam uma relação entre Cristo e o Espírito Santo da qual seus discípulos não participam. Por exemplo, não nos atreveríamos a falar sobre o "Espírito de Paulo".

O Senhor Jesus, desde o princípio até o fim de sua vida terrena, esteve intimamente ligado ao Espírito Santo. Esse relacionamento foi tão íntimo que Paulo descreve Cristo como um "espírito vivificante". O significado não é que Jesus é o Espírito, e sim que ele dá o Espírito, e por intermédio desse mesmo Espírito ele exerce onipresença.

O Espírito é mencionado em ligação com os seguintes aspectos e momentos críticos do ministério de Cristo.

1. Nascimento

O Espírito Santo é descrito como o agente na miraculosa concepção de Jesus (Mt 1.20; Lc 1.35). Este relacionou-se com o Espírito de Deus desde o primeiro momento da sua existência humana. O Espírito Santo desceu sobre Maria, o poder do Altíssimo cobriu-a com sua sombra, e àquele que dela nasceu foi dado o direito de ser chamado santo, Filho de Deus. Para João, o precursor, foi suficiente que fosse cheio do Espírito desde o ventre de sua mãe, ao passo que Jesus foi concebido pelo poder do Espírito no ventre de Maria e, por essa razão, recebeu nomes e títulos que não podiam ser conferidos a João. Deus, operando por seu Espírito, é o Pai da natureza humana de Jesus, no sentido de que sua origem proveniente da substância da virgem Maria foi um ato divino.

O efeito dessa intervenção divina revela-se no estado imaculado de Cristo, sua perfeita consagração e seu conhecimento permanente da paternidade de Deus. Enfim, o poder do pecado foi destruído, e um nascido de mulher era, ao mesmo tempo, homem e santo, como também o Filho de Deus. O segundo homem é dos céus (1Co 15.47). Ele era de cima (Jo 8.23), sua passagem pelo mundo representa a vitória sobre o pecado, e os resultados de sua vida foram a vivificação da raça (1Co 15.45). Aquele que nenhum pecado cometera e que salva seu povo dos pecados teria necessariamente que ser gerado pelo Espírito Santo.

2. Batismo

Com o passar dos anos, começou uma nova relação com o Espírito. Aquele que fora concebido pelo Espírito e que tinha consciência da morada do Espírito divino em sua pessoa foi ungido com o Espírito. Assim como na concepção o Espírito desceu sobre Maria, também no batismo o Espírito desceu sobre o Filho, ungindo-o como Profeta, Sacerdote e Rei. A primeira operação santificou sua humanidade; a segunda, consagrou sua vida oficial. Assim como sua concepção foi o princípio de sua existência humana, também seu batismo foi o princípio de seu ministério ativo.

3. Ministério

Então, Jesus foi levado pelo Espírito ao deserto (Mc 1.12) para ser tentado por Satanás. Ali ele venceu as sugestões do príncipe deste mundo, as quais o teriam tentado a fazer sua obra de uma maneira egoísta, num espírito mundano, em que a ênfase seria a vanglória pessoal, e a usar seu poder conforme o curso de ação da ordem natural.

Ele exerceu seu ministério com o conhecimento de "que o Pai havia colocado todas as coisas debaixo do seu poder" (Jo 13.3). Sabia que o Espírito do Senhor estava sobre ele para cumprir o ministério predito acerca do Messias (Lc 4.18), e pelo dedo de Deus expulsou demônios (Lc 11.20; cf. At 10.38). Ele testificou que o Pai, que estava nele, era quem operava as obras miraculosas.

4. Crucificação

O mesmo Espírito que o conduziu ao deserto e o sustentou ali também lhe deu força para consumar seu ministério sobre a cruz, na qual "pelo Espírito eterno se ofereceu de forma imaculada a Deus" (Hb 9.14). Ele foi para a cruz com a unção ainda sobre ele. O Espírito manteve diante dele as exigências inflexíveis de Deus e o inflamou de amor para com o homem e de zelo para com Deus, para prosseguir em sua missão, apesar dos impedimentos, da dor e das dificuldades, e para efetuar a redenção do mundo. O Espírito Santo encheu-lhe a mente de ardor, zelo e amor persistentes, os quais o conduziram a completar seu sacrifício. Seu espírito humano estava de tal modo imerso no Espírito de Deus e elevado por ele que vivia no eterno e invisível e, portanto, pôde suportar "a cruz, desprezando a vergonha" (Hb 12.2).

5. Ressurreição

O Espírito Santo foi o agente vivificante na ressurreição de Cristo (Rm 1.4; 8.11). Alguns dias depois desse evento, Cristo apareceu a seus discípulos, soprou sobre eles e disse: "Recebam o Espírito Santo" (Jo 20.22; cf. At 1.2). Essas palavras não podem significar o revestimento de poder pelo qual o Senhor, antes de sua ascensão, mandou que eles esperassem. Alguns estudiosos creem que esse sopro foi meramente um símbolo daquilo que havia de ocorrer cinquenta dias depois, isto é, um lembrete do Pentecoste vindouro. Outros creem que, nesse ato, algo de positivo foi concedido aos discípulos.

Uma comparação com Gênesis 2.7 indica que o sopro divino simboliza um ato criador. Mais tarde, Cristo é descrito como espírito vivificante, ou o que dá vida (1Co 15.45). Será que é possível pressupor que, nessa ocasião, o Senhor da vida permitiu que seus discípulos, por experiência, conhecessem "o poder da sua ressurreição" (Fp 3.10)? Os 11 discípulos seriam enviados ao mundo para cumprir um novo comissionamento, a fim de continuar a obra de Cristo. Em si mesmos, eram incapazes para tal missão, assim como um corpo inanimado é incapaz de efetuar as funções de um homem vivo. Daí, inferimos a necessidade do ato simbólico de dar a vida. Assim como a humanidade antiga recebeu o sopro do Senhor Deus, também a nova humanidade recebeu o sopro do Senhor Cristo.

Se aceitarmos que, nessa ocasião, houve uma verdadeira concessão do Espírito, devemos lembrar, porém, que não foi a pessoa do Conselheiro que foi comunicada, mas a inspiração de sua vida. O doutor Westcott frisa a distinção entre o dom da Páscoa e o "dom do Pentecoste" desta maneira: "O primeiro corresponde ao poder da ressurreição, e o outro, ao poder da ascensão". Isto é, o primeiro é a graça vivificante; e o outro, a graça capacitadora.

6. Ascensão

Observe os seguintes três graus na concessão do Espírito a Cristo: 1) Em sua concepção, o Espírito de Deus foi, desde aquele momento, o Espírito de Jesus, o poder vivificante e santificador, pelo qual ingressou em sua carreira de Filho do homem e pelo qual viveu até o fim. 2) Com o passar dos anos, Cristo começou uma nova relação com o Espírito. O Espírito de Deus veio a ser o Espírito de Cristo no sentido de que descansava sobre ele para exercer seu ministério messiânico. 3) Depois da ascensão, o Espírito veio a ser o Espírito de Cristo no sentido de ser concedido a outros.

O Espírito veio para habitar em Cristo não somente para suas próprias necessidades, mas também para que ele o derramasse sobre todos os crentes (cf. Jo 1.33 e observe especialmente as palavras "descer e permanecer"). Depois da ascensão, o Senhor Jesus exerceu a grande prerrogativa messiânica que lhe foi concedida — enviar o Espírito sobre outros (At 2.33; cf. Ap 5.6). Portanto, ele concede a bênção que ele mesmo recebeu e desfruta, como também nos faz coparticipantes com ele mesmo. Assim é que lemos não apenas acerca do dom, mas também da "comunhão" do Espírito Santo, isto é, da participação em comum do privilégio e da bênção de ter o Espírito de Deus concedido a nós. Não se trata apenas da comunhão dos crentes uns com os outros, mas também com Cristo; eles recebem a mesma unção que ele recebeu. É como a unção preciosa sobre a cabeça de Arão, que desceu sobre a barba e até "a gola das suas vestes". Todos os membros do Corpo de Cristo, como Reino de sacerdotes, participam da unção do Espírito que mana de sua cabeça, nosso grande sumo sacerdote que subiu aos céus.

IV. O ESPÍRITO SANTO NA EXPERIÊNCIA HUMANA

Esta seção diz respeito às várias operações do Espírito em relação aos homens.

1. Convicção

Em João 16.7-11, Jesus descreve a obra do Conselheiro em relação ao mundo. O Espírito Santo, ao trabalhar para conseguir a condenação divina contra os que rejeitam Cristo, agirá, por assim dizer, como o promotor de justiça de Cristo. Convencer significa levar ao conhecimento verdades que de outra maneira seriam postas em dúvida ou rejeitadas, ou provar acusações feitas contra a conduta e a vida. Os homens não sabem o que é o pecado, a justiça e o juízo; portanto, precisam ser convencidos da verdade espiritual. Por exemplo, seria inútil discutir com uma pessoa que declarasse não ver beleza alguma numa rosa, pois sua incapacidade demonstraria falta de apreciação pelo belo. Um sentido de beleza precisa ser despertado nela; ela precisa ser "convencida" da beleza da flor. Da mesma maneira, a mente e a alma obscurecidas nada discernem das verdades espirituais antes de serem convencidas e despertadas pelo Espírito Santo. Ele convencerá os homens das seguintes verdades:

a) **O pecado da incredulidade.** Quando Pedro pregou, no dia de Pentecoste, ele nada disse acerca da vida licenciosa do povo, de seu mundanismo, ou de sua cobiça; ele não entrou em detalhes sobre a depravação do homem para os envergonhar. *O* pecado do qual os culpou, e do qual mandou que se arrependessem, foi a crucificação do Senhor da glória; o perigo do qual os avisou foi o de se recusarem a crer em Jesus em vista das evidências.

Portanto, descreve-se o pecado da incredulidade como o pecado único, porque, nas palavras de um estudioso, "onde esse pecado permanece, todos os demais surgem, e quando esse desaparece, todos os demais desaparecem". É o "pecado *mater*", por produzir novos pecados e por ser o pecado contra o remédio para o pecado. Assim escreve o doutor Smeaton: "Por maior e mais perigoso que seja esse pecado, a ignorância dos homens a seu respeito é tamanha que sua criminalidade é inteiramente desconhecida até que seja descoberta pela influência do Espírito Santo, o Conselheiro. A consciência pode convencer o homem dos pecados comuns, mas nunca do pecado da incredulidade. Jamais homem algum foi convencido da enormidade desse pecado, a não ser pelo próprio Espírito Santo".

b) **A justiça de Cristo.** "Da justiça, porque vou para o Pai, e vocês não me verão mais" (Jo 16.10). Jesus Cristo foi crucificado como malfeitor e impostor. Mas, depois do dia de Pentecoste, o derramamento do Espírito e a realização do milagre em seu nome convenceram milhares de judeus de que não somente ele era justo, mas também a fonte única de poder e o caminho celestial para a justiça. O Espírito, utilizando Pedro, convenceu-os não somente de que haviam crucificado o Senhor da Justiça (At 2.36,37), mas também lhes assegurou que havia perdão e salvação em seu nome (At 2.38).

c) **O juízo sobre Satanás.** "E do juízo, porque o príncipe deste mundo já está condenado" (Jo 16.11). Como se convencerão as pessoas na atualidade de que o crime será castigado? Pela descoberta do crime e seu subsequente castigo; em outras palavras, pela demonstração da justiça. A cruz foi uma demonstração da verdade de que o poder de Satanás sobre a vida dos homens foi destruído e de que sua completa ruína foi decretada (Hb 2.14,15; 1Jo 3.8; Cl 2.15; Rm 16.20). Satanás foi julgado no sentido de que perdeu a grande causa, de modo que já não tem mais direito de reter os homens em escravidão, como seus súditos. Cristo, com sua morte, resgatou todos os homens do domínio de Satanás, e estes devem aceitar sua libertação. Os homens são convencidos pelo Espírito Santo de que na verdade são livres (Jo 8.36). Já não são súditos do tentador; já não são obrigados mais a obedecer-lhe, pois agora são súditos leais de Cristo, servindo-o voluntariamente no dia de seu poder (Sl 110.3).

Satanás alegou que lhe cabia o direito de possuir os homens que pecaram e que o justo juiz devia deixá-los sujeitos a ele. O mediador, por outra lado, apelou para o fato de que ele, nosso Salvador, recebera o castigo do homem ao tomar o lugar deste, e que, portanto, a justiça, bem como a misericórdia, exigiam que o direito de Satanás de conquista fosse anulado e que o mundo fosse dado a ele, o Cristo, o segundo Adão e Senhor de todas as coisas. O veredicto divino foi contra o príncipe deste mundo — e ele foi julgado. Ele já não pode guardar seus bens em paz, visto que um mais poderoso o venceu (Lc 11.21,22).

2. Regeneração

Ilustra-se a obra criadora do Espírito sobre a alma pela obra criadora do Espírito de Deus, no princípio, sobre o corpo do homem. Voltemos à cena apresentada em Gênesis 2.7. Deus tomou o pó da terra e formou um corpo. Ali jazia inanimado e quieto aquele corpo. Embora já estivesse no mundo, rodeado por suas belezas, aquele corpo não reagia porque não tinha vida. Não via, não ouvia, não entendia. Então, Deus "soprou em suas narinas o fôlego de vida, e o homem se tornou um ser vivente" (Gn 2.7). Ele imediatamente reagiu, vendo as belezas e ouvindo os sons do mundo ao seu redor.

Como sucedeu com o corpo, assim também sucede com a alma. O homem está rodeado pelo mundo espiritual e por Deus, que não está longe de nenhum de nós (At 17.27). No entanto, o homem vive e age como se esse mundo de Deus não existisse e, em razão de estar morto espiritualmente, não pode reagir como deveria. Mas quando o mesmo Senhor, que vivificou o corpo, vivifica a alma, a pessoa desperta para o mundo espiritual e começa a viver espiritualmente. Qualquer pessoa que tenha presenciado as reações de um verdadeiro convertido, após a experiência radical do novo nascimento, sabe que a regeneração não é meramente uma doutrina, mas uma realidade prática.

3. Habitação

Veja João 14.17; Romanos 8.9; 1Coríntios 6.19; 2Timóteo 1.14; 1João 2.27; Colossenses 1.27; 1João 3.24; Apocalipse 3.20.

Deus está sempre e necessariamente presente em toda parte; nele vivem todos os homens, nele se movem e existem. Mas a habitação interior significa que Deus está presente de uma maneira nova, mantendo um relacionamento *pessoal* com o indivíduo. Essa união com Deus, que é chamada de habitação, morada, é produzida de fato pela presença da Trindade completa, como se pode observar por um exame dos textos citados anteriormente. Considerando que o ministério especial do Espírito Santo é o de habitar no coração dos homens, a experiência é geralmente conhecida como morada do Espírito Santo. Muitos estudiosos ortodoxos creem que Deus concedeu a Adão não somente vida física e mental, mas também a habitação do Espírito, a qual ele perdeu por causa do pecado. Essa perda atingiu não somente ele, mas também seus descendentes. Essa ausência do Espírito deixou o homem nas trevas e na debilidade espiritual. O homem não convertido, quanto ao entendimento, não pode compreender as coisas do Espírito de Deus (1Co 2.14); quanto à vontade, não pode estar sujeito à Lei de Deus (Rm 8.7); quanto à adoração, não pode chamar Jesus de Senhor (1Co 12.3); quanto à prática, não pode agradar a Deus (Rm 8.8); quanto ao caráter, não pode produzir fruto espiritual (Jo 15.4); e, quanto à fé, não pode receber o Espírito da verdade (Jo 14.17). Tudo isso acontece por causa da ausência do Espírito, ausência que deixa o homem morto espiritualmente.

O homem, pela fé e pelo arrependimento, volta-se para Deus e regenera-se. A regeneração pelo Espírito envolve união com Deus e com Cristo (1Co 6.17), que é conhecida como habitação (1Co 6.19). Essa habitação do Espírito ou essa posse do Espírito pelo homem é a marca do cristão do NT: "Entretanto, vocês não estão sob o domínio da carne, mas do Espírito, se de fato o Espírito de Deus habita em vocês. E, se alguém não tem o Espírito de Cristo, não pertence a Cristo" (Rm 8.9; cf. Jd 19).

Assim descreve o doutor Smeaton:

> Baseados no firme fundamento das Escrituras, somos obrigados a crer que não somente os dons do Espírito Santo derramados no coração dos crentes, mas também o Espírito Santo em pessoa — que havia deixado o coração do homem, por causa das ruínas do pecado, como também por esse coração do homem não ser mais seu templo — agora torna a fazer sua morada nos redimidos e habita neles com sua presença pessoal e íntima, que nossas faculdades limitadas não nos permitem

avaliar nem compreender. É suficiente saber que o fato nos é claramente ensinado nas Escrituras Sagradas, não obstante nossa incapacidade em compreendê-lo ou em explicá-lo a nós mesmos ou a outros.

Uma das definições mais abrangentes do cristão é a seguinte: uma pessoa em quem o Espírito Santo habita. Seu corpo é templo do Espírito Santo e, em virtude dessa experiência, ele é santificado como o tabernáculo consagrado, pois nele Deus habita. O cristão, portanto, é chamado "santo", e seu dever é guardar a santidade do templo, isto é, o seu corpo (cf. 1Co 6.19; Rm 12.1).

4. Santificação

Na regeneração, o Espírito Santo efetua uma mudança radical na alma, concedendo-lhe um novo princípio de vida. Mas isso não significa que os filhos de Deus sejam imediatamente perfeitos. Permanece a debilidade hereditária adquirida; e ainda falta vencer o mundo, a carne e o Diabo.

Uma vez que o Espírito não opera magicamente, mas de uma maneira vital e progressiva, a alma é renovada gradualmente. A fé deve fortalecer-se por meio de muitas provas, e o amor deve fortificar-se para sobreviver à dificuldade e à tentação. As seduções do pecado precisam ser vencidas, e as tendências e os hábitos devem ser corrigidos.

Se o Espírito de Deus operasse um só ato e depois se retirasse, o convertido indubitavelmente voltaria a seus antigos caminhos. Mas o Espírito continua a boa obra que começou. O evangelho, que foi o que operou nosso novo nascimento, continua a operar nosso crescimento na vida cristã. Aqueles que nasceram pela semente incor-ruptível da palavra de Deus (1Pe 1.23) devem, como crianças recém-nascidas, desejar "de coração o leite espiritual puro, para que por meio dele cresçam para a salvação" (1Pe 2.2). O Espírito Santo também age diretamente sobre a alma, produzindo essas virtudes especiais do caráter cristão conhecidas como o fruto do Espírito (Gl 5.22,23). A operação do Espírito é progressiva, indo "do coração para fora, do interior para o exterior, da essência da vida para as suas manifestações, ações e palavras. Essa operação tolera, no princípio, muitas coisas incompatíveis com sua natureza divina, mas logo, pouco a pouco, ataca essas falhas, uma após outra, ora estas, ora aquelas, entrando nos mínimos detalhes de modo tão cabal que, não podendo escapar à influência do Espírito, um dia esse homem será perfeito, glorificado pelo Espírito e resplandecente com a vida de Deus".

5. Revestimento de poder

Nesta seção, consideraremos os seguintes fatos que dizem respeito à dotação de poder: seu caráter geral, seu caráter especial, sua evidência inicial, seu aspecto contínuo e a maneira de sua recepção.

a) **Sua natureza geral.** As seções anteriores trataram da obra regeneradora e santificadora do Espírito Santo; nesta seção, trataremos de outro modo de operação: sua obra vivificadora. Essa última fase da obra do Espírito é apresentada na promessa de Cristo: "Mas receberão poder quando o Espírito Santo descer sobre vocês, e serão minhas testemunhas" (At 1.8).

1) A característica principal dessa promessa é poder para servir, e não a regeneração para a vida eterna. Sempre que lemos acerca do Espírito vindo sobre as pessoas, repousando nelas ou enchendo-as, a referência nunca é à obra salvadora do Espírito, mas sempre ao poder para servir.
2) As palavras foram dirigidas a homens que já estavam em relação íntima com Cristo. Foram enviados a pregar, armados de poder espiritual para esse propósito (Mt 10.1); a eles foi dito: "seus nomes estão escritos nos céus" (Lc 10.20); sua condição moral foi descrita nas palavras: "Vocês já estão limpos, pela palavra que lhes tenho falado" (Jo 15.3); sua

relação com Cristo foi ilustrada com a figura: "Eu sou a videira; vocês são os ramos" (Jo 15.5); eles conheciam a presença do Espírito entre eles (Jo 14.17); sentiram o sopro do Cristo ressuscitado e ouviram-no dizer: "Recebam o Espírito Santo" (Jo 20.22).

Os fatos anteriormente mencionados demonstram a possibilidade de a pessoa estar em contato com Cristo e ser seu discípulo e, contudo, carecer do revestimento de poder especial mencionado em Atos 1.8. Pode-se objetar que tudo isso se refere aos discípulos antes do Pentecoste, mas em Atos 8.12-16 temos o caso de pessoas batizadas na água por Filipe que receberam o dom do Espírito alguns dias depois.

3) Acompanhando o cumprimento dessa promessa (At 1.8), houve manifestações sobrenaturais (At 2.1-4), das quais a mais importante e mais comum é o milagre de falar em outros idiomas. O fato de essa expressão oral, sobrenatural, ter acompanhado o recebimento do poder espiritual é declarado em duas outras ocasiões (At 10.44-46; 19.1-6) e inferido em mais uma outra (At 8.14-19).
4) Esse revestimento é descrito como um batismo (At 1.5). Quando Paulo declara que há somente um batismo (Ef 4.5), ele se refere ao batismo nas águas. Tanto os judeus quanto os pagãos praticavam as lavagens cerimoniais, e João Batista havia administrado o batismo nas águas para o arrependimento; mas Paulo declara que agora somente um batismo é válido diante de Deus, a saber, o batismo autorizado por Jesus e efetuado em nome da Trindade — em outras palavras, o batismo cristão.

Quando a palavra "batismo" é aplicada à experiência espiritual, ela é usada figuradamente para descrever a imersão no poder vivificador do Espírito Divino. A palavra foi usada figuradamente por Cristo para descrever sua imersão no sofrimento (Mt 20.22).

5) Essa comunicação de poder é descrita como preenchimento do Espírito. Aqueles que foram batizados com o Espírito Santo no dia de Pentecoste também foram cheios do Espírito.

b) Suas características especiais. Os fatos anteriormente expostos levam-nos à conclusão de que o crente pode experimentar um revestimento de poder, experiência suplementar e subsequente à conversão, cuja manifestação inicial se evidencia pelo milagre de falar em uma língua que ele desconhece, que nunca aprendeu.

A conclusão anterior tem sido combatida. Alguns dizem que há muitos cristãos que conhecem o Espírito Santo em seu poder regenerador e santificador, sem terem falado em outras línguas. De fato, o NT ensina que a pessoa não pode ser cristã sem ter o Espírito, isto é, ser habitação do Espírito: "E, se alguém não tem o Espírito de Cristo, não pertence a Cristo" (Rm 8.9). É possível perceber que o Espírito de Cristo é o mesmo que o Espírito Santo pelo contexto e por 1Pedro 1.11, em que a expressão "Espírito de Cristo" pode referir-se unicamente ao Espírito Santo. Outras referências são citadas para sustentar a mesma verdade (Rm 5.5; 8.14,16; 1Co 6.19; Gl 4.6; 1Jo 3.24; 4.13). Também se afirma que muitos obreiros cristãos têm experimentado unções do Espírito, por meio das quais foram capacitados a ganhar almas para Cristo e fazer outras obras cristãs, embora não falem em línguas.

Não se pode negar que existe um verdadeiro sentido no qual todas as pessoas verdadeiramente regeneradas têm o Espírito. Mas, como é natural, surge a pergunta: que há de diferente e suplementar na experiência chamada batismo no Espírito Santo? Respondemos da seguinte maneira: há um Espírito Santo, mas muitas operações desse Espírito. Assim como há apenas uma eletricidade, mas muitas operações dessa eletricidade, que aciona fábricas, ilumina nossas casas, faz funcionar as geladeiras e efetua muitos outros trabalhos, da mesma maneira o mesmo Espírito regenera, santifica, dá vigor, ilumina e reveste de dons especiais.

O Espírito regenera a natureza humana na conversão e depois, sendo o Espírito de santidade que habita no interior, ele produz o "fruto do Espírito", as características distintivas do caráter cristão. Em certas ocasiões, os crentes fazem uma consagração especial e recebem vitória sobre o pecado; por conseguinte, há aumento da alegria e da paz, experiência que, às vezes, tem sido chamada "santificação" ou uma "segunda obra da graça".

No entanto, além dessas operações do Espírito Santo, há outra, cujo propósito especial é dar energia à natureza humana para um serviço especial para Deus, resultando em uma expressão externa de caráter sobrenatural. De maneira geral, Paulo se refere a essa expressão exterior como "a manifestação do Espírito" (1Co 12.7), talvez em contraste com as operações mais silenciosas e secretas do Espírito. No NT, essa experiência é assinalada por expressões como "descer sobre", ser "derramado" e ser "cheio do", que dão a ideia de algo repentino e sobrenatural. Todas essas expressões são usadas em relação à experiência conhecida como o batismo no Espírito Santo (At 1.5).

A operação do Espírito Santo descrita por essas expressões é tão distinta de suas manifestações comedidas e usuais que os estudiosos criaram uma palavra para descrevê-la. Essa palavra é "carismático", proveniente de um termo grego habitualmente usado para designar um revestimento especial de poder espiritual. A. B. Bruce, estudioso presbiteriano, escreve:

> A obra do Espírito era entendida como transcendente, miraculosa e carismática. O poder do Espírito Santo era um poder que vinha de fora, produzindo efeitos extraordinários que chamaram a atenção até do observador profano, como Simão, o mago.

Ao mesmo tempo que reconhece que os cristãos primitivos creram também nas operações santificadoras do Espírito (ele cita At 16.14) e em sua inspiração de fé, esperança e amor efetuadas no coração, o mesmo escritor conclui: "O dom do Espírito Santo passou a significar [...] o dom de falar em estado de êxtase, de profetizar com entusiasmo e curar os doentes pela oração".

O ponto que desejamos acentuar é o seguinte: o batismo com o Espírito Santo, que é um batismo de poder, é de caráter "ca-rismático", a julgar pelas descrições dos resultados desse revestimento.

Assim, ao mesmo tempo que realmente admitimos que cristãos são nascidos do Espírito e que obreiros são ungidos com o Espírito, afirmamos que nem todos os cristãos experimentam a operação "carismática" do Espírito, acompanhada por expressão oral, o falar repentino e sobrenatural.

c) **Sua evidência inicial.** Como sabemos que a pessoa recebeu revestimento "carismático" do Espírito Santo? Em outras palavras, qual é a evidência de que a pessoa recebeu o batismo no Espírito Santo? A questão não se resolve pelos quatro Evangelhos, porque estes contêm profecias da vinda do Espírito, e uma profecia torna-se clara somente pelo seu cumprimento; tampouco se resolve pelas Epístolas, porque em sua maioria são instruções pastorais às igrejas estabelecidas, nas quais se considerava o poder do Espírito com suas manifestações exteriores a experiência normal de todo cristão. Desse modo, é evidente que o assunto deve decidir-se pelo livro de Atos dos Apóstolos, que registra muitos casos de pessoas que receberam o batismo no Espírito e descreve os resultados que se seguiram.

Admitimos que, em todos os casos mencionados no livro de Atos, os resultados do revestimento não são registrados, mas onde os resultados que se seguiram são descritos sempre houve uma expressão exterior imediata, sobrenatural e convincente, não somente para quem o recebeu, mas também para os outros presentes, em que um poder divino dominava essa pessoa; e em todos os casos houve um falar extático numa língua que essa pessoa nunca havia aprendido. Será essa declaração meramente a interpretação particular de um grupo religioso ou é reconhecida por outros grupos? O doutor Rees, teólogo inglês de ideias liberais, escreve:

A glossolalia (o falar em línguas) era o dom mais evidente e popular dos primeiros anos da Igreja. Parece que foi o acompanhamento regular e a evidência da descida do Espírito Santo sobre os crentes.

O doutor G. B. Stevens, da Universidade de Yale, em seu livro *Theology of the New Testament* [Teologia do Novo Testamento], escreve:

> O Espírito era considerado um dom especial que nem sempre acompanhava o batismo e a fé. Os samaritanos não foram batizados com o Espírito Santo quando creram na Palavra de Deus. Eles haviam crido e foram batizados, mas foi somente quando Pedro e João impuseram as mãos sobre eles que o dom do Espírito foi derramado. Evidentemente, aqui se vê algum revestimento ou experiência especial.

Comentando Atos 19.1-7, ele escreve:

> Não receberam o Espírito Santo quando creram, nem mesmo depois que foram batizados em nome de Cristo, mas unicamente quando Paulo impôs as mãos sobre eles é que veio o Espírito Santo e falaram em línguas e profetizaram. Aqui, fica óbvio que o dom do Espírito é considerado como sinônimo do carisma extático (revestimento espiritual) de falar em línguas e profetizar.

O doutor A. B. MacDonald, ministro escocês, presbiteriano, afirma:

> A crença da Igreja acerca do Espírito surgiu de um fato que ela experimentou. Os discípulos, bem cedo em sua carreira, notaram um novo poder que operava dentro deles. No princípio, essa manifestação mais extraordinária foi "falar em línguas", o poder de expressão oral extática numa língua não inteligível. Tanto os que eram tomados por esse poder quanto os que viam e ouviam suas manifestações foram convencidos de que um poder superior atingira sua vida, dotando-os de capacidades de expressão e de outros dons que pareciam ser algo diferente, e não apenas uma intensificação da capacidade que já

> possuíam. Pessoas que até aquele momento não pareciam ser nada além do comum repentinamente tornaram-se capazes de orar e de se expressar veementemente, em atitudes sublimes nas quais era manifesto que conversavam com o invisível.

Ele declara que o falar em línguas "parece ter sido o que mais atraía e a manifestação mais proeminente do Espírito, no princípio".

Há alguma passagem no NT em que se faz distinção entre aqueles que receberam o revestimento de poder e aqueles que não o receberam? A. B. MacDonald, o escritor citado, responde afirmativamente. Ele assinala que a palavra "não instruídos" em 1Coríntios 14.16, 23 (que ele traduz por "cristão particular") denota pessoas que se diferenciam dos descrentes pelo fato de tomarem parte no culto e o compreenderem a ponto de dizerem: "Amém"; também são considerados diferentes dos demais crentes pelo fato de não serem capazes de tomar parte ativa nas manifestações do Espírito. Parece que uma área especial do local das reuniões era reservada para os "não instruídos" (1Co 14.16).

Weymouth traduz a expressão "não instruídos" pela expressão "alguns que carecem do dom". O dicionário grego de Thayer interpreta-a assim: "alguém que carece do dom de línguas; um cristão que não é profeta". MacDonald descreve-o como "alguém que espera, ou que é mantido esperando, pelo momento decisivo em que o Espírito desça sobre ele".

Apesar de sua denominação ou escola de pensamento teológico, estudiosos capazes admitem que a recepção do Espírito na igreja primitiva não era uma cerimônia nem uma teoria doutrinária formal, mas uma experiência verdadeira e genuína. O cônego Streeter diz que Paulo pergunta aos gálatas se fora pela Lei ou pelo preço da fé que haviam recebido o dom do Espírito, "como se a recepção do Espírito fora algo bem definido e perceptível, como, por exemplo, pegar um resfriado".

d) Seu aspecto contínuo. A experiência descrita pela expressão "cheio do Espírito" está ligada à ideia de poder para servir. Devemos distinguir três fases dessa experiência.

1) A plenitude inicial, quando a pessoa recebe o batismo no Espírito Santo.
2) Uma condição habitual indicada pelas palavras "cheio do Espírito Santo" (Lc 1.15; At 6.3; 7.55; 11.24), palavras que descrevem a vida diária da pessoa espiritual, cujo caráter revela "o fruto do Espírito" (Gl 5.22). A exortação "deixem-se encher pelo Espírito" (Ef 5.18) refere-se a essa condição habitual.
3) Unções ou preenchimentos para ocasiões especiais. Paulo estava cheio do Espírito Santo, depois de sua conversão, mas em Atos 13.9 vemos que Deus lhe deu uma unção especial para resistir ao poder maligno de um mágico. Pedro foi cheio do Espírito no dia de Pentecoste, mas Deus lhe concedeu uma unção especial quando esteve diante das "autoridades e líderes do povo" em Jerusalém (At 4.8). Os discípulos haviam recebido a plenitude ou o batismo no Espírito Santo no dia de Pentecoste, mas, em resposta à oração, Deus lhes deu uma unção especial para fortalecê-los contra a oposição dos líderes judaicos (At 4.31). Como disse o pastor F. B. Meyer, já falecido:

> Tu podes ser um homem cheio do Espírito Santo quando estás no seio de tua família, mas, antes de subires ao púlpito, deves ter a certeza de que estás especialmente equipado com uma nova unção do Espírito Santo.

e) A maneira de recebê-lo. Como a pessoa pode receber esse batismo de poder?

1) Uma atitude correta é essencial. Os primeiros crentes que receberam o Espírito Santo "se reuniam sempre em oração" (At 1.14). O ideal seria a pessoa receber o derramamento de poder imediatamente após a conversão, mas realmente há

várias circunstâncias de uma e de outra natureza que tornam necessário algum tempo de espera.

2) A recepção do dom do Espírito Santo, subsequente à conversão, está ligada às orações dos obreiros cristãos. O escritor do livro dos Atos descreve da seguinte maneira as experiências dos convertidos samaritanos, que já haviam crido e sido batizados: "Estes [Pedro e João], ao chegarem, oraram para que eles recebessem o Espírito Santo [...]. Então Pedro e João lhes impuseram as mãos, e eles receberam o Espírito Santo" (At 8.15,17).

Weinel, teólogo alemão, fez um estudo minucioso das manifestações espirituais da época apostólica. Ele diz que "as 'reuniões inspiradoras', conforme foram denominadas, realizavam-se constantemente até o século II, por mais estranho que isso pareça às pessoas desconhecedoras do assunto". O Espírito Santo, segundo ele, veio aos novos convertidos pela imposição de mãos e oração, e o próprio Espírito operava sinais e maravilhas. "Reuniões inspiradoras" parece referir-se a cultos especiais para aqueles que desejavam receber o poder do Espírito Santo.

3) O recebimento do poder espiritual está relacionado com as orações em comum da Igreja. Depois que os cristãos da igreja em Jerusalém haviam orado a fim de receber coragem para pregar a Palavra, "tremeu o lugar em que estavam reunidos; todos ficaram cheios do Espírito Santo" (At 4.31).

A expressão "tremeu o lugar" significa algo espetacular e sobrenatural que convenceu os discípulos de que o poder que desceu no dia de Pentecoste estava ainda presente na Igreja.

4) Um derramamento espontâneo, em alguns casos, pode tornar a oração e o esforço desnecessários, como foi o caso das pessoas que estavam na casa de Cornélio; o coração delas já havia sido purificado pela fé (At 10.44; 15.9).

5) Visto que o batismo de poder é descrito como um dom (At 10.45), o crente pode requerer diante do trono da graça o cumprimento da promessa de Jesus: "Se vocês, apesar de serem maus, sabem dar boas coisas aos seus filhos, quanto mais o Pai que está nos céus dará o Espírito Santo a quem o pedir!" (Lc 11.13).

Certa escola de intérpretes ensina que não se deve pedir o Espírito, pela seguinte razão: no dia de Pentecoste, o Espírito Santo veio habitar permanentemente na Igreja; desde aquela época, todo aquele que é agregado à Igreja pelo Senhor é batizado em Cristo. Por esse mesmo fato, participa do Espírito (1Co 12.13).

É verdade que o Espírito habita na Igreja, mas isso não deve impedir que o crente o peça e o busque. Como ressaltou o doutor A. J. Gordon, isso não significa que todo crente, embora o Espírito fosse dado de uma vez por todas à Igreja no dia de Pentecoste, haja recebido o batismo. O dom de Deus requer apropriação. Deus deu (Jo 3.16), nós devemos receber (Jo 1.12). Como pecadores, aceitamos Cristo; como santos, aceitamos o Espírito Santo. Como há uma fé para com Cristo para a salvação, também há uma fé para com o Espírito para alcançar poder e consagração.

> O Pentecoste aconteceu de uma vez por todas; o batismo dos crentes acontece sempre e para todos. A limitação de certas grandes bênçãos do Espírito Santo ao reino ideal, denominado de "era apostólica", não obstante ser conveniente como meio de escapar às supostas dificuldades, pode tornar-se o meio de roubar aos crentes alguns de seus direitos mais preciosos.

6) Oração individual. Saulo de Tarso jejuou e orou três dias antes de ser cheio do Espírito Santo (At 9.9-17).
7) Obediência. O Espírito Santo é a pessoa que "Deus concedeu aos que lhe obedecem" (At 5.32).

6. Glorificação

Estará o Espírito Santo com o crente no céu? Ou o Espírito o deixará após a morte? A resposta é que o Espírito Santo no crente é como uma fonte de água que salta para a *vida eterna* (Jo 4.14). A habitação do Espírito representa apenas o princípio da vida eterna, que será consumada na vida vindoura. "Agora a nossa salvação está mais próxima do que quando cremos" (Rm 13.11), escreveu Paulo, cujas palavras significam que experimentamos unicamente o princípio de uma salvação que será consumada na vida vindoura. O Espírito Santo representa o começo ou a primeira parte dessa salvação completa. É possível expressar essa verdade por meio destas três ilustrações:

a) **Comercial.** O Espírito é descrito como "a garantia da nossa herança até a redenção daqueles que pertencem a Deus" (Ef 1.14; 2Co 5.5). O Espírito Santo é a garantia de que nossa libertação será completa. É mais que penhor, é a primeira prestação dada com antecedência, como garantia de que se completará o resto.

b) **Agrícola.** O Espírito Santo representa as primícias da vida futura (Rm 8.23). Quando um israelita trazia as primícias de seus produtos ao templo de Deus, esse era um modo de reconhecer que tudo pertencia a Deus. A oferta de uma parte simbolizava a oferta do todo. O Espírito Santo nos crentes representa as primícias da gloriosa colheita vindoura.

c) **Doméstica.** Assim como se dá às crianças uma pequena porção de doce antes do banquete, também na experiência do Espírito os crentes apenas "experimentaram [...] os poderes da era que há de vir" (Hb 6.5). Em Apocalipse 7.17, lemos que "o Cordeiro que está no centro do trono [...] os guiará às fontes de água viva". Observe o plural nessas últimas palavras. Na vida vindoura, Cristo será o doador do Espírito; o mesmo que concedeu uma prova antecipada conduzirá seus seguidores a novas porções do Espírito e aos meios de graça e enriquecimento espiritual, desconhecidos durante a peregrinação terrena.

7. Pecados contra o Espírito Santo

As operações graciosas do Espírito trazem grandes bênçãos, mas inferem responsabilidades correspondentes. De modo geral, os crentes podem mentir à pessoa do Espírito, entristecê-lo e extinguir seu poder (Ef 4.30; At 5.3,4; 1Ts 5.19). Os incrédulos podem blasfemar contra a pessoa do Espírito e resistir a seu poder (At 7.51; Mt 12.31,32). Em cada caso, o contexto explicará a natureza do pecado. William Evans assinala que "resistir tem que ver com a obra regeneradora do Espírito, o entristecer diz respeito à habitação interna do Espírito Santo, ao passo que o extinguir tem que ver com o derramamento para servir".

V. OS DONS DO ESPÍRITO

1. Natureza geral dos dons

Os *dons* do Espírito devem distinguir-se do *dom* do Espírito. Os primeiros descrevem as capacidades sobrenaturais concedidas pelo *Espírito* para ministérios especiais; o segundo refere-se à concessão do Espírito aos crentes conforme ministrado pelo *Cristo* que ascendeu aos céus (At 2.33).

Paulo fala dos dons do Espírito ("espirituais", no original grego) num aspecto tríplice. São eles: *charismata*, ou variedade de dons concedidos pelo mesmo Espírito (1Co 12.4,7); *diakonai*, ou variedade de serviços prestados na causa do mesmo Senhor; e *energemata*, ou variedade de poder do mesmo Deus que opera tudo em todos. Todos esses aspectos referem-se à "manifestação do Espírito", que é dada aos homens para proveito de todos.

Qual é o propósito principal dos dons do Espírito Santo? São capacidades espirituais concedidas com o propósito de edificar a Igreja de Deus, por meio da instrução dos crentes e para ganhar novos convertidos (Ef 4.7-13). Em 1Coríntios 12.8-10, Paulo enumera nove desses dons, que podem ser classificados da seguinte maneira:

1. Aqueles que concedem poder para *saber* sobrenaturalmente: palavra de sabedoria, palavra de conhecimento e discernimento.
2. Aqueles que concedem poder para *agir* sobrenaturalmente: fé, milagres e curas.
3. Aqueles que concedem poder para *falar* sobrenaturalmente: profecia, línguas e interpretação.

Esses dons são descritos como "a manifestação do Espírito, visando ao bem comum" (isto é, para o benefício da Igreja). Aqui temos a definição bíblica de uma "manifestação" do Espírito, a saber, a operação de qualquer um dos nove dons do Espírito.

2. A variedade de dons

a) Palavra de sabedoria. Por essa expressão, entende-se a declaração de sabedoria. Que tipo de sabedoria? Isso será melhor determinado se observarmos em quais sentidos se usa a palavra "sabedoria" no NT. Ela é aplicada à arte de interpretar sonhos e dar conselhos sábios (At 7.10); à inteligência demonstrada ao esclarecer o significado de algum número ou visão misteriosos (Ap 13.18; 17.9); à prudência em tratar assuntos (At 6.3); à habilidade santa no trato com pessoas de fora da igreja (Cl 4.5); à capacidade e discrição em comunicar verdades cristãs (Cl 1.28); ao conhecimento e prática dos requisitos para uma vida piedosa e reta (Tg 1.5; 3.13,17); ao conhecimento e habilidade necessários para uma defesa eficiente da causa de Cristo (Lc 21.15); a um conhecimento prático das coisas divinas e dos deveres humanos, unido ao poder de exposição concernente a eles, bem como de interpretação e aplicação da Palavra sagrada (Mt 13.54; Mc 6.2; At 6.10); à sabedoria e instrução com que João Batista e Jesus ensinaram aos homens o plano de salvação (Mt 11.19). Nos escritos de Paulo, "a sabedoria" aplica-se a um conhecimento do plano divino, previamente encoberto, de prover aos homens a salvação por meio da expiação de Cristo (1Co 1.30; Cl 2.3); por conseguinte, afirma-se que em Cristo "estão escondidos todos os tesouros da sabedoria e do conhecimento" (Cl 2.3); a sabedoria de Deus manifesta-se na formação e execução de seus conselhos (Rm 11.33).

A palavra de sabedoria, pois, parece significar habilidade ou capacidade sobrenatural para expressar conhecimento nos assuntos supramencionados.

b) Palavra de conhecimento. É um pronunciamento, ou declaração de fatos, inspirado de modo sobrenatural. Em quais assuntos? Um estudo da palavra "conhecimento" no NT nos dará a resposta. A palavra denota o conhecimento de Deus, conforme oferecido nos Evangelhos (2Co 2.14), especialmente na exposição que Paulo fez (2Co 10.5); o conhecimento das coisas que pertencem a Deus (Rm 11.13); inteligência e conhecimento (Ef 3.19); o conhecimento da fé cristã (Rm 15.14; 1Co 1.5); o conhecimento mais profundo, mais perfeito e mais amplo da vida cristã, que os mais avançados na vivência cristã possuem (1Co 12.8; 13.2,8; 14.6; 2Co 6.6; 8.7; 11.6); o conhecimento mais elevado das coisas divinas e cristãs das quais os falsos mestres se orgulham (1Tm 6.20); sabedoria moral como se demonstra em uma vida reta (2Pe 1.5) e nos relacionamentos com os demais (1Pe 3.7); o conhecimento que diz respeito às coisas divinas e aos deveres humanos (Rm 2.20; Cl 2.3).

Qual a diferença entre sabedoria e conhecimento? Segundo um erudito, conhecimento é o entendimento profundo ou a compreensão das coisas divinas, e sabedoria é o conhecimento prático ou habilidade que ordena ou regula a vida de acordo com seus princípios fundamentais. O dicionário de Thayer declara que sempre que as palavras "conhecimento" e "sabedoria" são usadas juntas, a primeira parece ser o conhecimento considerado em si mesmo, e a outra, o conhecimento manifestado em ação.

c) Fé. Esta deve distinguir-se da fé salvadora e da confiança em Deus, sem a qual é impossível agradar-lhe (Hb 11.6). É certo que a fé salvadora é descrita como um dom (Ef 2.8), mas nessa passagem a palavra "dom" é usada em oposição às "obras", ao passo que em 1Coríntios 12.9 a palavra usada significa uma dotação especial do poder do Espírito. O que é o dom de fé? Donald Gee descreve-o da seguinte maneira:

> [...] uma qualidade de fé, às vezes chamada por nossos teólogos antigos de "fé miraculosa". Parece vir sobre alguns dos servos de Deus em tempos de crise e oportunidades especiais de uma maneira tão poderosa, que são elevados fora do reino da fé natural e comum em Deus, de forma que têm uma certeza divina posta em sua alma que os faz triunfar sobre tudo [...]. Possivelmente, essa mesma qualidade de fé é o pensamento de nosso Senhor quando disse em Marcos 11.22: "Tenham fé *em* Deus" (grifo do autor). Era essa fé com essa qualidade especial da qual pôde afirmar que um grão dela podia remover uma montanha (Mt 17.20). Um pouco dessa fé divina, um atributo do Todo-poderoso, posto na alma do homem — que milagres pode produzir!

Veja exemplos da operação do dom em 1Reis 18.33-35; Atos 3.4.

d) Dons de curar. Dizer que uma pessoa tenha os dons (observe o plural, talvez referindo-se a uma variedade de curas) significa que são usados por Deus de uma maneira sobrenatural para, por meio da oração, dar saúde aos enfermos. Parece ser um dom-sinal, de valor especial ao evangelista para atrair o povo ao evangelho (At 8.6,7; 28.8-10). Não se deve entender que quem possui esse dom (ou a pessoa possuída por esse dom) tenha o poder de curar *todos*; deve dar-se lugar à soberania de Deus e à atitude e condição espiritual do enfermo. O próprio Cristo foi limitado em sua capacidade de operar milagres por causa da incredulidade do povo (Mt 13.58).

A pessoa enferma não depende inteiramente de quem possui o dom. Todos os crentes, de modo geral, e os anciãos da igreja, em particular, estão dotados de poder para orar pelos enfermos (Mc 16.18; Tg 5.14).

e) **Operação de milagres**, literalmente "obras de poder". A chave é *poder* (cf. Jo 14.12; At 1.8). Os milagres "extraordinários" em Éfeso são uma ilustração da operação do dom (At 19.11,12; 5.12-15).

f) **Profecia.**

> A profecia, de modo geral, é a expressão vocal inspirada pelo Espírito de Deus. A profecia bíblica pode ser mediante revelação, na qual o profeta proclama uma mensagem previamente recebida por meio de um sonho, uma visão ou pela palavra do Senhor. Pode ser também extática, uma expressão de inspiração do momento. Há muitos exemplos bíblicos de ambas as formas. A profecia extática e inspirada pode tomar a forma de exaltação e adoração a Cristo, admoestação exortativa ou de conforto e encorajamento que inspira os santos (J. R. F.).

A profecia se distingue da pregação comum, pois a última é geralmente o produto do estudo da revelação existente, enquanto a profecia é o resultado da inspiração espiritual espontânea. A intenção não é de suplantar a pregação ou o ensino, mas apenas comple-mentá-los com o toque da inspiração.

A posse do dom tornava as pessoas "profetas" (cf. At 15.32; 21.9,10; 1Co 14.29). Declara-se o propósito do dom de profecia do NT em 1Coríntios 14.3 — o profeta edifica, exorta e consola os crentes.

A inspiração manifestada no dom de profecia não está no mesmo patamar da inspiração das Escrituras. Isso está implícito pelo fato de que os crentes são instruídos a provar ou julgar as mensagens proféticas (cf. 1Co 14.29). Por que julgá-las ou testá-las? Uma razão é a possibilidade de o espírito humano (Jr 23.16; Ez 13.2,3) confundir sua mensagem com a divina. A operação do dom de profecia é tratada em 1Ts 5.19,20. Os conservadores tessalonicenses foram tão longe em sua desconfiança quanto a essas mensagens (v. 20) que corriam o risco de extinguir o Espírito (v. 19); mas Paulo lhes disse que testassem cada mensagem (v. 21) para que retivessem o bem (v. 21) e se afastassem de toda forma de mal (v. 22).

Será que a profecia ou a interpretação deve ser dada na primeira pessoa do singular, como, por exemplo: "Sou eu, o Senhor, que falo, povo meu"? A pergunta é muito importante, porque a qualidade de certas mensagens tem feito muita gente duvidar se foi o Senhor mesmo quem falou dessa maneira. A resposta depende da ideia que tenhamos da forma de inspiração.

Será *mecânica*? Isto é, Deus usa a pessoa como se fosse um microfone, em que ela fica inteiramente passiva e torna-se simplesmente um porta-voz? Ou será o método *dinâmico*? Isto é, Deus vivifica de modo sobrenatural a natureza espiritual (observe: "meu espírito ora"; 1Co 14.14), capacitando a pessoa a falar a mensagem divina em termos fora do alcance natural das faculdades mentais?

Se Deus inspira segundo o primeiro método mencionado, a primeira pessoa do singular naturalmente seria usada; de acordo com o segundo método, a mensagem seria dada na terceira pessoa, por exemplo: "O Senhor deseja que seu povo olhe para cima e que se anime etc.".

Muitos obreiros experientes creem que as interpretações e mensagens proféticas devem ser dadas na terceira pessoa do singular (cf. Lc 1.67-79; 1Co 14.14,15).

g) Discernimento de espíritos. Vimos que pode haver uma inspiração falsa, a obra de espíritos enganadores ou do espírito humano. Como é possível perceber a diferença? Pelo dom de discernimento que dá àquele que tem esse dom capacidade de determinar se o profeta está falando ou não pelo Espírito de Deus. Esse dom capacita a "enxergar" todas as aparências exteriores e conhecer a verdadeira natureza de uma inspiração. A operação do dom de discernimento pode ser examinada por duas outras provas: a doutrinária (1Jo 4.1-6) e a prática (Mt 7.15-23).

A operação desse dom é ilustrada nas seguintes passagens: João 1.47-50; 2.25; 3.1-3; 2Reis 5.20-26; Atos 5.3; 8.23; 16.16-18. Essas referências indicam que o dom capacita alguém a discernir o caráter espiritual de uma pessoa. Distingue-se esse dom da percepção natural da natureza humana, como também, de forma especial, de um espírito crítico que procura falhas nos outros.

h) Variedade de línguas. "O dom de línguas é o poder de falar sobrenaturalmente em uma língua nunca aprendida, sendo que essa língua pode tornar-se inteligível aos ouvintes por meio do dom igualmente sobrenatural de interpretação." Parece haver duas classes de mensagens em línguas: a primeira, louvor em êxtase dirigido a Deus somente (1Co 14.2); a segunda, uma mensagem definida para a igreja (1Co 14.5). Distingue-se entre as línguas como *sinal* e línguas como *dom*. A primeira é para todos (At 2.4); a outra não é para todos (1Co 12.30).

i) Interpretação de línguas. Assim escreve Donald Gee:

> O propósito do dom de interpretação é tornar inteligíveis as expressões de êxtase inspiradas pelo Espírito, as quais foram expressas em uma língua desconhecida da grande maioria presente, pois, ao repeti-las de forma clara e distinta na linguagem usual do povo congregado, ficam disponíveis à compreensão geral de todos.

É uma operação puramente espiritual. O mesmo Espírito que inspirou o falar em outras línguas, pelo qual as palavras pronunciadas procedem do Espírito, e não do intelecto, pode inspirar também sua interpretação. A interpretação é, portanto, inspirada, extática e espontânea. Assim como o falar em línguas não é concebido na mente, também a interpretação emana do Espírito, e não do intelecto do homem.

Observe que as línguas em conjunto com a interpretação tomam o mesmo valor da profecia (cf. 1Co 14.5). Por que, portanto, não nos contentarmos com a profecia? Porque as línguas são um "sinal" para os incrédulos (1Co 14.22).

Nota: Já foi sugerido que os ministérios enumerados em Romanos 12.6-8 e em 1Coríntios 12.28 também devem ser incluídos sob a classificação de *charismata* — ampliando-se dessa forma o alcance dos dons espirituais para incluir as ministrações inspiradas pelo Espírito.

3. O regulamento dos dons

O raio, que fende as árvores, queima casas e mata gente, é da mesma natureza da eletricidade gerada na usina e que opera suavemente. A diferença é apenas uma questão de controle. Em 1Coríntios 12, Paulo revelou os grandiosos recursos espirituais de poder disponíveis para a igreja; no capítulo 14, ele expõe "os controles" por meio dos quais esse poder tem de ser regulado de forma que edifique a igreja em vez de destruí-la. A instrução era necessária, pois uma leitura desse capítulo demonstra que a desordem havia reinado em algumas reuniões, por causa da falta de conhecimento das manifestações espirituais. O capítulo 14 expõe os seguintes princípios para esse regulamento:

a) **Valor proporcional** (v. 5-19). Os coríntios haviam-se inclinado demasiadamente para o dom de línguas, sem dúvida por causa de sua natureza espetacular. Paulo lembra-lhes que a interpretação e a profecia eram necessárias para que o povo pudesse ter conhecimento inteligente do que se estava dizendo.

b) **Edificação.** O propósito dos dons é a edificação da igreja, para encorajar os crentes e converter os descrentes. Mas, segundo Paulo, se alguém de fora entra na igreja e tudo que ouve é o falar em línguas sem interpretação, dirá que todos estão loucos (v. 12,23).

c) **Sabedoria** (v. 20). "Irmãos, deixem de pensar como crianças." Em outras palavras: "Usem o bom senso".

d) Autodomínio (v. 32). Alguns coríntios poderiam protestar assim: "Não podemos silenciar; quando o Espírito Santo vem sobre nós, somos obrigados a falar". Mas Paulo responderia: "O espírito dos profetas está sujeito aos profetas". Isto é, aquele que possui o dom de línguas pode dominar sua expressão e falar unicamente a Deus, quando tal domínio seja necessário.

e) Ordem (v. 40). "Mas tudo deve ser feito com decência e ordem." O Espírito Santo, o grande arquiteto do Universo com toda a sua beleza, certamente não inspira nada que seja desordenado e vergonhoso. Quando o Espírito Santo está operando com poder, haverá uma comoção e um movimento, e aqueles que aprenderam a render-se a ele não criarão cenas que não edifiquem.

f) Passível de ser ensinado. Infere-se dos versículos 36 e 37 que alguns dos coríntios haviam ficado ofendidos pela crítica de seus dirigentes.

Nota 1. Infere-se, pelo capítulo 14 de 1Coríntios, que existe poder para ser governado. Portanto, o capítulo seria sem nenhum significado para uma igreja que não experimenta as manifestações do Espírito. É verdade que os coríntios haviam saído dos trilhos quanto aos dons espirituais, mas ao menos tinham os trilhos e uma estrada! Se Paulo tivesse agido como alguns críticos modernos, teria removido os trilhos e até a estrada! Em lugar disso, ele sabiamente os colocou de novo sobre os trilhos para prosseguir viagem!

Quando a igreja dos séculos II e III reagiu contra certas extravagâncias, ela inclinou-se para o outro extremo e deixou muito pouco lugar para as operações do Espírito. Mas essa é apenas uma parte da explicação do arrefecimento do entusiasmo da igreja e da cessação geral das manifestações espirituais. Cedo, na história da Igreja, houve um processo centralizador de sua organização e a formação de credos dogmáticos e inflexíveis. Ainda que isso fosse necessário para defender-se contra as seitas, tinha a tendência de impedir o livre movimento do Espírito e tornar o cristianismo uma questão de ortodoxia mais que de vitalidade espiritual.

Assim escreve o doutor T. Rees:

> No século I, o Espírito era conhecido por suas manifestações, mas do século II em diante era conhecido pelas regras da igreja, e qualquer fenômeno espiritual que não estivesse em conformidade com essas regras era atribuído a espíritos maus.
>
> As mesmas causas, nos tempos modernos, têm resultado em descuido da doutrina e da obra do Espírito Santo, descuido reconhecido e lamentado por muitos dirigentes religiosos.
>
> Apesar desses fatos, o poder do Espírito Santo nunca deixou de romper todos os impedimentos do indiferentismo e formalismo para operar com força vivificadora.

Nota 2. Devemos diferenciar entre manifestações e reações. Tomemos a seguinte ilustração: a luz da lâmpada elétrica é uma manifestação da eletricidade; é da natureza da eletricidade manifestar-se na forma de luz. Mas, quando alguém toma um choque elétrico e solta um grito ensurdecedor, não podemos dizer que o grito seja manifestação da eletricidade, porque não está na natureza da eletricidade manifestar-se por meio da voz humana. O que aconteceu foi a reação da pessoa à corrente elétrica! Naturalmente, a reação depende do caráter e temperamento da pessoa. Algumas pessoas calmas e de "sangue frio" apenas suspirariam, ofegantes, sem dizer nada.

Apliquemos essa regra ao poder espiritual. As operações dos dons em 1Coríntios 12.7-10 são biblicamente descritas como manifestações do Espírito. Muitas ações, porém, em geral chamadas de "manifestações", realmente são reações da pessoa ao movimento do Espírito. Referimo-nos a tais ações como gritar, chorar, levantar as mãos e outras cenas.

Que valor prático há no conhecimento dessa distinção? 1) Ele nos ajudará a honrar e reconhecer a obra do Espírito sem lhe atribuir tudo o que se passa nas reuniões. Os críticos, aos quais já nos referimos, ignoram a distinção e concluem erroneamente que, porque as ações de um indivíduo podem não ser elegantes e estéticas, ele não está sob a inspiração do Espírito.

Esses críticos poderiam ser comparados ao indivíduo que, ao ver os movimentos grotescos de quem toma um forte choque elétrico, exclamasse: "A eletricidade não se manifesta assim!". O impacto direto do Espírito Santo é de tal ordem que bem podemos desculpar a frágil natureza humana por não agir de forma tão calma e neutra como se estivesse velejando em uma brisa leve e delicada. 2) O conhecimento dessa distinção naturalmente estimulará a reação ao movimento do Espírito de uma maneira que sempre glorifique a Deus. Certamente é tão injusto criticar as extravagâncias de um novo convertido quanto criticar as quedas e tropeços da criancinha que aprende a andar. Mas, ao mesmo tempo, de acordo com 1Coríntios 14, é claro que Deus quer que seu povo reaja ao Espírito de uma maneira inteligente, edificante e disciplinada: "Procurem crescer naqueles que trazem a edificação para a igreja" (1Co 14.12).

4. O recebimento dos dons

Deus é soberano na distribuição dos dons, pois é ele quem decide quanto à classe de dom a ser distribuído. Ele pode conceder um dom sem nenhuma intervenção humana, e mesmo sem a pessoa o pedir. Mas geralmente Deus age em cooperação com o homem, e há algo que o homem também pode fazer nesse caso. O que se requer daqueles que desejam os dons?

a) **Submissão à vontade divina.** A atitude deve ser: não o que *eu* quero, mas o que *ele* quer. Às vezes, queremos um dom extraordinário, e Deus pode decidir por outra coisa.

b) **Ambição santa.** "Entretanto, busquem com dedicação os melhores dons" (1Co 12.31; 14.1). Muitas vezes, a ambição conduz as pessoas à ruína e ao prejuízo, mas isso não é razão de não a consagrarmos ao serviço de Deus.

c) **Desejo ardente** pelos dons naturalmente resulta em oração e sempre em submissão a Deus (cf. 1Rs 3.5-10; 2Rs 2.9,10).

d) **Fé.** Alguns perguntam o seguinte: "Devemos esperar pelos dons?". Levando em consideração que os dons espirituais são instrumentos para a edificação da igreja, parece mais razoável começar a trabalhar para Deus e confiar nele a fim de que ele conceda o dom necessário para a tarefa em particular. Desse modo, o professor da Escola Bíblica Dominical confia em Deus para a operação dos dons necessários a um mestre, como também o pastor, o evangelista e os leigos confiam em Deus para a operação de seus dons. Uma boa maneira de conseguir um emprego é ir preparado para trabalhar. Uma boa maneira de receber os dons espirituais é estar "na obra" de Deus em vez de estar sentado, de braços cruzados, esperando que o dom caia do céu.

e) **Aquiescência.** O fogo da inspiração pode ser extinguido (1Ts 5.19) pela negligência; daí a necessidade de despertar o dom (literalmente manter "viva a chama do dom") que está em nós (2Tm 1.6; 1Tm 4.14).

5. A prova dos dons

As Escrituras admitem a possibilidade da inspiração demoníaca, como também das supostas mensagens proféticas que se originam no próprio espírito da pessoa. Apresentamos as seguintes provas pelas quais se pode distinguir entre a inspiração verdadeira e a falsa.

a) **Lealdade a Cristo.** Quando estava em Éfeso, Paulo recebeu uma carta da igreja em Corinto contendo certas perguntas, uma das quais era "quanto aos dons espirituais". O texto de 1Coríntios 12.3 sugere uma provável razão para a pergunta. Durante uma reunião, estando o dom de profecia em operação, ouvia-se uma voz que gritava: "Jesus seja amaldiçoado" (v. 3). É possível que algum adivinho ou devoto do templo pagão houvesse assistido à reunião e, quando o poder de Deus desceu sobre os cristãos, esses pagãos se entregaram ao poder do demônio e se opuseram à confissão: "Jesus é Senhor", com esta negação diabólica: "Jesus seja amaldiçoado". A história das missões modernas na China e em outros países oferece casos semelhantes.

Paulo imediatamente explica aos coríntios, desanimados e perplexos, que há duas classes de inspiração: a divina e a demoníaca, e explica a diferença entre ambas. Ele os faz lembrar dos impulsos e êxtases demoníacos que experimentaram ou presenciaram em algum templo pagão, e assinala que essa inspiração conduz à adoração a ídolos (cf. 1Co 10.20). De outro lado, o Espírito de Deus inspira as pessoas a confessarem Jesus como Senhor: "Por isso, eu lhes afirmo que ninguém que fala pelo Espírito de Deus diz: 'Jesus seja amaldiçoado'; e ninguém pode dizer: 'Jesus é Senhor', a não ser pelo Espírito Santo" (1Co 12.3; cf. Ap 19.10; Mt 16.16,17; 1Jo 4.1,2).

Naturalmente, isso não significa que a pessoa não pode dizer, como um papagaio, que Jesus é Senhor. O sentido verdadeiro é que ninguém pode expressar a *sincera convicção* sobre a divindade de Jesus sem a iluminação do Espírito Santo (cf. Rm 10.9).

b) A prova prática. Os coríntios eram espirituais no sentido de que mostravam um vivo interesse pelos dons espirituais (1Co 12.1; 14.12). Entretanto, embora se gloriassem no poder vivificante do Espírito, parecia haver falta de seu poder santificador. Estavam divididos em facções; a igreja tolerava um caso de imoralidade indescritível; os irmãos processavam uns aos outros nos tribunais; alguns estavam retrocedendo aos costumes pagãos; outros participavam da ceia do Senhor em estado de embriaguez.

Podemos estar seguros de que o apóstolo não julgou asperamente esses convertidos, ao lembrá-los da vileza pagã da qual recentemente haviam sido resgatados e das tentações de que estavam rodeados. Contudo, ele sentiu que os coríntios deviam ficar impressionados com a verdade de que, por mais importantes que fossem os dons espirituais, o alvo supremo de seus esforços devia ser o caráter cristão e a vida reta. Depois de encorajá-los a buscar "com dedicação os melhores dons" (1Co 12.31a), ele acrescenta: "Passo agora a mostrar-lhes um caminho ainda mais excelente" (1Co 12.31b). A seguir, vem seu sublime discurso sobre o amor divino, a coroa do caráter cristão.

Devemos, porém, ter cuidado aqui em distinguir as coisas que diferem entre si. Aqueles que se opõem ao falar em línguas (que são antibíblicos em sua atitude; 1Co 14.39) afirmam que seria melhor buscar o amor, o dom supremo. Eles são culpados por confundir os pensamentos. O amor não é um dom, mas um fruto do Espírito. O fruto do Espírito é o desenvolvimento progressivo da vida de Cristo enxertada em nós pela regeneração, ao passo que os dons podem ser distribuídos repentinamente a qualquer crente cheio do Espírito, em qualquer ponto de sua experiência. O primeiro representa o poder santificador do Espírito, enquanto o segundo implica seu poder vivificante.

Não obstante, ninguém erra em insistir pela supremacia do caráter cristão. Por mais estranho que pareça, é fato comprovado que as pessoas deficientes na santidade podem exibir manifestações dos dons. Mas devemos considerar os seguintes fatos: 1) O batismo no Espírito Santo não faz a pessoa perfeita de uma vez por todas. A dotação de poder é uma coisa; a maturidade nas graças cristãs é outra. Tanto o novo nascimento quanto o batismo no Espírito Santo são dons da graça de Deus e revelam sua graça para conosco. Todavia, pode haver a necessidade de uma santificação pessoal que se obtenha por meio da operação do Espírito Santo, revelando pouco a pouco a graça de Deus em nós. 2) A operação dos dons não tem um poder santificador. Balaão experimentou o dom profético, embora no coração desejasse trair o povo de Deus por dinheiro.

3) Paulo nos alerta claramente sobre a possibilidade de possuir os dons sem possuir o amor.

Sérias consequências podem sobrevir àquele que exercita os dons à parte do amor. Primeiro, será uma pedra de tropeço constante para aqueles que conhecem seu verdadeiro caráter; segundo, os dons não lhe são de nenhum proveito. Nenhuma quantidade de manifestações espirituais, nenhum zelo no ministério, nenhum resultado alcançado pode tomar o lugar da santidade pessoal (Hb 12.14).

c) **A prova doutrinária.** O Espírito Santo veio para operar na esfera da verdade com relação à divindade de Cristo e sua obra expiatória. É inconcebível que ele contradiga o que já foi revelado por Cristo a seus apóstolos. Portanto, qualquer profeta, por exemplo, que negue a encarnação de Cristo não está falando pelo Espírito de Deus (1Jo 4.2,3).

VI. O ESPÍRITO NA IGREJA

1. A vinda do Espírito

O Salvador existia antes de sua encarnação e continuou a existir depois de sua ascensão; mas durante o período intermediário exerceu o que poderíamos chamar sua missão "temporal" ou dispensacional; para cumpri-la, veio ao mundo e, havendo-a efetuado, voltou para o Pai. Da mesma maneira, o Espírito veio ao mundo em um tempo determinado, para uma missão definida, e partirá quando sua missão tiver sido cumprida. Ele veio ao mundo não somente com um propósito determinado, mas também por um tempo determinado.

Nas Escrituras, encontramos três dispensações gerais, que correspondem às três pessoas divinas. O AT é a dispensação do Pai; o ministério terrestre de Cristo é a dispensação do Filho; e a época entre a ascensão de Cristo e sua segunda vinda é a dispen-sação do Espírito. O ministério do Espírito continuará até que Jesus venha, e depois virá outro ministério dispensacional. O nome característico do Espírito durante essa dispensação é "o Espírito de Cristo".

Toda a Trindade coopera na plena manifestação de Deus durante essas grandes dispensações. Cada pessoa da Trindade exerce um ministério terreno: o Pai desceu no Sinai; o Filho desceu na encarnação; o Espírito desceu no dia de Pentecoste. O Pai recomendou o Filho (Mt 3.17); o Filho recomendou o Espírito (Ap 2.11); e o Espírito testifica do Filho (Jo 15.26). O Filho, por ser Deus, cumpre para com os homens a obra de Deus Pai, como também o Espírito Santo cumpre para com os homens a obra de Deus Filho.

John Owen, teólogo do século XVII, demonstra como, ao longo das dispensações, há certas provas de ortodoxia relacionadas com cada uma das três pessoas. Antes da vinda de Cristo, a grande prova era a unidade de Deus, Criador e governante de tudo. Depois da vinda de Cristo, a grande questão era se a Igreja, ortodoxa quanto ao primeiro ponto, receberia agora o Filho divino, encarnado, sacrificado, ressuscitado e glorificado, segundo a promessa. E quando a operação desse teste, quanto à divindade de Cristo, havia reunido a igreja de crentes cristãos, o Espírito Santo tornou-se proeminente como a pedra de toque da verdadeira fé. "O pecado de desprezar sua pessoa e de rejeitar sua obra atualmente é da mesma natureza que o da idolatria na Antiguidade e da rejeição da pessoa do Filho por parte dos judeus."

Como o eterno Filho encarnou-se em corpo humano em seu nascimento, também o Espírito eterno encarnou-se na Igreja que é seu corpo. Isso ocorreu no dia de Pentecoste, "o nascimento do Espírito". O que a manjedoura foi para o Cristo encarnado, o cenáculo foi para o Espírito. Observemos o que ocorreu nesse memorável dia.

a) **O nascimento da Igreja.** "Chegando o dia de Pentecoste, estavam todos reunidos num só lugar." Pentecoste era uma festa do AT celebrada cinquenta dias depois da Páscoa, razão por que era chamado "Pentecoste", que significa "cinquenta" (cf. Lv 23.15-21).

Observe sua posição no calendário de festas: 1) Primeiro vinha a festa da Páscoa, que comemorava a libertação de Israel do Egito, na noite em que o anjo da morte matou os primogênitos egípcios, enquanto o povo de Deus comia o cordeiro em suas casas assinaladas com sangue. Isso é um tipo para a morte de Cristo, o Cordeiro de Deus, cujo sangue nos protege do juízo de Deus. 2) No sábado após a noite pascal, um molho de cevada, previamente disposto, era segado pelos sacerdotes e oferecido perante Deus como as primícias da colheita. A regra era que a primeira parte da colheita deveria ser oferecida a Deus em reconhecimento de seu domínio e propriedade. Depois disso, o restante da colheita poderia ser ceifado. Esse é um tipo para as "primícias dentre aqueles que dormiram" (1Co 15.20). Cristo foi o primeiro a ser segado do campo da morte e a ascender ao Pai para nunca mais morrer. Sendo as primícias, ele é a garantia de que todos os que creem nele o seguirão na ressurreição para a vida eterna. 3) Deveriam contar-se quarenta e nove dias após a oferta desse molho segado e, no quinquagésimo dia — o Pentecoste —, dois pães (os primeiros pães feitos com a nova colheita de trigo) eram apresentados a Deus. Antes que se pudessem fazer pães para comer, os primeiros dois deveriam ser oferecidos ao Senhor em reconhecimento de seu domínio sobre o mundo. Depois disso, outros pães poderiam ser assados e comidos. O significado típico é: Os 120 no cenáculo eram "os primeiros pães" da igreja cristã, oferecidos perante o Senhor pelo Espírito Santo, cinquenta dias depois da ressurreição de Cristo. Era a primogênita dentre milhares e milhares de igrejas que desde aquela época foram organizados até os dias de hoje.

b) A evidência da glorificação de Cristo. A descida do Espírito Santo foi, por assim dizer, um "telegrama" sobrenatural, anunciando a chegada de Cristo à direita do Pai (cf. At 2.33).

Um homem perguntou a seus sobrinhos enquanto estes estudavam a lição da escola bíblica:

— Como vocês sabem que sua mãe está lá em cima?

— Eu a vi subir a escada — disse um.

— Você quer dizer que a viu *começar* a subir — disse o tio. — Talvez ela não tenha chegado lá, e ela pode não estar lá agora, mesmo que tenha estado lá.

— Eu sei que ela está lá, porque fui ao pé da escada, chamei-a, e ela me respondeu — afirmou o menor.

Os discípulos sabiam que seu Mestre havia ascendido, porque ele lhes respondeu, pois "veio do céu um som" (At 2.2).

c) **A consumação da obra de Cristo.** O êxodo não se completou senão cinquenta dias mais tarde, quando, no Sinai, Israel foi organizado como povo de Deus. Da mesma maneira, o benefício da expiação não foi consumado, no sentido pleno, até o dia de Pentecoste, quando o derramamento do Espírito Santo foi um sinal de que o sacrifício de Cristo fora aceito no céu e que o tempo de proclamar sua obra consumada havia chegado.

d) **A unção da Igreja.** Assim como o batismo do Senhor foi seguido por seu ministério na Galileia, também o batismo da igreja foi preparatório para um ministério mundial: um ministério não como o dele, criador de uma nova ordem de coisas, mas um ministério de simples testemunho, para ser levado a cabo, no entanto, unicamente pelo poder do Espírito de Deus.

e) **A habitação na Igreja.** Depois da organização de Israel no Sinai, o Senhor desceu para morar no meio deles, e sua presença ficava localizada no tabernáculo. No dia de Pentecoste, o Espírito Santo desceu para morar na igreja como um templo, e sua presença ficava localizada no corpo coletivo e nos cristãos individuais. O Espírito assumiu seu ofício para administrar os assuntos do Reino de Cristo. Esse fato é reconhecido em todo o livro de Atos; por exemplo, quando Ananias e Safira mentiram a Pedro, na realidade mentiram ao Espírito Santo que morava e ministrava na igreja.

f) O começo de uma nova dispensação. O derramamento pentecostal não foi meramente uma exposição miraculosa de poder com a intenção de despertar a atenção e convidar a que se inquirisse acerca da nova fé. Foi o princípio de uma nova dispensação. Foi a vinda do Espírito, assim como a encarnação foi a vinda do Filho. Deus enviou seu Filho e, quando a missão do Filho havia sido cumprida, ele enviou o Espírito de seu Filho para continuar a obra sob novas condições.

2. O ministério do Espírito Santo

O Espírito Santo é o representante de Cristo; a ele está entregue toda a administração da Igreja até a volta de Jesus. Cristo ocupou o lugar que lhe fora reservado no céu, onde Deus pôs "todas as coisas debaixo de seus pés e o designou cabeça de todas as coisas para a igreja" (Ef 1.22), e o Espírito desceu para começar a obra de edificar o corpo de Cristo. O propósito final do Conselheiro é o aperfeiçoamento do corpo de Cristo.

A crença na direção do Espírito estava profundamente arraigada na igreja primitiva. Não havia nenhum aspecto da vida em que não se reconhecesse seu direito de dirigir, ou que não se sentisse o efeito de sua direção. A igreja entregou inteiramente sua vida à direção do Espírito, e ela continuou a rejeitar as formas fixas de adoração, até que, no fim do século, a influência do Espírito começou a declinar, e as práticas eclesiásticas ocuparam o lugar da direção do Espírito.

A direção do Espírito é reconhecida nos seguintes aspectos da vida da Igreja:

a) Administração. Os grandes movimentos missionários da igreja primitiva foram ordenados e aprovados pelo Espírito (At 8.29; 10.19,44; 13.2,4). Paulo estava consciente de que todo seu ministério era inspirado pelo Espírito Santo (Rm 15.18,19). Em todas as suas viagens, ele reconhecia a direção do Espírito (At 16.6,7). O Espírito dirigia a igreja em sua organização (At 6.3; 20.28).

b) Pregação. Os cristãos primitivos estavam acostumados a ouvir o evangelho pregado "pelo Espírito Santo enviado dos céus" (1Pe 1.12), o qual recebiam "com alegria que vem do Espírito Santo" (1Ts 1.6). "Porque o nosso evangelho não chegou a vocês somente em palavra, mas também em poder, no Espírito Santo e em plena convicção" (1Ts 1.5). O pastor A. J. Gordon há muitos anos fez a seguinte declaração: "Nossa época está perdendo seu contato com o sobrenatural — o púlpito está descendo à esfera da plataforma secular".

c) Oração. Jesus, tal qual João, ensinou a seus discípulos um modelo de oração como guia em suas petições. Contudo, antes de partir, ele falou de uma nova classe de oração, oração "em meu nome" (Jo 16.23), não a repetição de seu nome como se fosse uma espécie de superstição, mas sim como um modo de se aproximar de Deus, unido espiritualmente a Cristo pelo Espírito. Desse modo, oramos como se Jesus mesmo estivesse na presença de Deus. Paulo ordena que oremos "no Espírito em todas as ocasiões, com toda oração e súplica" (Ef 6.18). Judas descreve os verdadeiros cristãos como "orando no Espírito Santo" (20). Em Romanos 8.26,27, lemos que o Espírito está fazendo *em* nós o mesmo que Cristo está fazendo *por* nós no céu, isto é, intercedendo por nós (Hb 7.25). Assim como Cristo, na terra, ensinou a seus discípulos como deveriam orar, de igual modo, hoje, ele ensina a mesma lição por meio do Conselheiro ou Consolador. Naquele tempo, foi uma direção externa; agora é uma direção interna.

d) Cântico. Como resultado de ser cheios do Espírito, os crentes estarão "falando entre si com salmos, hinos e cânticos espirituais, cantando e louvando de coração ao Senhor" (Ef 5.19). "Falando entre si" significa o canto congregacional. "Salmos" pode se referir aos salmos do AT, os quais eram cantados ou entoados; "cânticos espirituais" denotam expressões espontâneas de melodia e louvor inspiradas diretamente pelo Espírito Santo.

e) **Testemunho.** Na igreja primitiva, não existia essa linha de separação entre o ministério e o povo leigo, como hoje se observa na cristandade. A igreja era governada por um grupo ou concílio de anciãos, mas o ministério de expressão pública não estava estritamente limitado a eles. A qualquer que estivesse dotado com algum dom do Espírito — de profecia, ensino, sabedoria, línguas ou interpretação —, era-lhe permitido contribuir com a sua parte no culto.

A metáfora "corpo de Cristo" descreve bem o funcionamento da adoração coletiva sob o controle do Espírito. Isso traz à nossa mente a cena de um grupo de membros, um após outro, contribuindo com sua função particular no ato completo da adoração, e todos igualmente dirigidos pelo mesmo poder animador.

3. A ascensão do Espírito

O que é verdade em relação a Cristo também o é em relação ao Espírito. Depois de concluir sua missão dispensacional, ele voltará ao céu em um corpo que criou para si mesmo, que é o "novo homem" (Ef 2.15), a Igreja, o seu corpo. A obra distintiva do Espírito é "reunir dentre as nações um povo para o seu nome [de Cristo]" (At 15.14) e, quando isso for realizado e houver chegado "a plenitude dos gentios" (Rm 11.25), acontecerá o arrebatamento que, nas palavras do pastor A. J. Gordon, é "o Cristo terreno (1Co 12.12, 27) levantando-se para encontrar o Cristo celestial". Assim como Cristo finalmente entregará seu Reino ao Pai, também o Espírito Santo entregará sua administração ao Filho.

Alguns chegaram à conclusão de que o Espírito já não estará no mundo depois que a igreja for levada. Isso não é possível, porque o Espírito Santo, como divindade, é onipresente. O que sucederá é a conclusão da missão dispensacional do Espírito como o Espírito de Cristo, depois da qual ainda permanecerá no mundo em um outro e distinto relacionamento.

10

A Igreja

Jesus projetou claramente a existência de uma sociedade de seus seguidores que entregaria seu evangelho aos homens e ministraria à humanidade em seu Espírito, como também trabalharia pelo crescimento do Reino de Deus como ele o fez. Ele não modelou nenhuma organização e nenhum plano de governo para essa sociedade [...]. Ele fez algo mais grandioso que lhe dar organização — concedeu-lhe vida. Jesus formou essa sociedade de seus seguidores, chamando-os a unirem-se a ele, comunicando-lhes, durante o tempo em que esteve no mundo e tanto quanto fosse possível, sua própria vida, seu Espírito e seu propósito. Ele prometeu continuar até o fim concedendo sua vida a essa sociedade, sua Igreja. Podemos dizer que seu grande dom à Igreja foi ele mesmo (Robert Hastings Nichols).

ESBOÇO

I. A NATUREZA DA IGREJA

1. Palavras que descrevem a Igreja
2. Palavras que descrevem os cristãos
    a. Irmãos

b. Crentes

c. Santos

d. Os eleitos

e. Discípulos

f. Cristãos

g. Os do Caminho

3. Ilustrações da Igreja

a. O corpo de Cristo

b. O templo de Deus

c. A noiva de Cristo

II. A FUNDAÇÃO DA IGREJA

1. Considerada profeticamente
2. Considerada historicamente

III. OS MEMBROS DA IGREJA

IV. A OBRA DA IGREJA

1. Pregar a salvação
2. Prover meios de adoração
3. Prover comunhão religiosa
4. Sustentar uma norma de conduta moral

V. AS ORDENANÇAS DA IGREJA

1. Batismo

a. O método

b. A fórmula

c. O destinatário

d. A eficácia

e. O significado

2. A ceia do Senhor

a. Comemoração

b. Instrução

c. Inspiração

d. Segurança

e. Responsabilidade

VI. A ADORAÇÃO DA IGREJA

1. O culto público

2. O culto particular

VII. A ORGANIZAÇÃO DA IGREJA

1. O governo da Igreja

2. O ministério da Igreja

a. O ministério geral e profético

b. O ministério local e prático

I. A NATUREZA DA IGREJA

O que é a Igreja? A questão pode ser solucionada se considerarmos: 1) as palavras que descrevem essa instituição; 2) as palavras que descrevem os cristãos; 3) as ilustrações que descrevem a Igreja.

1. Palavras que descrevem a Igreja

A palavra grega no NT para Igreja é *ekklesia*, que significa "congregação; uma assembleia à qual todos os crentes pertencem". O termo aplica-se a: 1) todo o corpo de cristãos em uma localidade (At 11.22; 13.1); 2) uma congregação (1Co 14.19,35; Rm 16.5); 3) todo o corpo de crentes na terra (Ef 5.32).

A palavra "igreja" é derivada do grego *kuriake*, que significa "pertencente ao Senhor". A Igreja, portanto, é uma reunião de pessoas chamadas do mundo, as quais professam e provam submissão ao Senhor Jesus Cristo.

2. Palavras que descrevem os cristãos

a) **Irmãos.** A Igreja é uma fraternidade ou comunhão espiritual, na qual foram abolidas todas as divisões que separam a humanidade. "Não há diferença entre grego e judeu": a mais profunda de todas as divisões baseadas na história religiosa é vencida; não há "bárbaro e cita": a mais profunda de todas as divisões culturais é vencida; não há "escravo e livre": a mais profunda de todas as divisões sociais e econômicas é vencida; não há "homem nem mulher": a mais profunda de todas as divisões humanas é vencida (v. Cl 3.11; Gl 3.28).

b) **Crentes.** Os cristãos são chamados "crentes" porque sua doutrina característica é a fé no Senhor Jesus.

c) **Santos.** São chamados "santos" (literalmente, "consagrados") porque são separados do mundo e dedicados a Deus.

d) **Os eleitos.** São denominados "eleitos", ou os "escolhidos", porque Deus os escolheu para um ministério importante e um destino glorioso.

e) **Discípulos.** São "discípulos" (literalmente, "aprendizes"), porque estão sob preparação espiritual com instrutores inspirados por Cristo.

f) **Cristãos.** São "cristãos" porque sua religião gira em torno da pessoa de Cristo.

g) **Os do Caminho.** Nos dias primitivos, muitas vezes eram conhecidos como os do "Caminho" (At 9.2) porque viviam de acordo com uma maneira especial de viver.

3. Ilustrações da Igreja

a) **O corpo de Cristo.** O Senhor Jesus Cristo deixou este mundo há quase 2 mil anos; entretanto, ele ainda está no mundo. Com isso, queremos dizer que sua presença se faz sentir por meio da Igreja, que é seu corpo. Assim como ele viveu sua vida natural na terra em um corpo humano individual, também ele vive sua vida mística em um corpo formado pela raça humana em geral. Na conclusão dos Evangelhos, não escrevemos "Fim", mas "A história continua", porque a vida de Cristo continua a ter expressão por meio de seus discípulos como se evidencia no livro de Atos dos Apóstolos e pela subsequente história da Igreja. "Assim como o Pai me enviou, eu os envio" (Jo 20.21). "Quem recebe vocês, recebe a mim" (Mt 10.40).

Antes de partir da terra, Cristo prometeu assumir esse novo corpo. Entretanto, usou outra ilustração: "Eu sou a videira; vocês são os ramos" (Jo 15.5). A videira está incompleta sem os ramos, e os ramos nada são à parte da vida que flui da videira. Se Cristo há de ser conhecido pelo mundo, terá de ser mediante aqueles que tomam seu nome e participam de sua vida. Enquanto a Igreja se mantiver em contato com Cristo, o Cabeça, ela tem participação em sua vida e experiências. Assim como Cristo foi ungido no Jordão, também a Igreja foi ungida no Pentecoste. Jesus pregou o evangelho aos pobres, curou os quebrantados de coração e anunciou a libertação aos cativos; e a verdadeira Igreja tem sempre seguido seus passos: "Porque neste mundo somos como ele" (1Jo 4.17). Assim como Cristo foi denunciado como uma ameaça política e, finalmente, crucificado, também sua Igreja, em muitos casos, tem sido crucificada (figuradamente falando) por governantes perseguidores. Mas, tal qual seu Senhor, ela ressuscitou! A vida de Cristo dentro dela a torna indestrutível. Esse pensamento da identificação da Igreja com Cristo certamente estava na mente de Paulo quando falou: "[...] completo no meu corpo o que resta das aflições de Cristo, em favor do seu corpo, que é a igreja" (Cl 1.24).

O uso dessa ilustração faz lembrar que a Igreja é um organismo, e não meramente uma organização. Uma organização é um grupo de indivíduos voluntariamente associados com um propósito especial, como uma organização fraternal ou um sindicato. Um organismo é algo vivo, que se desenvolve pela vida inerente. Usado figuradamente, significa a soma total das partes entrelaçadas, na qual a relação mútua entre elas implica uma relação do conjunto. Desse modo, um automóvel poderia ser considerado uma "organização" de certas peças mecânicas; o corpo humano é um organismo porque é composto de muitos membros e órgãos animados por uma vida comum.

O corpo humano é um, embora seja composto de milhões de células vivas. Da mesma maneira, o corpo de Cristo é um, embora composto de milhões de almas nascidas de novo. Assim como o corpo humano é vivificado pela alma, o corpo de Cristo é vivificado pelo Espírito Santo. "Pois em um só corpo todos nós fomos batizados em um único Espírito" (1Co 12.13).

Os fatos citados indicam uma característica única da religião de Cristo. Assim escreve W. H. Dunphy:

> Ele — e unicamente ele, dentre os fundadores de religiões — produziu um organismo permanente, uma união permanente de mentes e almas, concentradas em torno de sua pessoa. Os cristãos não são meramente seguidores de Cristo, senão membros de Cristo e uns dos outros. Buda reuniu sua sociedade de "iluminados", mas a relação entre eles não passa de relação externa, do mestre com o aluno. O que os une é sua doutrina, e não sua vida. O mesmo pode se dizer de Zaroastro, Maomé e outros gênios religiosos da humanidade. Mas Cristo não é apenas Mestre, ele é a vida dos cristãos. O que ele fundou não foi uma sociedade que estudasse e propagasse suas ideias, mas um organismo que vive por sua vida, um corpo habitado e guiado por seu Espírito.

b) O templo de Deus (1Pe 2.5,6). Um templo, ou santuário, é o lugar em que Deus, que habita em toda parte, encontra-se em um lugar específico, onde seu povo sempre o pode achar "em casa" (Êx 25.8; 1Rs 8.27). Assim como Deus morou no tabernáculo e no templo, agora também vive, por seu Espírito, na Igreja (Ef 2.21,22; 1Co 3.16,17). Neste templo espiritual, os cristãos, como sacerdotes, oferecem sacrifícios espirituais, sacrifícios de oração, louvor e boas obras.

c) **A noiva de Cristo.** Noiva é uma ilustração usada tanto no AT quanto no NT para descrever a união e comunhão de Deus com seu povo (2Co 11.2; Ef 5.25-27; Ap 19.7; 21.2; 22.17). Mas devemos lembrar que se trata somente de linguagem figurada, não se deve forçar sua interpretação. O propósito de um símbolo é apenas iluminar determinado lado da verdade, e não prover o fundamento para uma doutrina.

II. A FUNDAÇÃO DA IGREJA

1. Considerada profeticamente

Israel é descrito como uma igreja no sentido de ser uma nação chamada dentre as outras nações para ser um povo de servos de Deus (At 7.38). Quando o AT foi traduzido para o grego, a palavra "congregação" (de Israel) foi traduzida por *ekklesia* ou "igreja". Israel, pois, era a congregação ou a igreja do Senhor. Cristo, depois de a igreja judaica o ter rejeitado, predisse a fundação de uma nova congregação ou igreja, uma instituição divina que continuaria sua obra na terra (Mt 16.18). Essa é a Igreja de Cristo, que veio a ter existência no dia de Pentecoste.

2. Considerada historicamente

A Igreja de Cristo veio a existir, como Igreja, no dia de Pentecoste, quando foi consagrada pela unção do Espírito. Assim como o tabernáculo foi construído e depois consagrado pela descida da glória divina (Êx 40.34), também os primeiros membros da Igreja foram congregados no cenáculo e consagrados como Igreja pela descida do Espírito Santo. É muito provável que os cristãos primitivos vissem nesse evento o retorno da *Shekiná* que, havia muito, partira do templo, e cuja ausência era lamentada por alguns dos rabinos.

Davi juntou os materiais para a construção do templo, mas a construção foi feita por seu sucessor, Salomão. Da mesma maneira, Jesus, durante seu ministério terreno, havia juntado os materiais da sua Igreja, por assim dizer, mas o edifício foi erigido por seu sucessor, o Espírito Santo. Realmente, essa obra foi feita pelo Espírito, operando mediante os apóstolos, que lançaram os fundamentos e edificaram a Igreja por sua pregação, ensino e organização. Portanto, a Igreja é descrita como edificada "sobre o fundamento dos apóstolos" (Ef 2.20).

III. OS MEMBROS DA IGREJA

O NT estabelece as seguintes condições para os membros da Igreja: fé implícita no evangelho e confiança sincera e de coração em Cristo, como o único e divino Salvador (At 16.31); submeter-se ao batismo nas águas como testemunho simbólico da fé em Cristo e confessar verbalmente essa fé (Rm 10.9,10). (Talvez seja mais correto descrever submissão pelo batismo nas águas como uma característica da membresia da Igreja.)

No princípio, praticamente todos os membros da Igreja foram verdadeiramente regenerados: "E o Senhor lhes acrescentava diariamente os que iam sendo salvos" (At 2.47). Entrar na Igreja não era uma questão de unir-se a uma organização, mas de tornar-se membro de Cristo, assim como o ramo é enxertado na árvore. No decorrer do tempo, entretanto, conforme a Igreja aumentava em número e em popularidade, o batismo nas águas e a catequese tomaram o lugar da conversão. O resultado foi um influxo na Igreja de grande número de pessoas que não eram cristãs de coração. Desde aquela época, essa tem sido mais ou menos a condição da cristandade. Assim como nos tempos do AT havia um Israel dentro de Israel, os israelitas de verdade e os israelitas nominais, também no decorrer da história da Igreja vemos uma Igreja dentro da Igreja, cristãos verdadeiros no meio de cristãos apenas nominais.

Portanto, devemos distinguir entre a Igreja invisível, composta dos verdadeiros cristãos de todas as denominações, e a Igreja visível, constituída de todos os que professam ser cristãos: a primeira, composta daqueles cujos nomes estão escritos no céu; e a segunda, compreendendo aqueles cujos nomes estão registrados no rol de membros das igrejas. Observe essa distinção em Mateus 13, em que o Senhor fala dos "mistérios do Reino dos céus" (v. 11) — expressão que corresponde à designação geral da "cristandade". As parábolas nesse capítulo de Mateus esboçam a história espiritual da cristandade entre a primeira e a segunda vindas de Cristo, e nelas aprendemos que haverá uma mistura de bons e maus na Igreja, até a vinda do Senhor, quando a Igreja será purificada e se fará separação entre o genuíno e o falso (Mt 13.36-43,47-49). O apóstolo Paulo expressa a mesma verdade quando compara a Igreja a uma casa na qual há muitos vasos, uns para honra e outros para desonra (2Tm 2.19-21).

A Igreja é sinônimo do Reino de Deus? Que a Igreja seja uma fase do Reino, entende-se pelo ensino de Mateus 16.18,19, pelas parábolas em Mateus 13 e pela descrição de Paulo da obra cristã como parte do Reino de Deus (Cl 4.11). Como o "Reino dos céus" é uma expressão abrangente, podemos descrever a Igreja como uma parte do Reino. William Evans assim escreveu: "A Igreja pode ser considerada como uma parte do Reino de Deus, assim como o Estado de Illinois é parte dos Estados Unidos". A Igreja prega a mensagem que trata do novo nascimento do homem, pelo qual se obtém entrada no Reino de Deus (Jo 3.3-5; 1Pe 1.23).

IV. A OBRA DA IGREJA

1. Pregar a salvação

A obra da Igreja é pregar o evangelho a toda criatura (Mt 28.19,20) e expor o plano de salvação conforme ensinado nas

Escrituras. Cristo, ao prover a salvação, tornou-a acessível; a Igreja, ao proclamá-la, deve torná-la real.

2. Prover meios de adoração

Israel possuía um sistema de adoração divinamente estabelecido, pelo qual se chegava a Deus em todas as necessidades e crises da vida. Assim também a Igreja deve ser uma casa de oração para todos os povos, onde Deus é cultuado em adoração, oração e testemunho.

3. Prover comunhão religiosa

O homem é um ser social; ele anseia por comunhão e intercâmbio de amizade. É natural que ele se congregue com aqueles que participam dos mesmos interesses.

A Igreja provê uma comunhão baseada na paternidade de Deus e no fato de Jesus ser o Senhor de todos. É uma fraternidade daqueles que participam de uma experiência espiritual comum.

O calor dessa comunhão era uma das características notáveis da igreja primitiva. Num mundo governado pela máquina política do Império Romano, em que o indivíduo era praticamente ignorado, os homens anelavam por uma comunhão em que pudessem livrar-se do sentimento de solidão e desamparo. Naquele mundo, as características mais atraentes da Igreja eram o calor e a solidariedade da comunhão — comunhão em que todas as distinções terrenas eram eliminadas, e homens e mulheres tornavam-se irmãos e irmãs em Cristo.

4. Sustentar uma norma de conduta moral

A Igreja é a "luz do mundo", que afasta a ignorância moral, e o "sal da terra", que o preserva da corrupção moral. A Igreja deve ensinar os homens a viver bem e a se preparar para a morte. Deve proclamar o plano de Deus para regulamentar todas as esferas e atividades da vida. Ela deve levantar sua voz de admoestação contra as tendências para a corrupção da sociedade. Em todos os pontos de perigo, deve colocar uma luz para assinalá-los.

V. AS ORDENANÇAS DA IGREJA

O cristianismo no NT não é uma religião ritualista; a essência do cristianismo é o contato direto do homem com Deus por meio do Espírito. Portanto, não há uma ordem de adoração dogmática e inflexível; antes, permite-se à Igreja, em todos os tempos e países, a liberdade de adotar o método que lhe seja mais adequado para a expressão de sua vida. Não obstante, há duas cerimônias que são essenciais, por serem divinamente ordenadas, a saber, o batismo nas águas e a ceia do Senhor. Em razão de seu caráter sagrado, elas às vezes são descritas como sacramentos — literalmente, "coisas sagradas", ou "juramentos consagrados por um rito sagrado". Também são consideradas ordenanças porque são cerimônias "ordenadas" pelo próprio Senhor.

O batismo nas águas é o rito de ingresso na igreja cristã e simboliza o começo da vida espiritual. A ceia do Senhor é o rito de comunhão e significa a continuação da vida espiritual. O primeiro sugere a fé em Cristo, e o segundo sugere a comunhão com Cristo. O primeiro é administrado somente uma vez, porque pode haver apenas um começo na vida espiritual; o segundo é administrado habitualmente, para ensinar que a vida espiritual deve ser alimentada.

1. O batismo

a) **O método.** A palavra "batizar", usada na fórmula de Mateus 28.19,20, significa literalmente "mergulhar" ou "imergir". Essa interpretação é confirmada por estudiosos da língua grega e pelos historiadores da Igreja. Mesmo estudiosos pertencentes às igrejas que batizam por aspersão admitem que a imersão era o método pelo qual a igreja primitiva batizava. Além disso, há razões para crer que, para os judeus dos tempos apostólicos, o mandamento de ser "batizado" sugeriria imersão. Eles conheciam o "batismo do prosélito", que significava a conversão de um pagão ao judaísmo. O convertido ficava de pé na água, até o pescoço, enquanto era lida a Lei, e depois disso ele mesmo submergia na água, como sinal de que fora purificado das contaminações do paganismo e que começara uma nova vida como membro do povo da aliança de Deus.

De onde veio, portanto, a prática da aspersão e de derramar a água? Da época em que a Igreja abandonou a simplicidade do NT e foi influenciada pelas ideias pagãs, atribuindo importância antibíblica ao batismo nas águas, o qual veio a ser considerado inteiramente essencial para alcançar a regeneração. Era, portanto, administrado aos enfermos e moribundos. Visto que a imersão não era possível em tais casos, o batismo era administrado por aspersão. Mais tarde, por causa da conveniência do método, ele se generalizou. Além disso, por causa da importância da ordenança, era permitido derramar a água quando não havia quantidade suficiente para praticar a imersão. Observe a seguinte citação de um antigo escritor do século II:

> Agora, em relação ao batismo, batiza-se assim: havendo ensinado todas essas coisas, batiza em nome do Pai, do Filho e do Espírito Santo, em água viva (corrente). E, se não tiveres água viva, batiza em outra água; e, se não podes em água fria, então em água morna. Mas, se não tiveres nem uma nem outra, derrama água três vezes sobre a cabeça, em nome do Pai, do Filho e do Espírito Santo.

Não obstante, o modo bíblico original é imersão, o qual corresponde ao significado simbólico do batismo, a saber, morte, sepultamento e ressurreição (Rm 6.1-4).

b) A fórmula. "Batizando-os em nome do Pai e do Filho e do Espírito Santo" (Mt 28.19). Como vamos conciliar isso com o mandamento de Pedro: "[...] cada um de vocês seja batizado em nome de Jesus Cristo" (At 2.38)? Essas palavras não representam uma fórmula batismal; eram uma simples declaração para afirmar que recebiam batismo apenas as pessoas que reconheciam Jesus como Senhor e Cristo. Por exemplo, o *Didaquê*, um documento cristão escrito cerca de 100 d.C., fala do batismo cristão ministrado em nome do Senhor Jesus, mas o mesmo documento, quando descreve o rito detalhadamente, usa a fórmula trinitária. Quando Paulo fala que Israel foi batizado no mar Vermelho "em Moisés", ele não se refere a uma fórmula que se pronunciasse na ocasião, mas apenas quis dizer que, por causa da passagem miraculosa através do mar Vermelho, os israelitas aceitaram Moisés como seu guia e mestre enviado do céu. Da mesma maneira, ser batizado em nome de Jesus significa entregar-se inteira e eternamente a ele como Salvador enviado do céu, e a aceitação de sua direção impõe a aceitação da fórmula dada por Jesus no capítulo 28 de Mateus.

A tradução literal de Atos 2.38 é: "seja batizado *em* nome de Jesus Cristo" (grifo do autor). Isso significa, segundo o dicionário de Thayer, que os judeus haviam de "repousar sua esperança e confiança em sua autoridade messiânica".

Observe que a fórmula trinitária descreve uma experiência. Aqueles que são batizados em nome do Deus trino estão, por esse meio, testificando que foram submergidos em comunhão espiritual com a Trindade. Desse modo, pode-se dizer acerca deles: "A graça do Senhor Jesus Cristo, o amor de Deus e a comunhão do Espírito Santo sejam *com* todos vocês" (2Co 13.14; grifo do autor).

c) **O destinatário.** Todos os que sinceramente se arrependem de seus pecados e exercitam uma fé viva no Senhor Jesus são elegíveis para o batismo. Na igreja apostólica, o rito era acompanhado das seguintes expressões exteriores: 1) profissão de fé (At 8.37); 2) oração (At 22.16); 3) voto de consagração (1Pe 3.21).

Como as crianças não têm pecados dos quais possam se arrepender e como não podem exercer a fé, logicamente são excluídas do batismo nas águas. Com isso, não as estamos impedindo de ir a Cristo (Mt 19.13,14), pois elas podem ser consagradas a Jesus em culto público.

d) A eficácia. O batismo nas águas não tem em si poder para salvar; as pessoas são batizadas não para a salvação, mas porque já são salvas. Portanto, não podemos dizer que o rito seja absolutamente essencial para a salvação. Mas podemos insistir em que seja essencial para a integral obediência a Cristo. Como a eleição do presidente da nação se completa pela sua posse do governo, também a eleição do convertido pela graça e pela glória de Deus se completa por sua admissão pública como membro da igreja de Cristo.

e) O significado. O batismo sugere as seguintes ideias: 1) Salvação. O batismo nas águas é um drama sacro (se nos permite falar assim), pois representa os fundamentos do evangelho. A descida do convertido às águas retrata a morte de Cristo efetuada; a submersão do convertido fala da morte ratificada, ou seja, seu sepultamento; o levantamento do convertido significa a conquista sobre a morte, isto é, a ressurreição de Cristo. 2) Experiência. O fato de que esses atos são efetuados com o próprio convertido demonstra que ele se identificou espiritualmente com Cristo. A imersão proclama a seguinte mensagem: "Cristo morreu pelo pecado para que este homem morresse para o pecado". O levantamento do convertido expressa a seguinte mensagem: "Cristo ressuscitou dentre os mortos a fim de que este homem pudesse viver uma nova vida de justiça". 3) Regeneração. A experiência do novo nascimento é descrita como uma "lavagem" (literalmente, "lavar"; Tt 3.5), porque, por meio dela, os pecados e as contaminações da vida de outrora foram lavados. Como a água limpa lava o corpo, também Deus, em união com a morte de Cristo e por meio do Espírito Santo, purifica a alma. O batismo nas águas simboliza essa purificação: "Levante-se, seja batizado e lave os seus pecados [isto é, como sinal do que já se efetuou]" (At 22.16). 4) Testemunho. "Pois os que em Cristo foram batizados, de Cristo se revestiram" (Gl 3.27). O batismo nas águas significa que o convertido, pela fé, "vestiu-se" de Cristo — do caráter de Cristo —, de modo que os homens possam ver Cristo nele. Como o uniforme do soldado o identifica, também o convertido, pelo rito batismal, em sentido figurado, veste publicamente o uniforme do Reino de Cristo.

2. A ceia do Senhor

Define-se a ceia do Senhor ou comunhão santa como o rito distintivo da adoração cristã, instituído pelo Senhor Jesus à véspera de sua morte expiatória. Ela consiste na participação solene de pão e vinho, os quais, sendo apresentados ao Pai em memória do sacrifício inesgotável de Cristo, tornam-se um meio de graça pelo qual somos incentivados a uma fé mais viva e a uma maior fidelidade a ele.

Os pontos-chave dessa ordenança são:

a) **Comemoração.** "Façam isto em memória de mim" (Lc 22.19). O povo estadunidense, todos os anos, no dia 4 de julho, o dia da independência daquele país, recorda de maneira especial o evento que o fez um povo livre. Cada vez que um grupo de cristãos se congrega para celebrar a ceia do Senhor, comemora, de modo especial, a morte expiatória de Cristo que o libertou dos pecados.

Por que recordar a morte de Cristo mais que qualquer outro evento de sua vida? Porque sua morte foi o evento culminante de seu ministério, pois, por meio dela, somos salvos; e a salvação não se dá por sua vida e seus ensinos, embora sejam divinos, mas apenas por seu sacrifício expiatório.

b) **Instrução.** A ceia do Senhor é uma lição objetiva e sagrada que expõe os dois fundamentos do evangelho: 1) A encarnação. Ao participar do pão, observamos o apóstolo João dizer: "Aquele que é a Palavra tornou-se carne e viveu entre nós" (Jo 1.14); notamos o próprio Senhor declarar: "Pois o pão de Deus é aquele que desceu do céu e dá vida ao mundo" (Jo 6.33). 2) A expiação. Mas as bênçãos incluídas na encarnação nos são concedidas mediante a morte de Cristo. O pão e o vinho simbolizam dois resultados da morte: a separação do corpo e da vida e a separação da carne e do sangue. O simbolismo do pão partido é que o pão deve ser partido na morte a fim de ser distribuído entre os espiritualmente famintos; e o vinho derramado nos diz que o sangue de Cristo, o qual é sua vida, deve ser derramado na morte a fim de que seu poder purificador e vivificador possa ser distribuído às almas necessitadas.

c) **Inspiração.** Os elementos, especialmente o vinho, lembram-nos que pela fé podemos ser participantes da natureza de Cristo, isto é, ter "comunhão com ele" (1Jo 1.6). O ato de participar do pão e do vinho da ceia nos faz recordar, como também nos assegura, que, pela fé, podemos verdadeiramente receber o Espírito de Cristo e ser o reflexo do seu caráter.

d) **Segurança.** "Este cálice é a nova aliança no meu sangue" (1Co 11.25). Nos tempos antigos, a forma mais solene de aliança era o pacto de sangue, selado ou firmado com sangue sacrificial. A aliança feita com Israel no monte Sinai foi um pacto de sangue. Depois que Deus expôs suas condições, e o povo as aceitou, Moisés tomou uma bacia cheia de sangue sacrificial e aspergiu a metade sobre o altar do sacrifício, e o significado desse ato era que Deus se comprometia a cumprir sua parte do acordo; em seguida, ele aspergiu o resto do sangue sobre o povo, comprometendo-o, desse modo, a guardar também sua parte do contrato (Êx 24.3-8).

A nova aliança instituída por Cristo é um pacto de sangue. Deus aceitou o sangue de Cristo (Hb 9.14-24); portanto, por causa de Cristo, comprometeu-se a perdoar e salvar todos os que forem a ele. O sangue de Cristo é a divina garantia de que ele será benévolo e misericordioso para com aquele que se arrepende. A nossa parte nesse contrato é crer na morte expiatória de Cristo (Rm 3.25,26).

Assim, poderemos depois testificar que fomos aspergidos com o sangue da nova aliança (1Pe 1.2).

e) **Responsabilidade.** Quem deve ser admitido ou excluído da mesa do Senhor? Paulo trata da questão dos que são dignos do sacramento em 1Coríntios 11.20-34: "Portanto, todo aquele que comer o pão ou beber o cálice do Senhor indignamente será culpado de pecar contra o corpo e o sangue do Senhor" (v. 27). Será que isso quer dizer que somente aqueles que são dignos podem chegar-se à mesa do Senhor? Então, todos nós estamos excluídos! Pois quem dentre os filhos dos homens é digno da menor das misericórdias de Deus? Não, o apóstolo não está falando acerca da indignidade das *pessoas*, mas da indignidade das *ações*. Assim, por mais estranho que pareça, é possível a uma pessoa indigna participar dignamente. Em certo sentido, somente aqueles que sinceramente sentem sua indignidade estão aptos para se aproximar da mesa; os que se justificam a si mesmos nunca serão dignos. Do mesmo modo, observe que as pessoas mais profundamente espirituais são as que mais sentem sua indignidade. Paulo descreve-se a si mesmo como o "o pior" dos pecadores (1Tm 1.15).

O apóstolo nos adverte dos atos e das atitudes indignos na participação desse sacramento. Como podemos participar indignamente? Praticando alguma coisa que nos impeça de claramente apreciar o significado dos elementos e de nos aproximar em atitude solene, meditativa e reverente. No caso dos coríntios, o impedimento era sério, a saber, a embriaguez.

VI. A ADORAÇÃO DA IGREJA

Das epístolas de Paulo, inferimos que havia duas classes de reuniões para adoração: uma consistia em oração, louvor e pregação; a outra era um culto de adoração, conhecido como *festa do amor* (*Agape*, em grego). O primeiro era um culto público; segundo, um culto particular em que eram admitidos somente os cristãos.

1. O culto público

O culto público "era conduzido pelo povo conforme o Espírito os movia", escreve Robert Hastings Nichols, e continua:

> Oravam, testemunhavam e davam instruções. Cantavam os salmos e também os hinos cristãos, os quais começaram a ser escritos no século I. As Escrituras do AT eram lidas e explicadas, como também liam ou recitavam de memória os relatos das palavras e dos atos de Jesus. Quando os apóstolos enviavam cartas às igrejas, a exemplo das epístolas do NT, essas também eram lidas.

Esse culto singelo podia ser interrompido a qualquer momento pela manifestação do Espírito na forma de profecia, línguas e interpretações, ou por alguma percepção inspirada nas Escrituras. Essa característica da adoração primitiva é reconhecida por todos os estudantes sérios da história da Igreja, independentemente de sua filiação denominacional ou escola de pensamento.

Pela leitura de 1Coríntios 14.24,25, sabemos que essa adoração inspirada pelo Espírito era um meio poderoso de atrair e evangelizar os não convertidos.

2. O culto particular

Lemos que os primeiros cristãos perseveraram no "partir do pão" (At 2.42). O que essas palavras descrevem: uma refeição comum ou a celebração da ceia do Senhor? Talvez ambas. É possível que houvesse acontecido o seguinte: no princípio, a comunhão dos discípulos primitivos entre si era tão estreita e vital que faziam suas refeições em comum. Ao sentarem-se à mesa para pedir a bênção de Deus sobre o alimento, vinha-lhes à lembrança a refeição da última ceia de Cristo, e, assim, essa oração sobre o alimento progredia espontaneamente para um culto de adoração. Dessa forma, em muitos casos é difícil dizer se os discípulos faziam uma refeição comum ou participavam da comunhão. A vida e a adoração a Deus estavam intimamente relacionadas naqueles dias!

Contudo, muito cedo, os dois atos, o partir do pão e a ceia do Senhor, foram separados, de forma que o segundo se tornou a ordem do culto: em determinado dia, os cristãos reuniam-se para comer uma refeição sagrada de comunhão, conhecida como festa do amor, a qual era uma refeição alegre e sagrada, simbolizando o amor fraternal. Todos traziam provisões e participavam juntos dessa celebração. Em 1Coríntios 11.21,22, Paulo censura o egoísmo daqueles que comiam seus alimentos sem distribuí-los entre os pobres. Ao terminar a festa do amor, celebrava-se a ceia do Senhor. Na igreja de Corinto, alguns se embriagavam durante o *Agape* e participavam do sacramento nessa condição indigna. Mais tarde, no século I, a ceia do Senhor foi separada do *Agape* e celebrada na manhã do Dia do Senhor.

VII. A ORGANIZAÇÃO DA IGREJA

1. O governo da Igreja

É evidente que o propósito do Senhor Jesus era que houvesse uma sociedade de seus seguidores que comunicasse seu evangelho aos homens e o representasse no mundo. Mas ele não moldou nenhuma organização nem plano de governo; não estabeleceu nenhuma regra detalhada de fé e prática. Entretanto, ele ordenou os dois ritos simples do batismo e da comunhão. Ao mesmo tempo, ele não desprezou a organização, pois sua promessa concernente ao Conselheiro que enviaria deu a entender que os apóstolos seriam guiados em toda a verdade em relação a esses assuntos.

O que ele fez para a Igreja foi algo mais elevado que organização — ele concedeu-lhe sua própria vida, transformando-a em um organismo vivo. Assim como o corpo vivo se adapta ao meio ambiente, também, ao corpo vivo de Cristo, foi dada liberdade para selecionar suas próprias formas de organização, segundo suas necessidades e circunstâncias. Naturalmente, a Igreja não era livre para seguir nenhuma manifestação contrária aos ensinos de Cristo ou à doutrina apostólica. Qualquer manifestação contrária aos princípios das Escrituras é *corrupção*.

Os crentes, nos dias que se seguiram ao Pentecoste, praticamente não tinham nenhuma organização e, por algum tempo, adoravam em suas casas e observavam os momentos de oração no templo. (At 2.46). Isso foi completado pelo ensino e comunhão apostólicos. A organização da igreja, que crescia numericamente, originou-se das seguintes causas: a primeira, os oficiais da igreja foram escolhidos para resolver as emergências que surgiam, como, por exemplo, em Atos 6.1-5; a segunda, a posse de dons espirituais separava certos indivíduos para a obra do ministério.

As primeiras igrejas eram democráticas em seu governo — circunstância natural em uma comunidade em que o dom do Espírito Santo estava disponível a todos e na qual toda e qualquer pessoa poderia ser divinamente dotada de dons para um ministério especial. É verdade que os apóstolos e anciãos presidiam as reuniões de negócios e a seleção dos oficiais, mas tudo era feito em cooperação com a igreja (At 6.3-6; 15.22; 1Co 16.3; 2Co 8.19; Fp 2.25).

Pelo que se lê em Atos 14.23 e Tito 1.5, é possível entender que Paulo, Barnabé e Tito nomearam anciãos sem consultar à igreja; mas os historiadores eclesiásticos de credibilidade afirmam que eles os "nomearam" da maneira usual, pelo voto dos membros da igreja.

Vemos claramente que, no NT, não há apoio para uma fusão das igrejas em uma "máquina eclesiástica" governada por uma hierarquia.

Naquela época, não havia nenhum governo centralizado que englobasse toda a Igreja. Cada igreja local era autônoma e administrava seus próprios negócios com liberdade. Naturalmente, os 12 apóstolos eram muito respeitados por causa de seu relacionamento com Cristo e, portanto, exerciam certa autoridade (cf. At 15).

Paulo supervisionava de maneira geral as igrejas gentílicas; entretanto, essa autoridade era puramente espiritual, e não uma autoridade oficial como a que encontramos em qualquer organização.

Embora as igrejas do NT, quanto à jurisdição, fossem independentes umas das outras, elas cooperavam umas com as outras (Rm 15.26,27; 2Co 8.19; Gl 2.10; Rm 15.1; 3Jo 8).

> As igrejas locais, nos primeiros séculos após se estabelecerem, embora nunca lhes faltasse o sentimento de pertencerem a um só corpo, eram comunidades independentes e com governo próprio, as quais se relacionavam umas com as outras não por uma organização política que reunisse todas elas, mas pela comunhão fraternal mediante visitas de representantes, intercâmbio de cartas e algum tipo de assistência recíproca, não estipulado por regras comuns, na escolha e consagração de pastores.

2. O ministério da Igreja

No NT, são reconhecidas duas classes de ministérios: 1) o ministério geral e profético — geral, porque era exercido com relação às igrejas de modo geral mais que em relação a uma igreja particular, e profético, por ser criado pela posse de dons espirituais; 2) o ministério local e prático — local, porque era limitado a uma igreja, e prático, porque tratava da administração da igreja.

a) O ministério geral e profético

1. Apóstolos. Eram homens que receberam sua comissão do próprio Cristo em pessoa (Mt 10.5; Gl 1.1), que haviam visto Cristo depois de sua ressurreição (At 1.22; 1Co 9.1), que haviam desfrutado de uma inspiração especial (Gl 1.11,12; 1Ts 2.13), que exerciam um poder administrativo sobre as igrejas (1Co 5.3-6; 2Co 10.8; Jo 20.22,23), que apresentavam credenciais sobrenaturais (2Co 12.12) e cujo trabalho principal era estabelecer igrejas em campos novos (2Co 10.16). Eram administradores

da igreja e organizadores missionários, chamados por Cristo e cheios do Espírito. Os 12 apóstolos de Jesus e Paulo (que por seu chamado especial constituía uma classificação à parte) eram apóstolos por preeminência; entretanto, o título de apóstolo também foi dado a outros que se ocupavam da obra missionária. A palavra "apóstolo" significa simplesmente "missionário" (At 14.14; Rm 16.7). Desde então, houve outros apóstolos? O relacionamento dos Doze com Cristo foi único, e ninguém desde aquela época pôde ocupar essa posição privilegiada. Sem dúvida, a obra de homens como João Wesley, com toda razão, pode ser considerada apostólica.

2. Profetas. Eram aqueles dotados do dom de expressão inspirada. Desde os primeiros dias até o fim do século II, apareceram constantemente profetas e profetisas nas igrejas cristãs. Enquanto o apóstolo e o evangelista levavam sua mensagem aos incrédulos (Gl 2.7,8), o ministério do profeta era particularmente entre os cristãos. Os profetas viajavam de igreja em igreja, como os evangelistas o fazem na atualidade; não obstante, cada igreja tinha profetas que eram membros regulares dela.
3. Mestres. Eram aqueles dotados de dons para a exposição da Palavra. Como os profetas, muitos deles viajavam de igreja em igreja.

b) O ministério local e prático. O ministério local, nomeado pela igreja com base em certas qualificações (1Tm 3), incluía os seguintes cargos:

1. Presbíteros, ou anciãos, aos quais foi dado o título de "bispos", que significa supervisores, ou superintendentes. Eles exerciam a superintendência geral sobre a igreja local, especialmente em relação ao cuidado pastoral e à disciplina. Seus deveres eram geralmente de natureza espiritual. Às vezes, são denominados de "pastores" (Ef 4.11; cf. At 20.28).

No século I, cada comunidade cristã era governada por um grupo de anciãos ou bispos, de modo que não havia apenas um obreiro para fazer para a igreja tudo o que um pastor faz nos dias de hoje. No princípio do século III, colocava-se um homem à frente de cada comunidade, e este recebia o título de pastor ou bispo.

2. Atuando juntamente com os presbíteros, havia um número de obreiros auxiliares chamados diáconos (At 6.1-4; 1Tm 3.8-13; Fp 1.1) e diaconisas (Rm 16.1; Fp 4.3), cujo trabalho, pelo que se observa, era basicamente o de fazer visitas de casa em casa e exercer um ministério prático entre os pobres e necessitados (1Tm 5.8-11). Os diáconos também ajudavam os presbíteros na celebração da ceia do Senhor.

11

As últimas coisas

"Assim diz o SENHOR [...]: Eu sou o primeiro e eu sou o último" (Is 44.6). Deus já escreveu tanto o primeiro quanto o último capítulo da história de todas as coisas. No livro de Gênesis, lemos acerca da origem de todas as coisas — do Universo, da vida, do homem, da sociedade humana, do pecado e da morte. Nas Escrituras proféticas, em especial no livro de Apocalipse, revela-se como essas coisas alcançarão seu ponto culminante e sua consumação. Muitos, como Daniel, perguntam assim: "Meu senhor, qual será o resultado disso tudo?" (Dn 12.8). Somente Deus pode responder a essa pergunta, e a resposta encontra-se nas Escrituras.

ESBOÇO

I. A MORTE

II. O ESTADO INTERMEDIÁRIO

1. A opinião das Escrituras

2. Opiniões errôneas

a. Purgatório

b. Espiritismo

c. Sono da alma

III. A RESSURREIÇÃO

1. Importância da ressurreição

2. Natureza da ressurreição

a. Relação

b. Realidade

c. Incorruptibilidade

d. Glória

e. Agilidade

f. Sutileza

IV. A VIDA FUTURA

1. Ensino do AT

2. Ensino do NT

V. O DESTINO DOS JUSTOS

1. Natureza do céu

2. Necessidade de haver céu

3. As bênçãos do céu

a. Luz e beleza

b. Plenitude de conhecimento

c. Descanso

d. Serviço

e. Alegria

f. Estabilidade

g. Alegrias sociais

h. Comunhão com Cristo

VI. O DESTINO DOS ÍMPIOS

1. O ensino bíblico
2. Opiniões errôneas
   a. Universalismo
   b. Restauracionismo
   c. Segundo período probatório
   d. Aniquilamento

VII. A SEGUNDA VINDA DE CRISTO

1. A sua vinda
2. A maneira de sua vinda
3. O tempo de sua vinda
4. Os sinais de sua vinda
5. O propósito de sua vinda
   a. Em relação à Igreja
   b. Em relação a Israel
   c. Em relação ao anticristo
   d. Em relação às nações

I. A MORTE

A morte é a separação da alma do corpo, e por meio dela o homem é introduzido no mundo invisível. Descreve-se essa experiência de várias maneiras: adormecer (Jo 11.11; Dt 31.16), desfazer-se da habitação terrena em que vivemos (2Co 5.1), deixar este tabernáculo

(2Pe 1.14), Deus requerendo a vida (Lc 12.20), seguir a viagem sem retorno (Jó 16.22), ser reunido a seus antepassados (Gn 49.33), descer ao silêncio (Sl 115.17), morrer (At 5.10), voltar ao pó (Gn 3.19), ir-se como a sombra (Jó 14.2) e partir (Fp 1.23).

A morte é o primeiro efeito externo ou manifestação visível do pecado e o último do qual seremos salvos (Rm 5.12; 1Co 15.26). O Salvador tornou inoperante a morte e trouxe à luz a vida e a imortalidade (incorruptibilidade) pelo evangelho (2Tm 1.10). A palavra "abolir" significa anular ou tornar negativo. A morte fica anulada como sentença condenatória, e a vida é oferecida a todos. Entretanto, embora a morte física continue a manifestar-se, ela torna-se uma porta que conduz aqueles que aceitam Cristo à vida.

Qual a ligação entre a morte e a doutrina da imortalidade? Há dois termos, "imortalidade" e "incorruptibilidade", que se usam em referência à ressurreição do corpo (1Co 15.53,54). A imortalidade significa não estar sujeito à morte, e nas Escrituras emprega-se em referência ao *corpo*, e não à alma (embora esteja implícita a imortalidade da alma). Mesmo os cristãos estão sujeitos à morte, pois seu corpo é mortal. Depois da ressurreição e do arrebatamento da Igreja, os cristãos desfrutarão da imortalidade, isto é, receberão um corpo glorificado que não estará sujeito à morte.

Os ímpios também serão ressuscitados. Mas será que isso quer dizer que desfrutarão dessa imortalidade do corpo? Não, a condição deles é a de morte, separação de Deus. Embora tenham existência, não desfrutam de comunhão com Deus nem da glorificação do corpo, a qual de fato constitui a imortalidade. Conscientemente, existirão em uma condição de sujeição à morte. A sua ressurreição não é a ressurreição da vida, mas a "ressurreição para condenação" (Jo 5.29).

Se a "imortalidade" à qual as Escrituras se referem dissesse respeito ao corpo, como se justificaria a referência à imortalidade da *alma*? Tanto no AT quanto no NT, a morte é a separação do corpo e da alma; o corpo morre e volta ao pó, enquanto a alma ou o espírito continua a existir conscientemente no mundo invisível dos espíritos desencarnados.

Assim, o homem é mortal, e seu corpo está sujeito à morte, embora sua alma seja imortal e sobreviva à morte do corpo.

Qual a distinção entre imortalidade e vida eterna? A imortalidade é *futura* (Rm 2.7; 1Co 15.53,54) e refere-se à glorificação de nosso corpo mortal na ressurreição. A vida eterna refere-se principalmente ao espírito do homem; é uma posse *presente*, e não é afetada pela morte do corpo.

A vida eterna alcançará sua perfeição na vinda de Cristo e será vivida em um corpo glorificado que a morte não mais poderá destruir. Todos os cristãos, quer vivos quer falecidos, já possuem a vida eterna, mas somente na ressurreição alcançarão a imortalidade.

II. O ESTADO INTERMEDIÁRIO

Pela expressão "estado intermediário", queremos dizer o estado dos mortos no período entre o falecimento e a ressurreição.

1. A opinião das Escrituras

Deve ser observado que os justos não receberão sua recompensa final nem os ímpios seu castigo final enquanto não se realizar sua ressurreição. Ambas as classes estão num estado intermediário, aguardando esse evento. Os cristãos falecidos vão estar "com o Senhor", mas ainda não receberam o galardão final.

O estado intermediário dos justos descreve-se como um estado de descanso (Ap 14.13), de espera e repouso (Ap 6.10,11), de serviço (Ap 7.15) e de santidade (Ap 7.14). Os ímpios também passam por um estado intermediário, no qual aguardam o castigo final, que se realizará depois do juízo do grande trono branco, quando a morte e o Hades serão lançados no lago de fogo (Ap 20.14).

2. Opiniões errôneas

a) **Purgatório.** A Igreja Católica Romana ensina que mesmo os mais fiéis precisam de um processo de purificação antes de se tornarem aptos para entrar na presença de Deus. Também adotam essa opinião certos protestantes que, por crerem na doutrina de "uma vez salvo, salvo para sempre", embora reconheçam a palavra divina "sem santidade ninguém verá o Senhor" (Hb 12.14), concluem que haja um "purgatório" onde os crentes carnais e imperfeitos se purificam de sua escória. Esse processo, segundo dizem, será realizado durante o Milênio, enquanto os vencedores reinam com Cristo. Todavia, não existem nas Escrituras evidências para tal doutrina, mas existem muitas evidências contrárias a ela.

Assim escreveu John S. Banks, estudioso metodista:

> As Escrituras falam da felicidade imediata dos mortos em Cristo (Lc 16.22; 23.43; 2Co 5.6,8). Certamente, os cristãos em geral, depois de longo tempo de crescimento na graça, estão tão aptos para o céu quanto o malfeitor penitente crucificado ao lado de Cristo ou quanto Lázaro, mencionado na parábola. As Escrituras também atribuem ao sangue de Cristo ilimitada eficácia. Se de fato as Escrituras ensinassem tal estado intermediário, diríamos que seu poder purificador seria originário da expiação de Cristo, o mesmo que dizemos a respeito dos meios de graça no estado presente; mas, uma vez que as Escrituras não ensinam essa doutrina, podemos apenas considerar esse estado uma tentativa de súplicas extras por purificação. Essa doutrina tenta prover o que já foi amplamente provido.

O NT reconhece apenas duas classes de pessoas: as salvas e as não salvas. O destino de cada classe determina-se agora, na vida presente, o único período probatório. Com a morte, termina esse período probatório, seguindo-se o julgamento segundo as obras praticadas *no corpo* (Hb 9.27; 2Co 5.10).

b) Espiritismo. Ensina que é possível alguém comunicar-se com o espírito de pessoas falecidas, sendo essas comunicações conseguidas por meio de um "médium". Mas observemos: 1) A Bíblia proíbe expressamente consultar tais "médiuns, e a própria proibição indica a presença do mal e o perigo de tal prática (Lv 19.31; 20.6,7; Is 8.19). É inútil os espíritas citarem o exemplo de Saul, visto que esse desafortunado pereceu por ter consultado a médium (1Cr 10.13). 2) Os mortos estão sob o controle de Deus, o Senhor da vida e da morte, e, por conseguinte, não podem estar sujeitos aos médiuns. Veja, por exemplo, Apocalipse 1.18; Romanos 14.9. Os espíritas citam o caso da pitonisa que evocou o espírito de Samuel e o relato da aparição de Moisés e Elias no monte da transfiguração. Mesmo *que* fosse Samuel que aparecera a Saul, seria por permissão divina, e o mesmo poderíamos dizer acerca de Moisés e Elias. A passagem que relata o caso do rico e Lázaro prova que aos mortos não é permitido comunicar-se com os vivos (Lc 16). 3) Embora já se tenha provado que muitos fenômenos espíritas são fraudulentos, existe neles alguma realidade. Visto que os mortos estão sob o controle de Deus e não podem comunicar-se com os vivos, somos obrigados a concluir que as manifestações espíritas resultam de forças psíquicas estranhas das quais somos ignorantes ou que as mensagens têm sua origem em espíritos mentirosos e sedutores (1Rs 22.22; 1Tm 4.1).

Muitos dos que abraçam o espiritismo ou consultam médiuns são os que perderam sua fé cristã. Aqueles que creem nas Escrituras desfrutam de luz suficiente para iluminar as misteriosas regiões do além-túmulo.

c) **Sono da alma.** Certos grupos, como os adventistas do sétimo dia, creem que a alma permanece em um estado inconsciente até a ressurreição. Essa crença, conhecida como "sono da alma", é também adotada por indivíduos em outros grupos religiosos. É verdade que a Bíblia descreve a morte como um sono, mas isso em razão de o crente, ao falecer, perder a consciência em relação ao mundo cheio de fadiga e sofrimento para acordar num reino de paz e felicidade. O AT ensina que, embora o corpo entre na sepultura, o espírito que se separou do corpo entra no Sheol, onde vive em estado consciente (cf. Is 14.9-11; Sl 16.10; Lc 16.23; 23.43; 2Co 5.8; Fp 1.23; Ap 6.9).

III. A RESSURREIÇÃO

1. Importância da ressurreição

Os coríntios, como os demais gregos, eram um povo de grande capacidade intelectual, como também eram amantes de especulações filosóficas. Quando lemos os primeiros dois capítulos da primeira carta aos Coríntios, nos quais Paulo declara a imensurável superioridade da revelação sobre a especulação humana, observamos que alguns dos membros da igreja de Corinto também eram partidários dessas especulações. Dotado de perspicácia incomum, ele previu que, sob a influência do espírito grego, o evangelho poderia dissipar-se em um lindo, porém impotente, sistema de filosofia e ética. De fato, já se havia manifestado essa tendência. Alguns dos membros da igreja de Corinto estavam influenciados por uma antiga doutrina grega de imortalidade, a qual ensinava que o corpo, ao morrer, pereceria para sempre, mas que a alma continuaria a existir. Em verdade, dizia esse ensino, era bom que o corpo perecesse, pois só servia como estorvo e impedimento à alma. Ensinava-se na igreja de Corinto que, apesar de a alma ou o espírito viver depois da morte, o corpo era destruído para sempre e não seria ressuscitado, pois a única ressurreição que o homem experimentaria seria a ressurreição espiritual da alma, ressurreição de sua morte nos delitos e pecados (Ef 2.1; cf. 2Tm 2.17,18). O apóstolo desafiou a veracidade desse ensino, dizendo: "Ora, se está sendo pregado que Cristo ressuscitou dentre os mortos, como alguns de vocês estão dizendo que não existe ressurreição dos mortos?" (1Co 15.12). Tomando esse erro como ponto de partida, Paulo expôs a doutrina verdadeira, entregando ao mundo o grande capítulo da Bíblia sobre ressurreição.

Como base de seu argumento, Paulo toma a doutrina bíblica sobre o homem, a qual, em contradição à doutrina pagã, declara que o corpo humano é suscetível de santificação (1Co 6.13-20), redenção e está incluído na salvação do homem. No princípio, Deus criou tanto o espírito quanto o corpo e, quando o espírito e o corpo se uniram como unidade vivente, o homem tornou-se em "ser vivente". O homem foi criado imortal, no sentido de que ele não precisava morrer, mas mortal no sentido de que poderia morrer se desobedecesse a Deus. Se o homem tivesse permanecido fiel, ele teria se desenvolvido ao máximo sobre a terra e, depois, possivelmente teria sido trasladado, pois a trasladação parece ser o meio perfeito que Deus usa para remover da terra os seres humanos. Mas o homem pecou, perdeu o direito à árvore da vida e, em resultado disso, começou a morrer, processo que culminou na separação do espírito do corpo. A morte física foi a expressão externa da morte espiritual, a qual é consequência do pecado.

Visto que o homem se compõe tanto de alma quanto de corpo, sua redenção deve incluir a vivificação de ambos, da alma e do corpo, por isso a necessidade de ressurreição. Embora o homem se torne justo perante Deus e vivo espiritualmente (Ef 2.1), seu corpo morrerá como resultado da sua herança racial de Adão. Mas, desde que o corpo é parte integrante da personalidade, a salvação e a imortalidade não se completam enquanto o corpo não for ressuscitado e glorificado. Isso é o que NT ensina (v. Rm 13.11; 1Co 15.53,54; Fp 3.20,21).

O argumento de Paulo em 1Co 15.13-19 é: ensinar que não há ressurreição é ferir a realidade da salvação e a esperança da imortalidade. Ele desenvolve o argumento da seguinte maneira: se não há ressurreição do corpo, então Cristo, que tomou para si um corpo humano, não ressurgiu dentre os mortos. Se Cristo não ressurgiu dentre os mortos, então a pregação de Paulo é vã; pior ainda, é falsa e enganosa. Se a pregação é vã, então também são vãs a fé e a esperança daqueles que a aceitam. Se Cristo, de fato, não ressuscitou dentre os mortos, então não há salvação do pecado, pois de que maneira poderíamos saber que sua morte foi realmente expiatória — diferente de qualquer outra morte —, a não ser que ele ressuscitasse? Se o corpo do Mestre não ressuscitou, que esperança haverá para aqueles que nele confiam? Caso essas suposições fossem verdadeiras, o sacrifício, a autonegação e o sofrimento por causa de Cristo teriam sido em vão (1Co 15.19,30-32).

2. Natureza da ressurreição

É relativamente fácil declarar o *fato* da ressurreição, mas, ao tentar explicar *como* Cristo foi ressuscitado, encontramos grande dificuldade, pois trata-se de leis misteriosas, sobrenaturais, além de nosso alcance. Entretanto, sabemos que a ressurreição do corpo será caracterizada pelos seguintes aspectos:

a) **Relação.** Haverá alguma relação com o velho corpo — fato que Paulo ilustra pela comparação com o grão de trigo (1Co 15.36,37). O grão é lançado na terra, morre, e o ato de dissolução fertiliza o germe da vida no grão, de maneira que se transforma em uma planta linda e viçosa. "Somente pela dissolução das partículas da matéria na semente torna-se produtivo o germe de vida (o que jamais foi possível se observar pelo microscópio)."

Qual o poder que vitaliza o corpo humano, tornando-o capaz da gloriosa transformação do corpo ressurreto? O Espírito Santo (cf. 1Co 6.19)! Falando da ressurreição, Paulo expressa as palavras de 2Coríntios 5.5, que um estudioso da língua grega traduziu da seguinte maneira: "Deus preparou-me para essa mudança, ao dar-
-me seu Espírito como sinal e primeira porção".

b) **Realidade.** Certas pessoas não se interessam em ir para o céu, pois acham que a vida ali será uma existência insubstancial e vaga. Ao contrário, a existência no céu será tão real quanto a presente — de fato, ainda mais real. Os corpos glorificados serão reais e tangíveis e haveremos de nos conhecer e conversar uns com os outros, como também estaremos plenamente ocupados em atividades celestiais. Jesus, em seu corpo ressuscitado, era muito real para seus discípulos; embora glorificado, ele era ainda o mesmo Jesus.

c) **Incorruptibilidade.** O corpo "ressuscita imperecível" (1Co 15.42) e ficará livre de enfermidade, dor, debilidade e, portanto, também da morte (Ap 21.4).

d) **Glória.** Nosso velho corpo é perecível, sujeito à corrupção e ao cansaço, porque é um corpo "natural", próprio para uma existência imperfeita em um mundo imperfeito; mas o corpo da ressurreição será próprio para a gloriosa vida imortal no céu. Quando Pedro, o Grande, da Rússia, trabalhava como mecânico na Holanda, a fim de aprender a arte da construção naval, ele usava a roupa humilde de mecânico; mas, ao voltar ao seu palácio, vestia-se com os trajes reais ornados de joias. Assim também o espírito do homem, originariamente inspirado por Deus, agora vive uma existência humilde dentro de um corpo perecível (Fp 3.21), mas na ressurreição será revestido de um corpo glorioso, próprio para ver Deus face a face.

e) **Agilidade.** Poderá atravessar o espaço com a rapidez de relâmpago, em razão da enorme energia com a qual estará dotado.

f) **Sutileza**, isto é, o poder de penetrar as substâncias sólidas. Ao andarmos pela terra em um corpo glorificado, não seremos impedidos por coisas mínimas como um muro ou uma montanha — simplesmente os atravessaremos (cf. Jo 20.26).

Existem muitas coisas que não entendemos, e não podemos entendê-las ainda, acerca da vida futura, pois "ainda não se manifestou o que havemos de ser" (1Jo 3.2). Entretanto, sabemos isto: "agora somos filhos de Deus" e, "quando ele se manifestar, seremos semelhantes a ele, pois o veremos como ele é" (1Jo 3.2).

IV. A VIDA FUTURA

1. Ensino do AT

Ao estudar o ensino do AT sobre a vida futura, deve-se ter em mente que a obra redentora de Cristo exerce grande efeito em nosso relacionamento com a morte e a vida. Cristo "tornou inoperante a morte e trouxe à luz a vida e a imortalidade por meio do evangelho" (2Tm 1.10). Quanto à vida vindoura, Cristo trouxe plenitude de luz e absoluta confiança. Ele também efetuou uma grande libertação dos santos do tempo do AT, que estavam guardados no estado intermediário, libertação essa que lhes proporcionou muito mais felicidade.

Muito embora a revelação veterotestamentária, no que diz respeito à vida após a morte, não seja tão ampla quanto a neotestamentária, nós a encontramos no AT.

A doutrina do AT sobre a imortalidade baseia-se na relação entre o homem e Deus. O homem, criado à imagem de Deus, é dotado de capacidade para conhecer Deus e com ele ter comunhão. Isso significa que o homem é mais que mero animal e que sua existência ultrapassa os limites do tempo. Foi criado para viver, e não para morrer. Mas o pecado trouxe a morte ao mundo e, assim, frustrou o destino do homem. A morte, em seu aspecto físico, é a separação do corpo da alma. A morte, entretanto, não implica extinção da alma. O AT ensina consistentemente que a personalidade do homem sobrevive à morte.

O corpo do homem era depositado na sepultura, enquanto a alma ia para o lugar denominado Sheol (pode ser traduzido por "inferno", "o poço" e "a sepultura"), a morada dos espíritos dos que já morreram. Prova-se que o Sheol não era o céu pelo fato de ser descrito como estando embaixo (Pv 15.24), a terra mais baixa (Ez 32.18) e o meio do inferno (Ez 32.21). As seguintes descrições provam que não era um lugar de felicidade suprema: um lugar sem lembrança de Deus (Sl 6.5), a sepultura (Jó 24.19; Ct 8.6), Sheol ou inferno (Sl 18.5) e um lugar do qual aparentemente ninguém voltava (Jó 7.9).

O Sheol, por não desfrutar o brilho da pessoa de Cristo ressuscitado, é um lugar sombrio que inspira receio, e, por conseguinte, alguns dos santos do AT receavam ir para esse lugar como a criança receia entrar num quarto escuro (v. Sl 88; Is 38).

O Sheol era habitado tanto pelos justos (Jó 14.13; Sl 88.3; Gn 37.34,35) quanto pelos ímpios (Pv 5.3-5; 7.27; Jó 24.19; Sl 31.17). Quanto ao caso do rico e Lázaro, concluímos que havia duas divisões no Sheol — um lugar de sofrimento para os ímpios (Lc 16.23,24) e outro de descanso e conforto para os justos (Lc 16.25).

Contudo, os crentes do AT não estavam sem esperança. O Santo de Deus, o Messias, desceria ao Sheol; o povo de Deus seria redimido do sepulcro, ou sepultura (Sl 16.10; 49.15). Essa profecia cumpriu-se quando Cristo, após sua morte, desceu ao coração da terra (Mt 12.40; Lc 23.42,43) e libertou os santos do AT, levando-os consigo para o paraíso celestial (Ef 4.8-10). Essa descrição parece indicar que houve uma mudança nesse mundo dos espíritos e que o lugar ocupado pelos justos que aguardam a ressurreição foi trasladado para as regiões celestiais (Ef 4.8; 2Co 12.2). Desde esse acontecimento, os espíritos dos justos sobem para o céu, e os espíritos dos ímpios descem para a condenação (Ap 20.13,14).

Outras evidências do ensino do AT sobre a vida futura são: 1) A expressão "reunido aos seus antepassados" (Gn 25.8), ou "aos meus pais", usada por Abraão, Moisés, Arão e Davi, deve referir-se à existência consciente após a morte e o sepultamento, pois esses homens não foram enterrados nos túmulos de seus ancestrais. 2) O arrebatamento tanto de Enoque quanto de Elias prova com certeza a existência de uma vida futura de felicidade na presença de Deus. 3) As palavras de Cristo, em Mateus 22.32, representam uma forte e genuína expressão da crença dos judeus. De outra forma, nenhuma influência teriam sobre os ouvintes. 4) A doutrina da ressurreição dentre os mortos é claramente exposta no AT (Jó 19.26; Dn 12.1,2). 5) Quando Jacó disse: "Chorando descerei à sepultura [literalmente, Sheol] para junto de meu filho" (Gn 37.35), ele de maneira alguma referia-se à sepultura literal, pois supunha que o corpo de José fora devorado por uma fera.

2. Ensino do NT

O NT reconhece a existência no além-túmulo, no qual a vida espiritual continua sob novas e melhores condições. Entrar nessa vida é o alvo supremo do homem (Mc 9.43). Ao aceitar Cristo, o cristão, já na vida presente, passou da morte para a vida (Jo 3.36). Isso, entretanto, é somente o princípio; sua plenitude pertence à existência que começa com a ressurreição da vida (Jo 5.29). Existe uma vida futura (1Tm 4.8) que, embora agora esteja oculta, se revelará quando Cristo, nossa vida, "for manifestado" (Cl 3.4). Cristo dará a coroa da vida prometida àqueles que o amam (Tg 1.12). O estado dos que faleceram em Cristo é algo ainda melhor que a presente vida nele (Fp 1.21). Mas a plenitude de vida, a terra da promessa e seu direito de primogenitura como filhos de Deus serão revelados na vinda de Cristo (Rm 8.17; Gl 4.7).

A morte física não pode interromper a comunhão entre o cristão e seu Senhor: "Eu sou a ressurreição e a vida. Aquele que crê em mim, ainda que morra, viverá; e quem vive e crê em mim, não morrerá eternamente" (Jo 11.25,26). Com essas palavras, Jesus assegurou a Marta e Maria que seu irmão não havia perecido, mas estava seguro. Na verdade, Jesus disse o seguinte: "Eu amava seu irmão e tive doce comunhão com ele. Se compreendem quem eu sou e lembram-se de meu poder, vocês acham que eu permitiria que a morte interrompesse essa comunhão, que para nós dois era de grande valor?".

Existem muitos argumentos formais a favor da imortalidade. Mais que a lógica impessoal, o que mais satisfaz é justamente saber que estamos em comunhão com Deus e com o seu Cristo. Imagine o caso de um crente fiel que durante muitos anos desfrutou de preciosa comunhão com o Filho de Deus, ouviu sua voz e sentiu sua presença. Agora que ele está prostrado no leito de morte, será que ouviremos o Filho de Deus dizer-lhe: "Andamos juntos, usufruímos de doce comunhão, mas chegou a hora do eterno adeus"?

Impensável! Aqueles que estão "em Cristo" (1Ts 4.14-17) não podem ser separados dele, nem pela vida nem pela morte (Rm 8.38). Para aquele que viveu conscientemente na presença de Cristo, ser separado de Cristo pela morte é algo impossível. Para aqueles que estão unidos ao amor de Deus, é inconcebível separar-se desse amor para entrar no nada ou na desolação.

Cristo diz a todos os crentes: "Lázaro, ou alguém mais, está unido a mim? Ele confia em minha pessoa? Tudo que sou e todo o poder que em mim reside operarão em sua vida. Seu irmão está unido a mim pelos laços da confiança e do amor; e como eu sou a ressurreição e a vida, esse poder operará nele".

V. O DESTINO DOS JUSTOS

1. Natureza do céu

Os justos são destinados à vida eterna na presença de Deus. Deus criou o homem para conhecê-lo, amá-lo e servi-lo neste mundo, como também desfrutar eternamente de sua presença no mundo vindouro.

O cristão, durante sua vida terrena, experimenta, pela fé, a presença do Deus invisível, mas, na vida vindoura, essa experiência da fé se tornará um fato consumado. Ele verá Deus face a face, uma bênção que alguns teólogos chamam de "visão beatífica".

Descreve-se o céu por vários títulos: 1) Paraíso (literalmente, jardim), lembrando-nos a felicidade e a beatitude dos nossos primeiros pais ao caminhar e conversar com o Senhor Deus (Ap 2.7; 2Co 12.4). 2) "Casa de meu Pai", com muitos aposentos (Jo 14.2), o que descreve o conforto, o descanso e a comunhão do lar. 3) O país celestial, a caminho do qual estamos viajando, como Israel naquele tempo se destinava a Canaã, a terra prometida (Hb 11.13-16). 4) Uma cidade, o que sugere a ideia de uma sociedade organizada (Hb 11.10; Ap 21.2).

Devemos distinguir as três fases seguintes na condição dos cristãos que partiram desta vida: primeira, existe um estado intermediário de descanso enquanto aguardam a ressurreição; segunda, depois da ressurreição segue-se o juízo das obras (2Co 5.10; 1Co 3.10-15); terceira, ao fim do Milênio, a nova Jerusalém, o lar final dos abençoados, descerá do céu (Ap 21). A nova Jerusalém descerá do céu, pois faz parte do céu e, portanto, é o céu no pleno sentido da palavra. Onde quer que Deus se revele pela sua presença pessoal e pela glória celeste, aí é céu, e é dessa maneira que podemos descrever a nova Jerusalém (Ap 22.3,4).

Por que essa cidade desce do céu? O propósito final de Deus é trazer o céu à terra (cf. Dt 11.21). Ele convergirá "em Cristo todas as coisas, celestiais ou terrenas, na dispensação da plenitude dos tempos" (Ef 1.10); e, nesse momento, Deus será "tudo em todos" (1Co 15.28).

Embora a nova Jerusalém não chegue até a terra, ela será visível aos moradores da terra, pois "as nações andarão em sua luz" (Ap 21.24).

2. Necessidade de haver céu

O estudo das religiões revela o fato de que a alma humana instintivamente crê que existe céu. Esse instinto foi implantado no coração do homem pelo próprio Deus, o Criador dos instintos humanos. Os argumentos que provam a existência da vida futura não são formulados essencialmente para que os homens acreditem nessa vida futura, mas porque os homens já acreditam e desejam trazer a inteligência sujeita às mais profundas intuições do coração.

O céu também é essencial às exigências da justiça. Os sofrimentos dos justos sobre a terra e a prosperidade dos ímpios exigem um estado futuro no qual se faça plena justiça. A Bíblia ensina que esse lugar existe. Platão, o mais sábio dos gregos, opinou que a vida futura era uma probabilidade e aconselhou os homens a colherem as melhores opiniões a esse respeito para daí embarcar nelas como que numa balsa e navegar perigosamente os mares da vida, "a não ser que pudessem, de forma mais segura, achar um navio melhor, ou uma palavra divina". Essa palavra divina que os sábios desejaram são as Escrituras Sagradas, nas quais se ensina a existência da vida futura, não como opinião ou teoria, mas como fato absoluto.

3. As bênçãos do céu

a) **Luz e beleza** (Ap 21.23; 22.5). A melhor linguagem humana é inadequada para descrever as gloriosas realidades da vida futura. Nos capítulos 21 e 22 de Apocalipse, o Espírito emprega uma linguagem que nos ajuda a compreender algo das belezas do outro mundo.

> A toupeira que vive em um buraco na terra não pode compreender a vida da águia que voa acima das altas montanhas. Um mineiro que nascesse em uma mina, 500 metros abaixo da superfície, e que aí passasse todos os seus dias, sem nunca ter visto a superfície da terra, como seria difícil tentar descrever-lhe as delícias visuais das árvores verdes, dos campos floridos, dos rios, dos pomares, dos picos de montanhas e do céu estrelado! Ele não apreciaria nada disso, pois seus olhos não viram, seus ouvidos não ouviram e não entrou em seu coração o conhecimento dessas coisas.

b) **Plenitude de conhecimento** (1Co 13.12). O sentimento expresso pelo sábio Sócrates, ao dizer: "Só sei que nada sei", tem sido repetido pelos sábios desde aquela época até hoje. O homem está rodeado de mistérios e anseia por sabedoria. No céu, esse anseio será satisfeito plenamente; os mistérios do Universo serão desvendados; os problemas teológicos complexos se desvanecerão. Assim, desfrutaremos de melhor qualidade de conhecimento — o conhecimento de Deus.

c) **Descanso** (Ap 14.13; 21.4). Pode-se ter uma ideia sobre o céu, se o contrastarmos com as desvantagens da vida presente. Pense em tudo que neste mundo provoca fadiga, dor, luta e tristeza. Agora, considere que no céu essas coisas não nos perturbarão.

d) **Serviço.** Existem pessoas acostumadas a uma vida muito ativa que não se interessam pelo céu, pois pensam que o céu é um lugar de inatividade em que seres etéreos passarão o tempo tocando harpa. Essa concepção, porém, não é exata. É verdade que os redimidos tocarão harpas, porque a música será um dos deleites celestiais. Haverá trabalho a fazer também: "[...] estão diante do trono de Deus e o servem dia e noite em seu santuário" (Ap 7.15); "[...] e os seus servos o servirão" (Ap 22.3). Aquele que colocou o homem no primeiro paraíso, com instruções sobre como se guardar e vestir, certamente não deixará o homem sem ter o que fazer no segundo paraíso.

e) **Alegria** (Ap 21.4). O maior prazer experimentado neste mundo, mesmo que ampliado 1 milhão de vezes, ainda não expressaria a alegria que os filhos de Deus terão no Reino. Se um poderoso rei, possuidor de ilimitadas riquezas, quisesse construir um palácio para sua noiva, esse palácio seria tudo quanto a arte e os recursos pudessem prover. Deus ama seus filhos infinitamente mais que qualquer ser humano é capaz de amar. Possuindo recursos inexauríveis e infinitas habilidades, ele pode fazer um lar cuja beleza ultrapasse tudo quanto a arte e a imaginação humanas poderiam conceber: "E se eu for e lhes preparar lugar, voltarei e os levarei para mim" (Jo 14.3).

f) **Estabilidade.** A alegria do céu será eterna. De fato, a permanência é uma das necessidades para que a felicidade seja perfeita. Por mais gloriosas que sejam a beleza e as bênçãos celestiais, saber que essas coisas acabariam já é suficiente para que a alegria perca sua perfeição. Lembrar-se de que inevitavelmente tudo finda seria um empecilho à alegria perfeita. Todos desejam o estado permanente — saúde permanente, paz permanente e prosperidade permanente. A instabilidade e a insegurança são temidas por todos. Mas a felicidade no céu é justamente a promessa divina de que a alegria nunca deve terminar nem diminuir de intensidade.

g) Alegrias sociais (Hb 12.22,23; 1Ts 4.13-18). Por natureza, o homem é um ser social. O homem solitário é anormal e raro. Se, na vida presente, as alegrias sociais proporcionam tanta felicidade, muito mais gloriosa será a amável comunhão social no céu! Nos relacionamentos humanos, mesmo as pessoas mais chegadas a nós têm suas falhas e características que destroem sua personalidade. No céu, os amigos e parentes não terão falhas. As alegrias sociais nesta vida são acompanhadas de desapontamento. Muitas vezes, os próprios familiares causam-nos grandes tristezas; as amizades acabam, e o amor desvanece. Mas, no céu, não haverá os mal-entendidos e nenhuma rixa; tudo será bom e belo, sem sombra e sem defeito, cheio de sabedoria celestial, com a personalidade celestial resplandecendo em tudo.

h) Comunhão com Cristo (Jo 14.3; 2Co 5.8; Fp 1.23). "Mesmo não o tendo visto, vocês o amam; e apesar de não o verem agora, creem nele e exultam com alegria indizível e gloriosa" (1Pe 1.8). Naquele dia, seremos como ele é, pois o veremos como ele é; nosso corpo será como seu corpo glorioso; nós o veremos face a face; aquele que pastoreou seu povo no vale de lágrimas, no céu conduzirá esse povo de alegria em alegria, de glória em glória e de revelação em revelação.

VI. O DESTINO DOS ÍMPIOS

1. O ensino bíblico

O destino dos ímpios é estar eternamente separado de Deus e sofrer por toda a eternidade o castigo que se chama a segunda morte. Graças à sua natureza terrível, esse é um assunto diante do qual se costuma recuar; entretanto, é necessário tomar conhecimento dele, pois é uma das grandes verdades da divina revelação. Por essa razão, Cristo, manso e amoroso, avisou os homens sobre os sofrimentos no inferno. Sua declaração acerca da esperança do céu aplica-se também à existência do inferno — "se não fosse assim, eu lhes teria dito" (Jo 14.2).

O inferno é um lugar de extremo sofrimento (Ap 20.10), onde se tem remorso em razão das lembranças (Lc 16.19-31), sente-se inquietação (Lc 16.24), vergonha, desprezo (Dn 12.2) e desespero (Pv 11.7; Mt 25.41), e onde se associam pessoas vis (Ap 21.8).

2. Opiniões errôneas

a) Universalismo. Ensina que, no fim, todos os homens serão salvos, pois argumentam que Deus é amoroso demais para excluir alguém do céu. Essa teoria é refutada pelas seguintes passagens: Romanos 6.23; Lucas 16.19-31; João 3.36 e outras. Na realidade, é a misericórdia de Deus que exclui do céu o ímpio, pois este não se adaptaria no ambiente celestial, como também o justo não se adequaria no inferno.

b) Restauracionismo. A doutrina da restauração de todas as coisas ensina que o inferno não é eterno, e sim apenas uma experiência temporária que tem por fim purificar o pecador para que possa entrar no céu. Se assim fosse, então o fogo infernal teria mais poder que o sangue de Cristo. A experiência também nos ensina que a punição em si não regenera; ela pode restringir, mas não transformar.

Os partidários dessa escola de pensamento afirmam que o termo "eterno", na língua grega, significa "duração de século ou época", e não duração infinita. Mas, segundo Mateus 25.41, se a punição dos ímpios tiver fim, então também a felicidade dos justos terá fim. Assim comenta o doutor MacLaren:

> Ao aceitar reverentemente as palavras de Cristo como palavras de perfeito amor e sabedoria infalível, este autor [...] receia que, na avidez de discutir a duração, seja ofuscada a realidade da futura retribuição, e os homens passem a discutir sobre o "terror do Senhor" a ponto de não se impressionarem mais com ele.

Os hábitos tendem a se fixar. A tendência do caráter é tornar-se permanente. Não há razão para crer que Deus futuramente, mais que no presente, obrigue a pessoa a ser salva.

c) **Segundo período probatório.** Ensina que todos, no período entre a morte e a ressurreição, terão outra oportunidade para aceitar a salvação. As Escrituras, entretanto, ensinam que na morte já se fixou o destino do homem (Hb 9.27). Além disso, quantos aceitarão a oportunidade atual se pensarem que haverá outra? Segundo as leis da natureza humana, se negligenciarem a primeira oportunidade, eles estarão menos dispostos a aceitar a segunda.

d) **Aniquilamento.** Ensina que Deus aniquilará os ímpios. Os partidários dessa doutrina citam 2Tessalonicenses 1.9 e outras passagens que afirmam que os ímpios serão destruídos. Contudo, o sentido da palavra, conforme usada nas Escrituras, não é "aniquilar", mas causar ruína. Se, nesse versículo, a palavra "destruição" significa aniquilar, então a palavra "eterna" no mesmo versículo seria supérflua, pois aniquilamento só pode ser eterno.

Também citam passagens que expõem a morte como a pena do pecado. Mas, nesses casos, refere-se à morte espiritual, e não à morte física; e morte espiritual significa separação de Deus. A promessa de vida feita ao obediente não significa o dom de "existência", pois esse dom todos os homens o possuem. Se a vida, como um galardão, não significa o mero dom da existência, então a morte como penalidade também não significa a mera perda de existência.

VII. A SEGUNDA VINDA DE CRISTO

1. A sua vinda

A segunda vinda de Cristo é mencionada mais de 300 vezes no NT. Paulo refere-se ao evento umas 50 vezes. Alguém já disse que a segunda vinda é mencionada oito vezes mais que a primeira.

Epístolas inteiras (1 e 2Ts) e capítulos inteiros (Mt 24; Mc 13) são dedicados ao assunto. Sem dúvida, é uma das doutrinas mais importantes do NT.

2. A maneira de sua vinda

Será de maneira pessoal (Jo 14.3; At 1.10,11; 1Ts 4.16; Ap 1.7; 22.7), literal (At 1.10; 1Ts 4.16,17; Ap 1.7; Zc 14.4), visível (Hb 9.28; Fp 3.20; Zc 12.10) e gloriosa (Mt 16.27; 25.31; 2Ts 1.7-9; Cl 3.4).

Há interpretações que procuram evitar a opinião de que a vinda de Cristo seja literal e pessoal. Alguns ensinam que a morte é a segunda vinda de Cristo. Mas a Bíblia mostra que a segunda vinda é o contrário da morte, pois os mortos em Cristo ressuscitarão nessa ocasião. Com a morte, iremos para Cristo, mas, em sua vinda, ele vem para nos buscar. Certas passagens (Mt 16.28; Fp 3.20) perdem seu significado se substituíssemos morte por segunda vinda. Finalmente, a morte é um inimigo, enquanto a segunda vinda de Cristo é a gloriosa esperança.

Alguns sustentam que a segunda vinda foi a descida do Espírito no dia de Pentecoste. Outros ensinam que Cristo veio no tempo da destruição de Jerusalém, no ano 70 d.C., mas, em cada um desses casos, não houve ressurreição dos mortos, nem o arrebatamento dos vivos, nem outros eventos preditos que acompanharão a segundo vinda.

3. O tempo de sua vinda

Houve tentativas para determinar a data da vinda de Cristo, mas em nenhuma delas o Senhor veio na hora marcada pelos homens! Ele declarou que o tempo exato de sua vinda está oculto nos conselhos divinos (Mt 24.36-42; Mc 13.21,22). É bom que seja assim. Quem gostaria de saber com antecedência a hora exata de sua morte? Tal conhecimento teria o efeito de perturbar e inutilizar a pessoa para as tarefas da vida. Basta que saibamos que a morte pode vir a qualquer instante; portanto, "enquanto é dia, precisamos realizar a obra daquele que me enviou. A noite se aproxima, quando ninguém pode trabalhar" (Jo 9.4). O mesmo raciocínio serve em relação ao "dia da morte" desta era. Esse dia também não nos foi revelado, mas sabemos que será repentino (1Co 15.52; Mt 24.27) e inesperado (2Pe 3.4; Mt 24.48-51; Ap 16.15). O Senhor avisa seus servos: "Façam esse dinheiro render até a minha volta" (Lc 19.13).

Temos a seguir um panorama geral do ensino de Cristo sobre o tempo da sua vinda: após a destruição de Jerusalém, os judeus, expulsos de sua terra, vagarão por todas as nações, e a terra deles passará a ser subjugada pelos gentios até o fim dos tempos, quando Deus julgará as nações gentias (Lc 21.24). Durante esse período, os servos de Cristo levarão sua obra avante (Lc 19.11-27), pregando o evangelho a todas as nações (Mt 24.14). Será um tempo de demora durante o qual a Igreja muitas vezes será tentada a duvidar do retorno de seu Senhor (Lc 18.1-8), e, enquanto o Noivo demora, alguns se prepararão para isso e outros se tornarão negligentes (Mt 25.1-11). Ministros infiéis se desviarão, dizendo consigo mesmos: "Meu senhor se demora a voltar" (Lc 12.45). "Depois de muito tempo" (Mt 25.19), "à meia-noite" (Mt 25.6), em hora e dia desconhecidos, e os quais nenhum de seus discípulos pode precisar (Mt 24.36,42,50), o Senhor repentinamente aparecerá para ajuntar seus servos e julgá-los segundo suas obras (Mt 25.19; 2Co 5.10). Mais tarde, depois de o evangelho ter sido pregado universalmente, e após o mundo havê-lo rejeitado, quando o povo estiver vivendo completamente ignorante quanto à iminente catástrofe, como nos dias de Noé (Mt 24.37-39) e nos dias da destruição de Sodoma (Lc 17.28,29), o Filho do homem virá em glória e poder para julgar as nações do mundo e sobre elas reinar (Mt 25.31-46).

4. Os sinais de sua vinda

As Escrituras ensinam que a aparição de Cristo, a qual inaugura o período do Milênio, será precedida por um tempo agitado de transição, no qual haverá distúrbios físicos, guerras, crises econômicas, declínio moral, apostasia religiosa, infidelidade, pânico geral e perplexidade. A última parte desse período transitório chama-se "grande tribulação", durante a qual o mundo inteiro estará sob o domínio de um governo anticristão contra Deus. Crentes em Deus serão brutalmente perseguidos, e a nação judaica, em particular, passará pela fornalha da aflição.

5. O propósito de sua vinda

a) **Em relação à Igreja.** Assim escreve o doutor Pardington:

> Assim como a primeira vinda do Senhor se estendeu por um período de trinta anos, também a segunda vinda inclui vários eventos diferentes. Na primeira vinda, em Belém, ele foi revelado como bebê; mais tarde, ao ser batizado, como o Cordeiro de Deus; e, no Calvário, como o Redentor. Na segunda vinda, ele aparecerá aos seus, secreta e repentinamente, para levá-los às bodas do Cordeiro (Mt 24.40,41).

Essa aparição chama-se arrebatamento, a parúsia (que, em grego, significa "vinda", "presença" ou "advento"). Nessa ocasião, os crentes serão julgados para determinar as suas recompensas por serviços prestados (Mt 25.14-30).

Após o arrebatamento, segue-se um período de terrível tribulação, que terminará na revelação ou manifestação aberta de Cristo, proveniente do céu, quando ele estabelecerá seu Reino messiânico sobre a terra.

b) Em relação a Israel. Aquele que é o Cabeça e Salvador da Igreja, o povo do céu, é também o Messias prometido a Israel, o povo terrestre. Como Messias, ele libertará esse povo da tribulação, o congregará dos quatro cantos da terra, o restaurará em sua antiga terra e reinará sobre ele como o Rei da Casa de Davi há muito prometido.

c) **Em relação ao anticristo.** O Espírito do anticristo já está no mundo (1Jo 4.3; 2.18; 2.22), mas ainda virá outro anticristo final (2Ts 2.3). Nos últimos dias, ele se levantará no velho mundo (Ap 13.1) e se tornará o soberano sobre um Império Romano ressuscitado, que dominará todo o mundo. Assumirá grande poder político (Dn 7.8,25), comercial (Dn 8.25; Ap 13.16,17) e religioso (Ap 17.1-15). Ele será anti-Deus e anticristo e perseguirá os cristãos na tentativa de extinguir o cristianismo (Dn 7.25; 8.24; Ap 13.7,15). Sabendo que os homens desejam ter alguma religião, ele estabelecerá um culto baseado na divindade do homem e na supremacia do Estado. Como personificação desse Estado, ele exigirá ser adorado e formará um sacerdócio para fazer cumprir e promulgar essa adoração (2Ts 2.9,10; Ap 13.12-15).

O anticristo levará ao extremo a doutrina da supremacia do Estado, a qual ensina que o governo é o poder supremo, ao qual tudo, incluindo a própria consciência do homem, deve estar subordinado. Visto que, segundo eles, não existe poder nem lei mais elevados que o Estado, Deus e sua lei precisam ser abolidos para se prestar culto ao Estado.

A primeira tentativa para estabelecer o culto ao Estado está registrada em Daniel 3. Nabucodonosor orgulhou-se do poderoso império que edificara: "Acaso não é esta a grande Babilônia que eu construí [...]?" (Dn 4.30). Nabucodonosor ficou tão deslumbrado diante do poderio do governo humano que para ele o Estado se tornou como um deus. Haveria melhor maneira de impressionar os homens com sua glória do que ordenar-lhes que o símbolo desse governo fosse venerado? Portanto, ele edificou uma grande imagem dourada e mandou que todos os povos se prostrassem diante dela, sob pena de morte. A imagem não foi a de uma divindade local, mas representava o próprio Estado. Recusar cultuar a imagem era considerado ateísmo ou traição. Ao instituir essa nova religião, Nabucodonosor parecia dizer ao povo: "Quem deu a vocês as belas cidades, as boas estradas e belos jardins? O Estado! Quem provê os alimentos e serviço, quem funda escolas e patrocina templos para vocês? O Estado! Quem defende vocês dos ataques dos inimigos? O Estado! Não será, portanto, o Estado, esse poderio, um deus? Assim, de que maior deus necessitam que não o exaltado Estado? Prostrem-se perante o símbolo da grande Babilônia!". Se Deus não o tivesse humilhado por seu orgulho blasfemo (Dn 4.28-37), Nabucodonosor talvez teria exigido o culto de sua própria pessoa como chefe do Estado.

Como os três jovens hebreus (Dn 3) foram perseguidos por se recusarem a curvar-se perante a imagem de Nabucodonosor, também os cristãos do século I sofreram porque se recusaram a render homenagens divinas à imagem de César. No Império Romano, havia tolerância para todas as religiões, mas sob a condição de que a imagem de César fosse venerada como símbolo do Estado. Os cristãos foram perseguidos não tanto por sua lealdade a Cristo, mas porque se recusaram a adorar César, dizendo: "César é Senhor". Recusaram-se a cultuar o Estado como deus.

A Revolução Francesa oferece outro exemplo dessa política. Deus e Cristo foram lançados fora, e fez-se da "pátria" (o Estado) um deus, ou deusa. Assim disse um dos líderes: "O Estado é supremo em todas as coisas. Quando o Estado se pronuncia, a Igreja não tem nada a dizer". Lealdade ao Estado elevou-se à posição de religião. A assembleia decretou que em todas as vilas fossem levantados altares com a seguinte inscrição: "O cidadão nasce, vive e morre pela pátria". Preparou-se um ritual para batismos, casamentos e enterros civis. A religião do Estado possuía seus hinos e orações, seus jejuns e festas.

O NT reconhece o governo humano como divinamente ordenado para a manutenção da ordem e da justiça. O cristão, por conseguinte, deve lealdade à sua pátria. Tanto a Igreja quanto o Estado têm sua parte no programa divino, e cada qual deve limitar-se à sua esfera de ação. Deus deve receber o que lhe pertence, e César deve receber o que lhe pertence.

Contudo, César muitas vezes exige coisas que são de Deus, e o resultado é que a Igreja, contra sua vontade, entra em choque com o governo.

As Escrituras preveem que esses conflitos futuramente chegarão ao ponto máximo. A última civilização será anti-Deus, e o anticristo, seu chefe, o ditador mundial, tornará as leis desse superestado supremas sobre todas as demais leis e exigirá o culto à sua pessoa como a personificação do Estado. As mesmas Escrituras predizem a vitória de Deus, como também que ele, sobre as ruínas desse império mundial e anticristão, levantará seu Reino no qual Deus é supremo — o Reino de Deus (Dn 2.34,35,44; Ap 11.15; 19.11-21).

d) Em relação às nações. As nações serão julgadas, os reinos do mundo, destruídos, e todos os povos estarão sujeitos ao Rei dos reis (Dn 2.44; Mq 4.1; Is 49.22,23; Jr 23.5; Lc 1.32; Zc 14.9; Is 24.23; Ap 11.15). Cristo regerá as nações com vara de ferro; tirará toda a opressão e injustiça da terra e inaugurará a idade áurea de mil anos (Sl 2.7-9; 72; Is 11.1-9; Ap 20.6).

"Então virá o fim, quando ele entregar o Reino a Deus, o Pai, depois de ter destruído todo domínio, autoridade e poder" (1Co 15.24). Há três estágios na obra de Cristo como mediador: sua obra como Profeta, cumprida durante seu ministério terrestre; sua obra como Sacerdote, começada na cruz e continuada durante a dispensa-ção atual; e sua obra como Rei, iniciada com a sua vinda e continuada durante o Milênio. Depois do Milênio, ele terá cumprido sua obra de unir a humanidade a Deus, de forma que os habitantes do céu e da terra formem uma só grande família, e Deus será tudo e estará em todos (Ef 1.10; 3.14,15). Contudo, Cristo continuará a reinar como o Deus-homem, como também partilhará do governo divino, pois "seu Reino jamais terá fim" (Lc 1.33).

Questionário

Introdução

1. Como se define a doutrina cristã?
2. De que outro nome podemos chamar o estudo da doutrina cristã?
3. O que é teologia?
4. Que relação existe entre doutrina e religião?
5. Que diferença existe entre doutrina e dogma?
6. Cite quatro aspectos que demonstram o valor da doutrina.
7. Cite cinco classificações de doutrina e dê uma explicação sobre cada uma delas.
8. Mencione os 11 temas do sistema de doutrina desta introdução.

CAPÍTULO 1 — As Escrituras

1. Resuma em poucas palavras por que necessitamos das Escrituras.
2. Por que as Escrituras tomaram forma de livro?

3. Mencione dois versículos que demonstram a inspiração das Escrituras.
4. Dê uma definição de inspiração, com base na declaração de Pedro (2Pe 1.21).
5. Mencione cinco aspectos positivos da inspiração das Escrituras.
6. Compare "inspiração" com "iluminação" ou "esclarecimento".
7. Explique em que sentido a inspiração é viva, e não mecânica.
8. Em que nos fundamentamos para afirmar que a inspiração das Escrituras é completa, e não meramente parcial?
9. Deus também inspirou as palavras ou somente os pensamentos dos escritores? Explique.
10. Aponte a distinção entre revelação e inspiração e dê um exemplo.
11. Existem palavras não inspiradas nos registros inspirados? Dê um exemplo.
12. Que prova há no AT de que ele foi escrito por inspiração de Deus? Cite algumas referências bíblicas.
13. Forneça algumas referências bíblicas que demonstrem que Paulo e outros autores do NT falaram com autoridade divina.
14. Mencione quatro declarações a respeito da Bíblia que sustentem a afirmação de que ela é inspirada.
15. De que maneira nosso coração confirma a inspiração das Escrituras?

CAPÍTULO 2 — Deus

1. As Sagradas Escrituras não procuram demonstrar formalmente a existência de Deus. Por quê?
2. Por que procuramos provar a existência de Deus? (Cite três razões.)

3. Mencione três fontes ou esferas das quais podemos deduzir a existência de Deus.
4. Indique cinco provas da existência de Deus nas três fontes citadas na resposta anterior.
5. Mostre de que maneira o Universo demonstra a existência de Deus.
6. De que maneira o desígnio e a beleza do Universo demonstram a existência de Deus?
7. Como a natureza do homem demonstra, de maneira consciente, a existência de Deus?
8. Demonstre como a atuação divina na história humana prova a existência de Deus.
9. O que a crença universal em Deus demonstra?
10. O que é ateísmo?
11. Dê os cinco nomes bíblicos mais comuns de Deus e explique cada um deles.
12. Mencione e defina brevemente cinco crenças errôneas a respeito de Deus.
13. Que diferença existe entre os nomes de Deus e seus atributos?
14. O que significa "atributo" de Deus?
15. Dê a classificação dos atributos de Deus e o significado de cada um deles.
16. Mencione três atributos sem relação entre si e defina cada um deles.
17. Mencione os dois significados da onipotência de Deus.
18. O que significa a "onipresença" de Deus?
19. O que significa a palavra "onisciente"? Cite alguns versículos que demonstram que Deus é onisciente.

20. Defina a sabedoria de Deus em relação à sua onisciência e onipotência.
21. O que é a Providência?
22. Em que sentido a doutrina acerca de Deus estimula a fé?
23. Quais são os atributos morais de Deus? (Cite seis.)
24. O que significa a "santidade" de Deus?
25. De que maneira o homem pode santificar Deus?
26. O que é justiça?
27. Se Deus é bom e amoroso, como se explica o mal e o sofrimento no mundo?
28. Mencione cinco maneiras em que Deus demonstra sua justiça.
29. Discorra sobre a obra individual e a função de cada uma das pessoas da Trindade, explicando de que maneira as três pessoas exercem suas funções.
30. Por que foi difícil definir a doutrina da Trindade?
31. Demonstre por meio das Escrituras que o sabelianismo é um erro.
32. Por que o AT não ensina clara e diretamente sobre a doutrina da Trindade?
33. Em que passagem do AT podemos encontrar o princípio da doutrina da Trindade?
34. Cite algumas referências bíblicas em que o Pai, o Filho e o Espírito Santo são mencionados separadamente no AT.
35. Quais são os dois grandes fatos que a igreja primitiva reconheceu em relação a Deus?
36. Cite algumas passagens do NT que mencionam a Trindade.
37. Dê três ilustrações relativas à Trindade tiradas respectivamente do Universo físico, da personalidade do homem e das relações humanas.

CAPÍTULO 3 — Os anjos

1. Cite cinco palavras que descrevam a natureza dos anjos e explique cada uma delas.
2. Mencione seis classes de anjos e identifique cada uma delas.
3. Que características têm os anjos? (Cite cinco.)
4. Que obras eles realizam? (Cite três.)
5. Escreva sobre a origem de Satanás.
6. Dê os seis títulos ou nomes pelos quais Satanás é conhecido.
7. Mencione algumas circunstâncias que mostram Satanás como o "adversário" que opera contra o Messias e a Igreja.
8. Descreva a natureza das atividades de Satanás e defina em que esfera ele atua.
9. Por que Satanás realiza suas atividades contra nós?
10. Quais restrições Deus pôs sobre as atividades de Satanás?
11. Escreva sobre a carreira de Satanás, desde sua origem até seu julgamento final.
12. Quais são as duas classes em que se dividem os espíritos maus?
13. Escreva o que sabe a respeito dos anjos decaídos e de sua habitação.
14. De que maneira eles adquiriram poder sobre o homem? Como foi quebrado esse poder?
15. Há redenção para eles? Qual é seu destino final?
16. Como os Evangelhos descrevem os demônios?
17. Quais os efeitos de sua habitação nos seres humanos?
18. Descreva como se altera a personalidade de uma pessoa possuída por demônios.
19. Qual a motivação dos demônios para se apoderarem do corpo humano?
20. Estabeleça alguns paralelos entre a possessão demoníaca e a habitação do Espírito Santo.

CAPÍTULO 4 — O homem

1. O que é a doutrina de "criação especial"?
2. Que teoria surgiu em oposição à criação especial? O que ela ensina?
3. O que é uma espécie? O que uma espécie pode produzir?
4. Houve, alguma vez, a transmutação de espécie?
5. Por meio de que prova se conhece a distinção entre as espécies?
6. Que testemunho apresenta o doutor Etheridge para demonstrar a falsidade da evolução?
7. Segundo Gênesis 2.7, de que substância o homem se compõe?
8. Conforme o NT, enumere as três substâncias das quais o homem se compõe?
9. Descreva o espírito do homem.
10. De que maneira o espírito do homem é diferente de todas as coisas conhecidas e criadas?
11. De que maneira o espírito do homem relaciona-se com a qualidade de seu caráter?
12. Como é a natureza da alma do homem?
13. Que diferença existe entre a alma do homem e a dos animais?
14. Cite os dois pontos de vista em relação à origem da alma.
15. Descreva em poucas palavras a relação entre a alma e o corpo (cite quatro pontos).
16. Quais são os cinco instintos mais importantes?
17. De que maneira revelam-se esses instintos nos capítulos 1 e 2 de Gênesis?
18. Explique as expressões "consciência", "corpo do pecado", "mente carnal" e "a carne".
19. Cite exemplos de perversão dos instintos dados por Deus, a qual é a base do pecado.

20. Quais são as consequências dessa perversão?
21. Qual é o remédio para essa perversão?
22. Qual é o centro da vida física, e onde se encontram as diretrizes da vida espiritual e da alma? (Cite três pontos.)
23. Que relação existe entre a alma e o sangue?
24. Quais são os três termos que se aplicam ao corpo?
25. Descreva os cinco elementos que constituem a imagem divina no homem.

CAPÍTULO 5 — O pecado

1. Descreva em poucas palavras o ateísmo, o determinismo, o hedonismo, a Ciência Cristã e a evolução.
2. Faça um resumo da história relacionada à origem do pecado, explicando as palavras "tentação", "culpa", "juízo" e "redenção".
3. Defina a natureza do pecado conforme revelada no AT, demonstrando como ela opera nas seguintes esferas: moral, conduta fraternal, santidade, verdade e sabedoria.
4. Apresente nove palavras ou expressões do NT que descrevam o pecado.
5. Explique como o pecado é tanto um ato quanto um estado. Quais as duas consequências disso?
6. Que efeito teve o pecado sobre a imagem divina no homem?
7. O que é o "pecado original"?
8. Cite alguns versículos que descrevam a condição moral da alma.
9. Descreva o conflito interno do homem. De que maneira pode-se obter paz?
10. Explique a passagem que diz: "Não comam do fruto da árvore [...]; do contrário vocês morrerão" (Gn 3.3).
11. Qual o significado da palavra "destruição" quando usada em relação à sorte dos ímpios?

CAPÍTULO 6 — O Senhor Jesus Cristo

1. Cite os sete nomes de Cristo que respondem à pergunta: Quem é Cristo?
2. O que significa o título "Filho de Deus"?
3. O que Jesus sabia sobre si mesmo quando era menino?
4. Em que ocasião ele afirmou que era o Filho de Deus? Que expressão usou?
5. Que confirmação Jesus teve sobre sua divindade?
6. Quais são as afirmações de Jesus em relação à sua divindade?
7. O que você diria em relação à autoridade de Cristo?
8. Descreva a pureza de Cristo.
9. De que maneira seus discípulos testificaram em relação à divindade dele?
10. Explique de que maneira a igreja primitiva adorou o Pai e o Filho.
11. O que significa a expressão "Palavra de Deus"?
12. Faça uma exposição do título "Senhor" em relação à divindade, à exaltação e à soberania de Cristo.
13. O que significa o título "Filho do homem" aplicado a Cristo?
14. Por meio de que ato ou circunstância o Filho de Deus veio a ser Filho do homem?
15. O que significa a encarnação?
16. Por que o Filho de Deus se fez Filho do homem? (Cite três razões.)
17. O que significa o título "Cristo"?
18. Demonstre como as profecias referentes ao Messias foram cumpridas em Jesus.
19. Descreva a esperança messiânica dos judeus, e como Jesus se comportou em relação a ela.

20. Apresente uma ampla definição do título "Messias". Explique por que o Messias teria de morrer.
21. O que significa o título "Filho de Davi"?
22. Em que sentido Jesus era "Senhor" de Davi e, ao mesmo tempo, seu "Filho"?
23. Explique o título "Pai da eternidade".
24. O que significa o nome "Jesus"?
25. Quais são os três ofícios de Cristo?
26. Faça um comentário sobre o ministério de Cristo como Profeta.
27. Faça um comentário sobre o ministério de Cristo como Sacerdote.
28. Faça um comentário sobre o ministério de Cristo como Rei.
29. Qual foi a obra suprema que Jesus realizou?
30. Qual a característica única da religião cristã? O que significa?
31. Por que a ressurreição de Cristo é importante para o cristianismo?
32. Que significado tem a ressurreição? (Cite três pontos.)
33. Que significado tem a ascensão de Cristo? (Cite seis pontos.)
34. Explique como Cristo é o nosso Mediador.
35. Que tipo de petição Jesus faz ao Pai durante seu ministério de intercessão?
36. Mencione três considerações que dão força à sua função como advogado.
37. Quais os valores práticos da doutrina da ascensão? (Cite cinco pontos.)

CAPÍTULO 7 — A expiação

1. Por que estudamos os sacrifícios do AT?
2. Quando foi idealizado o plano da expiação? Cite um versículo para apoiar sua declaração.

3. Quando se instituiu a expiação na terra?
4. Descreva o primeiro sacrifício e seu significado.
5. Quais as duas ideias fundamentais que deram origem aos sacrifícios praticados, mesmo pelos pagãos, em todos os tempos e em toda parte? Explique o significado delas.
6. O que Romanos 1.19-32 revela em relação à queda das nações na idolatria? Quais são os três passos nessa degradação?
7. O que Deus propôs que fosse feito por intermédio de Abraão?
8. Quais os quatro sacrifícios oferecidos pelos israelitas, e com que propósito?
9. De que maneira Cristo cumpriu o propósito desses sacrifícios?
10. Até que ponto os sacrifícios do AT eram "bons"?
11. Mencione os quatro aspectos em que o sacrifício do NT é melhor que o do AT.
12. O que foi revelado a Jeremias sobre a redenção futura?
13. Faça um comentário sobre Hebreus 10.6-10 e 10.17,18.
14. Fundamentados em que os crentes do AT foram salvos? Explique o processo.
15. Que pensamento sugere Hebreus 9.15?
16. De que benefícios os crentes do NT desfrutam dos quais não desfrutaram os do AT?
17. O que os escritores modernos liberais afirmam em relação à morte de Cristo? O que dizem os Evangelhos sobre o assunto?
18. Como devemos considerar a morte de Cristo?
19. Que cerimônia comemora a redenção da humanidade?
20. O que significa a santidade de Deus?
21. O que perturba as relações entre o homem e Deus?
22. Essencialmente, o que é o pecado?
23. Qual é a função da expiação?

24. O que provoca a ira de Deus?
25. O que a cruz de Cristo revela?
26. Explique os dois conceitos falsos sobre a expiação.
27. Explique como, por meio da expiação, Deus demonstra seu caráter misericordioso e, ao mesmo tempo, justo.
28. Quais são as cinco palavras que descrevem a natureza da expiação? Faça uma breve explicação de cada uma delas.
29. Explique o que significa a palavra "expiação". Qual é a ideia principal que ela transmite?
30. Cite alguns versículos que demonstram que a morte de Cristo foi expiatória.
31. Explique o que significa a palavra "propiciação".
32. Explique o que significa a palavra "substituição".
33. O que significa "redenção"?
34. O que significa "reconciliação"?
35. Mencione os cinco efeitos da expiação e o significado de cada um deles.

CAPÍTULO 8 — A salvação

1. Mencione os três aspectos da salvação.
2. Explique cada um desses aspectos.
3. Essas bênçãos são simultâneas ou consecutivas? Explique.
4. Em relação ao termo "justificação", qual termo judicial se emprega em relação a Deus, a Cristo, ao pecado e ao arrependimento? Explique cada caso.
5. Em relação à palavra "salvação", qual outra expressão descreve nossa situação perante Deus, Cristo, o pecado e a regeneração?
6. Em relação à vida santificada, quais os termos que descrevem Deus, Cristo, o pecado, a expiação e o arrependimento?

7. Como recebemos as três bênçãos da graça: justificação, regeneração e santificação?
8. A salvação é objetiva ou subjetiva?
9. De que maneira alcançamos esses aspectos externo e interno?
10. Quais são as condições para a salvação?
11. Qual a diferença entre o arrependimento e a fé?
12. Pode haver fé sem arrependimento?
13. Defina arrependimento. De que maneira o Espírito Santo ajuda a pessoa a se arrepender?
14. A fé é atividade humana ou divina?
15. Qual é, portanto, a fé que salva?
16. O que é "conversão"?
17. Como se distingue a conversão da salvação?
18. Como cooperam as atividades divinas e humanas na conversão?
19. O que significa "justificação"?
20. Qual é a diferença entre justificação e perdão?
21. Qual o livro do NT que apresenta o plano de salvação de forma sistemática e detalhada?
22. O que revela essa epístola em relação aos passos da degradação dos gentios e sua condenação?
23. Por que os judeus também foram condenados?
24. O que é a "justiça" e como o homem a consegue?
25. Qual é o propósito da Lei?
26. Qual é a importância da palavra "agora" em Romanos 3.21?
27. Deus fez alguma promessa aos israelitas segundo a qual a justiça sem a Lei seria revelada? Cite referências.
28. Como os judeus interpretaram o propósito da Lei?
29. Defina a "graça" como fonte de justificação.

30. Deus é ao mesmo tempo misericordioso e justo quando perdoa o pecado? Em que base ele pode fazer isso?
31. Quando uma pessoa está sob a Lei? E sob a graça?
32. Que verdade Lutero descobriu?
33. Mencione alguns pontos que Lewis Sperry Chafer cita em relação ao que é e o que não é a salvação.
34. Mencione quatro operações da graça que indicam a operação interna da influência divina.
35. Explique a justificação com base na justiça de Cristo.
36. O que é "imputação"?
37. Que efeito tem a justiça creditada na conduta exterior?
38. Qual é o meio pelo qual o homem recebe a justificação?
39. Que relação existe entre fé e obras?
40. Explique os ensinos de Paulo e de Tiago em relação à justificação pela fé e o valor das obras.
41. O que é "regeneração"?
42. Quais as cinco palavras que descrevem a regeneração no NT?
43. Explique de que maneira a religião cristã é única em comparação com as demais.
44. Explique a profunda necessidade que o homem tem de regenerar-se, segundo o que foi revelado a Nicodemos.
45. Qual o destino mais elevado do homem?
46. Quais os meios para haver regeneração, do lado divino e humano?
47. Descreva os três efeitos decorrentes da regeneração.
48. A palavra "santo" tem cinco sentidos. Quais são eles?
49. Em que sentido a santificação é absoluta e progressiva?
50. Quais os meios divinos para a santificação?

51. Em que sentido o crente é santificado pelo sangue de Cristo?
52. Que passagem indica a existência de um aspecto progressivo na santificação pelo sangue?
53. O que diz Atos 10 sobre a santificação pelo Espírito Santo?
54. Como um homem santifica-se por meio da Palavra?
55. Mencione três pontos errôneos em relação à santificação e demonstre o erro de cada um deles.
56. Qual o método bíblico de santificação? Demonstre como Paulo tratou o assunto da provisão subjetiva e objetiva nos capítulos 6 a 8 de Romanos.
57. Explique as três "mortes" das quais o crente participa.
58. O que significa a palavra "perfeição" no AT?
59. Quais são os dois aspectos da perfeição apresentados no NT? Descreva-os.
60. Uma pessoa salva que se desvia pode, no fim, salvar-se?
61. Descreva a doutrina de João Calvino.
62. O que é predestinação?
63. Descreva a doutrina de Armínio.
64. Por que o livre-arbítrio figura na salvação do homem?
65. Demonstre, por meio das Escrituras, a possibilidade de o crente cair da graça.
68. Expresse o equilíbrio entre calvinismo e arminianismo.
67. Uma vez salva, a pessoa é salva eternamente? Cite as razões.

CAPÍTULO 9 — O Espírito Santo

1. Quantos livros do NT contêm referências ao Espírito Santo?
2. Faça uma lista dos nomes do Espírito Santo.
3. Quais os atributos do Espírito Santo que demonstram sua divindade?

4. Apresente provas de que o Espírito Santo é uma pessoa, e não apenas uma "influência".
5. Alguns acham difícil formar um conceito claro sobre o Espírito Santo. Apresente as razões para isso.
6. O Espírito Santo é uma personalidade distinta na Trindade? Justifique sua resposta.
7. Por que o Espírito é chamado "Espírito de Cristo"? (Cite quatro razões.)
8. Qual o significado da expressão "o Conselheiro"?
9. Qual o significado do nome "Espírito Santo", ou "Espírito Santo da promessa"?
10. De que maneira o Conselheiro é o "Espírito da verdade" e o "Espírito da graça"?
11. Explique os nomes "Espírito de vida" e "Espírito de adoção".
12. Mencione seis símbolos do Espírito Santo e explique cada um deles.
13. Escreva como a terceira pessoa da Trindade atuou na Criação.
14. Escreva sobre a obra do Espírito dinâmico nos obreiros e nos porta-vozes.
15. De modo geral, como o Espírito Santo é descrito no AT?
16. O que o AT nos revela em relação ao derramamento geral do Espírito Santo?
17. Qual a característica que distinguia o povo de Deus na antiga dispensação?
18. Qual a característica que distingue o povo de Deus na nova dispensação?
19. De que maneira o derramamento do Espírito Santo relaciona-se com a vinda do Messias?
20. Quais são as três características distintas da obra do Espírito na presente dispensação?

21. Quais são os seis aspectos e momentos críticos do ministério e da vida de Cristo?
22. Explique a tríplice obra do Espírito Santo, conforme mencionada em João 16.7-11.
23. Qual é a relação entre o Espírito Santo e a regeneração?
24. O que significa "habitação interior"?
25. Faça um comentário quanto ao papel do Espírito Santo na santificação.
26. Em Atos 1.8, qual é a característica principal da promessa de Cristo?
27. Que manifestações sobrenaturais acompanham o cumprimento dessa promessa?
28. Quais os termos que se aplicam à descrição do revestimento de poder?
29. Qual é a característica especial desse revestimento?
30. Demonstre que há algo adicional e distinto na experiência descrita como batismo no Espírito Santo.
31. Qual é a evidência de que a pessoa recebeu o batismo no Espírito Santo?
32. Descreva três fases do aspecto contínuo dessa experiência.
33. Como a pessoa receberá esse batismo de poder?
34. Que relação o Espírito Santo tem com a nossa glorificação? (Cite três pontos.)
35. Quais são os pecados contra o Espírito Santo?
36. Que distinção há entre os "dons" e o "dom" do Espírito?
37. Dê a classificação dos nove dons do Espírito e três citações bíblicas em que são descritos.
38. Qual é o significado da palavra "sabedoria"?
39. Dê algumas ilustrações a respeito do dom da palavra de conhecimento.

40. Qual o significado que os Evangelhos dão à palavra "conhecimento" (2Co 10.5)?
41. Qual é a diferença entre "sabedoria" e "conhecimento"?
42. O que é o dom da fé?
43. Qual é o valor especial dos dons de curar?
44. Explique a operação de milagres.
45. Explique a diferença entre "profecia" e "predição".
46. Qual é o propósito do dom de profecia?
47. Por que os crentes são instruídos a provar ou a julgar as mensagens proféticas (1Co 14.29)?
48. Qual é o propósito do dom de discernimento?
49. O que é o dom de variedade de línguas?
50. Qual é o propósito do dom de interpretação?
51. Mencione os seis princípios que regulam os dons.
52. Estabeleça a diferença entre a manifestação do Espírito e a reação do crente.
53. Qual é o valor prático do conhecimento dessa distinção?
54. O que se requer daqueles que recebem os dons? (Cite cinco pontos.)
55. Descreva as três provas aplicadas para distinguir os dons verdadeiros dos falsos.
56. Qual é a diferença entre o fruto do Espírito e os dons do Espírito?
57. Quais são as três grandes dispensações gerais que encontramos nas Escrituras?
58. Que significado simbólico têm os pães oferecidos na festa de Pentecoste?
59. Que sentido teve para os discípulos a descida do Espírito Santo em relação à chegada de Jesus no céu?

60. Quais são os cinco aspectos da vida da Igreja em que se reconhece o controle do Espírito?
61. Em que sentido haverá uma "ascensão" do Espírito?

CAPÍTULO 10 — A Igreja

1. A que se aplica o termo *ekklesia*?
2. Que palavras podem ser utilizadas para descrever o crente?
3. Quais as três figuras que servem como ilustrações da Igreja?
4. Relate como, de certo modo, a Igreja substituiu Israel.
5. Como nasceu ou se estabeleceu a igreja do NT?
6. Quais as condições exigidas para se pertencer à Igreja?
7. Faça uma distinção entre a Igreja visível e a invisível.
8. A Igreja é sinônimo do Reino de Deus?
9. Em que consiste a obra da Igreja? (Cite quatro pontos.)
10. Quais são as cerimônias da Igreja?
11. Qual é a forma bíblica do batismo?
12. De onde vem a prática do batismo por aspersão e efusão?
13. De que maneira se concilia a fórmula "em nome do Pai, do Filho e do Espírito Santo" com o mandamento de Pedro de ser batizado em nome de Jesus?
14. Quem são os escolhidos para o batismo?
15. Por que não se devem batizar crianças?
16. O batismo nas águas é essencial para a salvação? Justifique.
17. Dê o significado do batismo em relação à salvação, à experiência, à regeneração e ao testemunho.
18. Quais são as cinco características da cerimônia da ceia do Senhor?
19. Descreva os cultos públicos da igreja.

20. Descreva o culto particular da igreja.
21. O Senhor Jesus fundou a Igreja como organização ou como organismo vivo? Justifique sua resposta.
22. Descreva a organização da Igreja desde seus primórdios e ao longo dos primeiros séculos.
23. Descreva o ministério geral e profético da Igreja.
24. Descreva o ministério local e prático da Igreja.

CAPÍTULO 11 — As últimas coisas

1. O que é a morte? Quais versículos bíblicos a descrevem? Cite referências.
2. O que significa imortalidade? A que ela se aplica?
3. Quando o crente alcança a imortalidade?
4. Qual a justificativa para falar-se de imortalidade da alma?
5. Qual é a distinção entre imortalidade e vida eterna?
6. O que significa estado intermediário?
7. Dê o ponto de vista bíblico de estado intermediário em relação aos justos e aos ímpios.
8. O que ensina a Igreja Católica em relação ao estado intermediário?
9. De acordo com a Bíblia, qual é o único período de prova para o homem?
10. Expresse o que ensina o espiritismo em relação aos mortos.
11. Cite versículos bíblicos para demonstrar que a crença denominada "sono da alma" é errônea.
12. Discorra sobre a importância da ressurreição, segundo o ensino de Paulo. (Cite sete pontos.)
13. Mencione o que caracteriza o corpo ressurreto. (Cite seis pontos.)
14. Discorra sobre o ensino do AT em relação à alma do homem depois da morte.

15. Quem habitará no Sheol?
16. Quais eram as esperanças dos crentes do AT?
17. De que maneira essa esperança se cumpriu por meio de Cristo?
18. Que outras evidências temos no AT em relação ao ensino da vida futura?
19. Discorra sobre os ensinos do NT em relação à vida futura do crente.
20. Por meio de que nomes ou expressões é possível descrever o céu? (Cite quatro pontos.)
21. Indique as três fases da condição dos crentes que já partiram.
22. Por que é essencial que haja um lugar como o céu?
23. Cite oito bênçãos do céu.
24. Expresse o ponto de vista bíblico em relação ao destino dos ímpios.
25. Mencione quatro pontos de vista falsos em relação ao destino final do homem.
26. Quantas vezes é mencionada a vinda de Cristo no NT?
27. Cite em detalhes como será sua vinda? (Cite quatro pontos.)
28. Demonstre o erro das interpretações que negam o retorno literal do Senhor.
29. O que o Senhor Jesus ensinou em relação à época de sua vinda?
30. O que precederá o Milênio?
31. Explane sobre o propósito da vinda de Cristo:

    a) em relação à Igreja;

    b) em relação à Israel;

    c) em relação ao anticristo;

    d) em relação às nações.

Esta obra foi composta em *Agaramond*
e impressa por Promove Artes Gráficas sobre papel
Pólen Natural 70 g/m² para Editora Vida.